PODEWIL

11.1.
MERZBOW

18.1.
Dror Feiler

25.1.
Elliott Sharp

MontagsMusik zeitkratzer

ベルリン　Podewil パンフレット　1999

アムステルダム　1997 (c)Roger NBH.

東京 1995 年頃

東京　meg@icc フライヤー1999

パース　フライヤー　1999

Séances d'écoute 2

– mils

– mazk
Masami Akita (Merzbow) + Zbigniew Karkowski (Hafler Trio / Sensorband

Espace Jean Renaudie
le 21 septembre 1999 à 19H00

PAF : 40 F

Places limitées / Réservations souhaitées

パリ　mazk フライヤー　1999

mego@ufo club

pita / farmers man
zbigniew kar
satans tornado(russe
timisoara/me

Jan29 1999 a
start 24:00 charge 2000yen
UFO Club:1-11-6 B1,Koenj

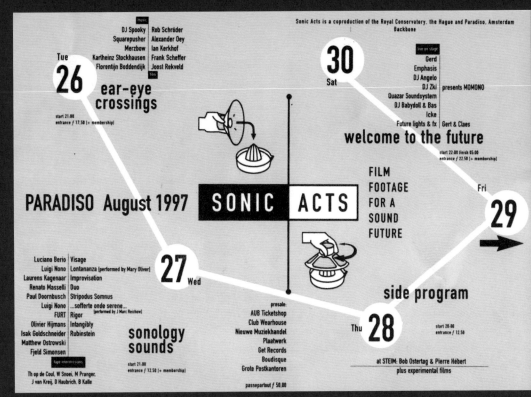

music
DJ Spooky | Rob Schröder
Squarepusher | Alexander Oey
Merzbow | Ian Kerkhof
Kartheinz Stockhausen | Frank Scheffer
Florentijn Boddendijk | Joost Rekveld
film

Sonic Acts is a coproduction of the Royal Conservatory, the Hague and Paradiso, Amsterdam
Backbone

Tue
26

ear-eye
crossings

start 21.00
entrance ƒ 17.50 (+ membership)

30
Sat

live on stage
Gerd
Emphasis
DJ Angelo
DJ Zki | presents MOMONO
Quazar Soundsystem
DJ Babydoll & Bas
Icke
Future lights & fx | Gert & Claes

welcome to the future

start 22.00 finish 05.00
entrance ƒ 22.50 (+ membership)

PARADISO August 1997

SONIC ACTS

FILM
FOOTAGE
FOR A
SOUND
FUTURE

Fri
29

Luciano Berio | Visage
Luigi Nono | Lontananza [performed by Mary Oliver]
Laurens Kagenaar | Improvisation
Renato Masselli | Duo
Paul Doornbusch | Stripodus Somnus
Luigi Nono | ...sofferte onde serene...
 | [performed by J Marc Reichow]
FURT | Rigor
Olivier Hijmans | Intangibly
Isak Goldschneider | Rubinstein
Matthew Ostrowski |
Fjeld Simonsen |
tape intercrossings
Th op de Coul, W Snoei, M Pranger,
J van Kreij, D Haubrich, B Kalle

27
Wed

sonology
sounds

start 21.00
entrance ƒ 12.50 (+ membership)

presale:
AUB Ticketshop
Club Wearhouse
Nieuwe Muziekhandel
Plaatwerk
Get Records
Boudisque
Grote Postkantoren

passepartout ƒ 50.00

side program

Thu **28**

start 20.00
entrance ƒ 12.50

at STEIM: Bob Ostertag & Pierre Hébert
plus experimental films

アムステルダム　Sonic Acts フライヤー　1997

WAVE TERROR V/S MANSIZED NOISE

ual Sincapacitants

rkowski/nikudorei

ell naswell+masami akita]

ega noise allstars

t UFO CLUB

(w/drink)advance 1300yen

ji-Minami(Tel)5306-0240

東京　UFO Club　フライヤー1999

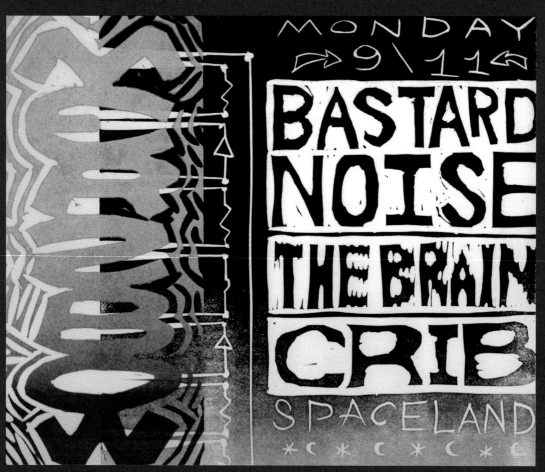

ロスアンジェルス　ポスター　1995

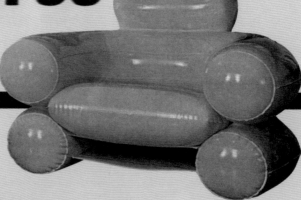

東京　2000v フライヤー　1997

4th and 15th June 1996

yol de Montjuïc (CPEM)

バルセロナ　Sonar パンフレット　1996

arc@icc フライヤー　1999

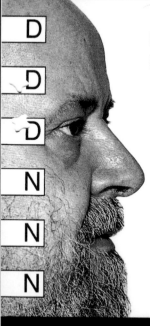

バルセロナ　Sonar 97 アーティスト・パス　1997

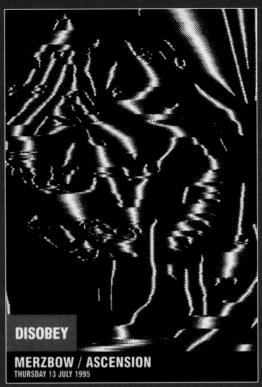

ロンドン　Disobey フライヤー　1995

ロンドン　meltdown フライヤー　1998

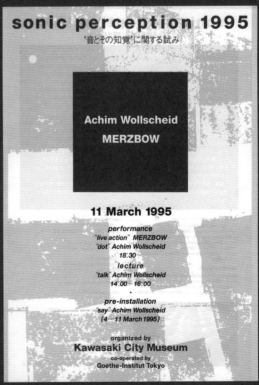

川崎　sonic perception フライヤー　1995

Migrateurs パリ市立近代美術館　1999

アムステルダム　1997 (c)Roger NBH.

DOM5 LUGLIO **X-DAY 1998** chiesa del subgenio e A.A.A. (Associazione Astronaut
h23.00 rave in space (minimal et experimental techno)

LUN6 LUGLIO h22.00 **ROCK POST ROCK GASTR DEL SOL / DA**
precede e segue sonorizzazione a cura di Gino dal Soler (ambient eclettico)

VEN10 LUGLIO h23.00 **INTERNATIONAL NOISE MAKERS** in anteprima esclus
di **MIKE PATTON** (USA) vocals & **MASAMI AKITA "MERZBOW**

SAB18 LUGLIO h23.00 **ELECTRONISCHE NACHT MOUSE ON MAR**

VEN24 LUGLIO h23.00 **DRUMS ARE EVERYWHERE MIX THE L.O.T.&Z**

tutti i venerdì h.23 sala club-salara: *chemical cross* **a cura della**

ロスアンジェルス 1996

ボローニャ Mardoror フライヤー 1998

メルツバウ
zsf プロダクト 東京

フェッネシ
MEGO ウィーン

11.04.1996
FLEX, Donaukanal U2/U4 Schottenrin

ウィーン フライヤー 1996

MERZBOW III

メルツバウ・ヒストリーインタビュー　第3回　1990年代

秋田昌美　インタビュアー　川崎弘二

| Cloud Cock OO Grand |

………1990 年 4 月 17 日にはＣＤ「Cloud Cock OO Grand」[1] のための最終的なミックスが行われており、秋田さんは「ヨーロッパ・ツアーで使用する為に考案した暴力ライブ・エレクトロニクスにＳＬＰ[2] に刺激されてスクラッチを導入した作品」[3] と述べておられます。僕は二十歳のときに梅田のソレイユという輸入レコード屋でこちらのＣＤを買い、とても鮮烈なサウンドだと感じたことを憶えています。

　この作品はＺＳＦプロダクトでリリースした最初のＣＤです。これまでメルツバウはレコード、カセットのリリースを行ってきましたが、カセットはヒス・ノイズが出ること、レコードはプレスによって音圧が出ないことなどの難点がありました。それらを解消してくれたのが当時新たなメディアとして使えるようになったＣＤです。

　また「Cloud Cock oo Grand」からマスターにＤＡＴを使用するようになりました。そうしたデジタル化によってメルツバウらしい音圧のあるダイレクトな音が作れるようになったわけです。制作方式としては複数のスタジオ、ライブ録音を複数のテープ・デッキで同時に再生しながらリアルタイム・ライブ・ミックスするというやりかたです。その際にカット・イン、カット・アウト、パンなどを目まぐるしく行うことでスピード感を出しています。

………1990 年 6 月には東京のヘブンズ・ドアやギグ・ホールにおいて、メルツバウのライブが開催されていました。

　1990 年 6 月 22 日の三軒茶屋のヘブンズ・ドアはメルツバウとして初めて相当な爆音を出したという記憶のあるライブです。翌日に東十条のギグ・ホールでもやっているようですね[4]。コン゠ドムが来日してそのイベントをVis a Vis[5] と共同企画しました。ギグ・ホールはよい会場でしたがすぐなくなりました。

　8 月 13 日には京都のどん底ハウスにおいて、メルツバウ＋モンド・ブリューイッツ＋ディスロケーションによるライブをやったようです。モンド・ブリューイッツの岩崎昇平君の企画ではないかと思います。ただ、当時、岩崎君はまだモンド・ブリューイッツを名乗っていなかったはずで[6]、のちにこのユニット名を命名したのはゼヴ・アッシャーです。そのまえに岩崎君が初めてメルツバウをブッキングしてくれたのは大阪造形センターでのゼヴのラフエイジとのコラボレーションでした[7]。

| Rainbow Electronics |

………1987 年から 1990 年にかけて録音された二十一時間にわたるテープをもとにして、1990 年 8 月 27／28 日にはＣＤの収録限界に近い長さの「Rainbow Electronics」がミックスされています。秋田さんは「色々な断片をぐちゃまぜに構成した作品。ファウストの影響もあったようだ」[8] と解説されています。ファウストのＬＰ「The Faust Tapes」[9] もテープの断片から構成された作品が片面ずつ 1 トラックで収録されていますが、「Rainbow Electronics」における素材の構成は、事前にプランを組み立てておられたのでしょうか。それとも、即興的な要素が大きかったのでしょうか。

　全体の構想としては 74 分で一曲というのがあったと思います。ですから大量のテープの断片を次々と付け足してゆくような作業だったと思います。

………1990 年 9 月にはアメリカ・ツアーが行われています。1990 年 9 月 2 日から 14 日までは西海岸でのツアーが行われていますが、ツアーの初日となる 9 月 2 日は、「ロスで予定されていたギグがポリスによる会場閉鎖というアクシデ

RRRecords and Complacency Present Noise at
edge of the lookingglass
• 62 east 13th street •
FROM JAPAN MERZBOW
on their first tour of the U.S.
WITH ILLUSION OF SAFETY
EMIL BEAULIEAU
ERIC LUNDE
SUNDAY SEPT. 30 1990 $5
Show starts at 9:00 pm sharp
62 E. 13th Street • between Michigan & Wabash • 312-939-4017

シカゴ　ポスター　1990

ントでキャンセル」[10] されてしまったようです。そして、少なくとも 9 月 8／9 日のサンフランシスコのアームピット・ギャラリーではヘイターズ／ビッグ・シティ・オーケストラ、そして、9 月 14 日のシアトルのＡＢＯロフトではイースト・カルチャー／Ｃ１０３と共演しておられて、さらに秋田さんはＳＲＬのマーク・ポーリンのガレージも訪問されていたようです。

　アメリカは、前年に雑誌の取材[11]でニューヨークは行っていましたが、西海岸は初めてでした。当時、「リ／サーチ」[12] という雑誌が特集を組んでいた「モダン・プリミティブス」という身体装飾の文化が街で実際に息づいているのを見てびっくりしました。マーク・ポーリンのガレージは確かサブタレニアン・レコーズとも同じ場所にあったように記憶しています。地下にさまざまな機械があり、中でも動物の死骸と機械を合体させた作品は異様でした。ガレージにはいろいろなアーティストが住んでいて、ニシキヘビをペットにしている住人もいました。

………1990 年のアメリカ・ツアーの録音はＣＤ「Great American Nude / Crush for Hi-Fi」[13] に収録されていますが、前半となる西海岸でのライブは収録されていません。ＣＤの解説では「西海岸の会場でＰＡのあった場所は一つもなかった」[14] と記されており、ＰＡがなかったのでサウンドボード録音ができなかったということなのでしょうか。また、秋田さんはＡＢＯロフトでのライブについて、「空間全体は死体梱包用の真っ白いビニール袋で全て覆われた。(略)さらに、床には多量の角材を使い迷路が作られた。(略)ステージの下に仕掛けられた小さなテストコイルが断続的にスパークして観客を驚かす。中は角材で作られた迷路に遮断されてまっすぐには進めない仕組みである。これを一種のノイズ・インスタレーションと呼ぶ事は可能だろう」[15] とおっしゃっておられます。

　ご指摘のように西海岸の録音を出してないのはＰＡも充実しておらず良い録音がなかったからかもしれません。けれどもシアトルのライブはとても満足のいくものでした。

………1990 年 9 月 17 日から 30 日にかけては、東海岸で十三回のライブが行われています。秋田さんは 1990 年 9 月 17 日のＷＪＵＬラジオでのライブについて、「大学構内で入手したスチール製本棚を演奏し、その中継をライブでフィードバックした」、9 月 18 日のローウェル大学の講堂でのライブは「昨日のラジオで使ったスチール製本棚を再び持ち出して大音響とともに破壊した」、そして、9 月 29 日のバビロン・ア・ゴー・ゴーでのライブについては「鉄製ショッピング・カートを演奏し、その後でロンから音源をもらって変調した」とご説明されています [16]。また、ツアーの最後となる 1990 年 9 月 30 日のエッジ・オブ・ザ・ルッキング・グラスでのライブ[17] について、秋田さんは「『身体性の復権』を意識した」[18] とおっしゃっておられます。

　東海岸はＲＲレコーズ／エミール・ボーリューのロン・レサードとの合同ツアーで車での移動でした。集客があるところもあれば全くないところもありました。確か、ワシントンはお客さんが一人ぐらいしかいなかった [19]。近くでジム・フィータスのライブ[20] があり被ったと現場スタッフは言っていました。ニューヨークへ向かう車中[21]のラジオでブリーダーズの「Glorious」[22] がかかっていてカッコいいなと思った記憶があります。フィラデルフィアの会場[23] は線路脇にある小さなバーで、昼間から酔漢のいる場末の雰囲気満載の場所でデヴィッド・リンチの映画の一場面のようでした。

　行く先々の現地で鉄板、鉄パイプなどの機材を調達してコンタクト・マイクをつけて演奏するというスタイルでした。当初は黙々と作業するような案配でしたが、回数を重ね次第に体が反応するようになりました。ツアー最後のシカゴのエッジ・オブ・ザ・ルッキング・グラスはそれが最も高揚したライブでした。共演したイルージョン・オブ・セーフティには当時ジム・オルークが在籍しており、彼と会ったのはそれが最初だったと思います。

………秋田さんはＣＤ「Great American Nude / Crush for Hi-Fi」の「Great American Nude」のパートについて、「北アメリカ縦断ツアーの録音から使えない部分のみを構成した」[24] とおっしゃっておられます。こちらの「使えない部分」とはどのような意味なのでしょうか。

ＣＤ「Great American Nude」の録音はアメリカ・ツアーの記録というよりはその残滓のようなものを作品化するという意図があり、あまりライブらしい部分は使っていません。また音は全てあとで歪ませています。ご存知のようにタイトルはトム・ウェッセルマンのポップ・アート作品[25]からとったものです。音楽的には「Crash for Hi-Fi」の方に力を注いでいます。

| 干渉ハノーバー |

　………1990 年にはＬＰ「干渉ハノーバー」も制作されています。ジャケットには使用された機材が列挙されており、スクラッチド・コンパクトディスク／リラクゼーション・トレイナーという記載もあります。なお、各面のタイトルは「鉄の分身、夜よ速く」「干渉ハノーバー／ミケランジェロと不定形」で、秋田さんは「干渉ハノーバー」について「映画『ミケランジェロ』[26] に影響されているはずの金属バロック音楽」[27] とおっしゃっておられます。

　　アルバム・タイトルはなんとなくゴードン・ムマの「ザ・ドレスデン・インターリーフ」[28] をイメージしています。いつになく詩的な曲タイトルです。スクラッチド・コンパクト・ディスクとは「Cloud Cock OO Grand」のＣＤ盤面に傷をつけたものでそれをＣＤプレーヤーで再生しています。リラクゼーション・トレーナーはどこかで拾った Alphatech[29] という健康器具でパルス音が出る機械です。仕組みはわかりませんがアルファ波が出るとパルスのスピードが変化します。「干渉ハノーバー」は「Rainbow Electronics」同様にさまざまな素材のゴタマゼ感を表しており、オットー・ミュールの作品「ミケランジェロ」などからも着想を得ています。

| 書籍「ノイズ・ウォー」 |

　………ギャラリーＦＲＯＧが 1989 年から 1991 年まで月刊で発行していた写真論誌「ＦＲＯＧ」誌では、1990 年 1 月号から 9 月号にかけて秋田さんの連載「交通するノイズ」、そして、1991 年 1 月号から 10 月号にかけては「レコードの破壊」が掲載されていました。そして、1992 年 12 月にはこれらの連載も含めた書籍「ノイズ・ウォー　ノイズ・ミュージックとその展開」[30] が出版されています。また、1993 年 5 月発行の「早稲田文学」誌に掲載された「帝国ノイズの進軍」という文章では、「海外からの『日本のノイズ』に対する脳天気な反応とは裏腹に、『日本のノイズ』は国内のアート／音楽、メディアのシステムと抵触を余儀なくされている。欧米のように、キリスト教支配や、様々な民族的政治的なシステム拮抗の場に曝されていなかった日本の中で、『日本のノイズ』は『システムなき日本』そのものに対峙しつつある。都心のライブハウスという小さなシステムに囲い込まれてきた『日本のノイズ』は、今、音楽から他所へと遊牧して行く絶好の機会に恵まれているはずだ」[31] と記されています。そして、少なくとも秋田さんは 1990 年代の半ばから音楽に関する文筆だけでなく、いわゆるノイズのシーンからも距離を取られるようになったように感じられます。

　　「ノイズ・ウォー」は 1980 年代から「フールズ・メイト」を始めとする雑誌に書いたノイズに関する文章をまとめたものです。スロッビング・グリッスル、ＳＰＫ、ノクターナル・エミッションズなどのインダストリアル・ミュージックから始まり、ホワイトハウスやマウリツィオ・ビアンキといったハーシュ・ノイズ、ザ・ハフラー・トリオのようなアンビエント系、ゼレクチオンのようなコンセプチュアル・アート系などのアーティストを取り上げ、ノイズ・ミュージックの現状をレポートするという趣旨のものです。
　　ジャック・アタリの「騒音」についての理論[32]やボードリヤールの「象徴交換と死」[33]などの当時流行りのポスト・モダン的言説を流用して「ノイズ」の戦略的な意味を構築しようとしています。
　　「ノイズ・ミュージック」について書かれた最初の本であるため、独りよがりで難解な内容になっていると思います。音楽史におけるノイズではなく、あくまで自分も含め進行形の新しいノイズ・ミュージックのありかたを提言するという目的でした。なので、ジャズや即興音楽などについてはあえて触れていません。既存の音楽の流れとは全く離れた新しい動向としてノイズを捉えたいという意図があったからです。そのため、音楽論から遊離していっています。
　　この本の最後のほうでカーカスなどのグラインドコア／デス・メタルについて書いた「残虐マニアと音楽」[34] という文

章はそうした傾向にあります。グラインドコア／デス・メタルは私のこれまでの持っていたノイズの音楽観を大きく修正させるきっかけとなりました。そこからコンセプチュアルなノイズ論というものから離れていく新たな方向性が生まれました。もちろん、あくまでノイズ・ミュージックを行うという立ち位置ではありますが、メタルを含めたエクストリーム・ミュージックとノイズ・ミュージックとの共振を強く意識しました。

　ですので、1990 年代になって私は「ノイズ」という小さなカテゴリーからどんどん離れてゆくことになりました。メタルやテクノ、さまざまな表現ジャンルを超えた自在な活動が活発になっていきました。これは「ノイズ」という音の持つ境界侵犯的な性質によるところもあります。川崎さんもご指摘のように 1990 年代の半ばごろから「ノイズのシーン」から離れていったというのはそのような理由もあります。

　当時作った「HGL Made a Race for the Last Brain」[35] という曲がありますが、このＨＧＬとはハーシェル・ゴードン・ルイスのことです。このころ、スプラッター／ゴア・フィルムの元祖としてルイスのフィルムが再評価されていました。私も彼の作品を始めスプラッター／ゴア・フィルムの熱烈なファンでした。また、1980 年代後半の「ヘル・レイザー」[36] や「フロム・ビヨンド」[37] 以降のＳＦＸを使ったおぞましいクリーチャーものや「羊たちの沈黙」[38] などのシリアル・キラーものも人気でした。グラインドコアやデス・メタルの残虐なビジュアルも露悪的なその時代の雰囲気とマッチしていました。当時は残虐、俗悪などがエクストリーム化、エンタメ化するという時代の傾向があったと言えます。

| グラインドコア／デス・メタル |

………秋田さんは「メタリカを始めいずれもブラック・サバスを音楽的な源泉と仰ぎ、ヘビメタの音楽構造的な核になるリフを無限な組み替えという極めてデジタルな方法論によって脱構築した今日のヘビメタのコアが、かつて以上の悪魔主義のアイコンを強烈に主張していることは明らかだ。サウンドの暴力性、スピード、プレイヤーの運動能力、あらゆるスタイルを貪欲に吸収するフレキシビリティー、『ヘビメタ』という六十年代のロックが生産したスタイルの徹底的マニア化、等の点に於いて、スラッシュ〜デス・メタルと呼ばれる一連の音楽はそれが進行過程にあるという点においてロックの現在形であることは間違いない。(略)その端的な一例はリバプールの残虐王と称されるカーカスだろう。かつてナーパム・デスにも在籍していたギタリスト、ビル・ステアーのカーカスは八十九年に発表されたセカンド・アルバム『シンフォニー・オブ・シックネス』(疫魔交響曲)[39] に於いて『精神病的グラインドコア』とも評されている怒濤と痙攣が猛スピードで渦巻く恐怖のサウンドを作り上げた」[40] とおっしゃっておられます。このころのグラインドコアやデス・メタルへのご関心についてお話しいただけますか。

　1989 年にヨーロッパへ行ったときに誰かの家でブラック・サバスの「ウォー・ピッグス」[41] がラジオでかかっていて、久しぶりに聴いたという感じがしました。私はオジー・オズボーン在籍時のサバスは大ファンでしたが、1980 年代になってからのロニー・ジェームズ・ディオなどになってからのサバスもオジーのソロも聴いていませんでした。そもそもＮＷＯＢＨＭ自体全く興味がなく、むしろ苦手でした。疾走系のメタルは私にはどうも軽く聴こえてしまったからです。一応、クリエイター、ソドム、デストラクションなどジャーマン・スラッシュやスラッシュメタル四天王[42] は聴いてはいましたが、今イチでした。

　しかし、やはり何といっても衝撃を受けたのはイヤーエイクの 1989 年のサンプラー「グラインドクラッシャー」[43] です。モービッド・エンジェル、リパルジョン、カーカス、ゴッドフレッシュ、ナパーム・デス、テロライザー、ボルト・スロワー、Ｏ・Ｌ・Ｄ、アンシーン・テラーなど、どれもすばらしいバンド揃いでした。このサンプラーで私はグラインドコア／デス・メタルというジャンルの存在を知り、彼らのルックスがロン毛でカッコいいこと、彼らがサバスから大きな影響を受けていることなどを知りました。のちにグラインドコアの多くのバンドがビーガンであることなど、彼らのファッションやライフスタイルも含めてアティチュードとしても共感しました。

　そして、何よりも彼らのノイジーで破壊的な爆音、速くて重い超高速ブラストビートとヘビーネスといったエクストリームな音楽としての強烈な魅力を感じました。

　私はまた髪を伸ばし始め、服もデス・メタルのバンドのロゴの入ったＴシャツやロングスリーブを着用するようになりました。そして、バスドラムに使うダブルペダルを購入しナパーム・デスの「ハーモニー・コラプション」[44] を聴きながら

ブラストを叩く練習を始めました。岩崎君はドラマーでもあったので彼がバスドラム練習用のパッドをくれたのです。

また当時ドイツの知人が現地のＭＴＶの中からデス・メタルを中心にセレクトしたビデオを定期的に送ってくれていました。特にナパーム・デスの「ライブ・コラプション」[45]や 1992 年のカーカス、エントゥームド、コンフェッサー、カテドラルらの「ゴッズ・オブ・グラインド」ツアー[46]の映像などは最高でした。コンフェッサーはほかとは異なりハイトーン・ボイスが強力でした。そしてナパーム・デスで最速を追求していたリー・ドリアンの新しいバンド、カテドラルがドゥーム・メタルという極端に低速な音楽を追求している点がエクストリームでした。また、彼らが影響を受けたバンドとしてメイ・ブリッツなどの 1970 年代初頭のアンダーグラウンド・ヘビー・ロックを上げている点で全く共感しました。私が昔聴いていた音楽が再評価されて新しいカッコいい音楽に取り入れられている点が嬉しかった。そういう意味でも私にとってエクストリーム・メタルの動向は最も注目すべきものでした。

│ 1991 年のライブ、パフォーマンス・アートなど │

………1991 年 2 月 15 日には京都のどん底ハウスにおいて、メルツバウ／岩崎昇平／本木良憲さんによるトリオのライブが行われており、秋田さんは金属製のフィルム・ケースらしき円形の物体を使用して、激しいアクションとともに一斗缶や警察の立看板らしき金属板から打撃音を引き出しておられました。秋田さんは「コンタクト・マイクを仕込んだギター状の自作楽器(略)はある時ライブをやった大学のゴミ捨て場で大量に拾ったフィルム・ケースを加工して作ったものだ」[47]とおっしゃっておられます。そして、秋田さんはご自身も取り巻く 1991 年の状況について、「アート・パフォーマンス界にノイズが土足で踏み込んで行く」[48]時期であったと発言されています。

2 月に京都のどん底ハウスと大阪のベアーズ[49]で岩崎君と共演しているようです。流れからするとその後すぐ 3 月に京都の西部講堂の「ＡＧＡフェスティバル」[50]でやっていますが、これは正式に出演したわけではなく、岩崎君が主催者側と交渉しましたが何かもめて結局西部講堂の外でゲリラ的に演奏[51]して顰蹙を買ったという記憶があります。

「ＡＧＡフェスティバル」にも出演していた坂井原哲生さんや武井よしみちさん、フルカワトシマサ氏などのパフォーマンス系の人たちと当時知り合いになりました。彼らとの出会いはやや遡り 1 月 26 日に東京のキッド・アイラック・ホールで開催された「光と闇Ⅱ」というイベントでした。その際は武井さん、坂井原さんのパフォーマンスに感銘を受け興味を持ちました。彼らの側もノイズにとても関心を持っていました。私の演奏を見て「田植えのスタイルに似ている」と言ったのは武井さんで、そのころは床に鉄板などを置いて中腰になって後ろ向きで演奏していました[52]。

8 月に韓国公州のパフォーマンス・フェスティバル[53]に参加しています。宿泊場所は韓国軍のテントでひどい待遇でした。その後すぐ「キャンプ・イン・田島　パフォーマンス・フェスティバル」[54]でした。私は実行委員の一人でノイズのアーティストをたくさんブッキングしました。田島で印象に残っているのは坂井原さんのパフォーマンスで、あまり水質が良くないような貯水池に飛び込んで水を飲んで吐くというものでした。彼とはウィーン派のルドルフ・シュヴァルツコグラーのアクションの話などをよくしていたから何か影響があったのかもしれません。

9 月 14 日から 15 日にかけては神戸の旧摩耶観光ホテルでフルカワトシマサ氏主催のパフォーマンス・フェスティバルに参加しました。ここは凄い場所でした。かつてはとても美しかったであろうアールデコのホテルの廃墟で、そのころはボロボロに崩壊していてゴミが山積みになっていました。そこで同時多発的にみんなが勝手にいろいろなパフォーマンスをやったり、食事をしたり、就寝したりしています。

9 月 17 日には名古屋の河合塾で「ノイズ・フォレスト」[55]というイベントにディスロケーション、モンド・ブリューイッツらと参加しています。9 月 23 日には東京のキッド・アイラック・ホールで「ノイズ・フォレスト・イン・東京」がパフォーマンス・アーティストや東京のノイズ・アーティストを加えて開催されています。翌年には「ノイズ・フォレスト」の参加アーティストによるコンピレーションＣＤ[56]を大阪のレ・ディスク・デュ・ソレイユがリリースしています。

こうした一連のイベントではいつも岩崎君が一緒でした。彼とはいろいろな話をして彼の車で方々へ行きました。坂井原さんが一緒のこともよくありました。その際は坂井原さんがハイエースを運転していました。坂井原さんの車で関西へ行った帰りに岩崎君が乗って東京へ来るということが何度もありました。モンド・ブリューイッツで印象に残っているのは仙川のゴスペルでのギグです。岩崎君は一斗缶をかぶってステージに現れると床に頭を叩きつけて暴れ回りま

した。やっている本人が一番うるさかったと思います。

　坂井原さんは当時ジャジー・アッパー・カットに参加していましたが、スピリチュアル系の造詣も深く、のちにアメリカ・インディアンのサンダンスの儀式にも参入していました。彼や岩崎君とは超古代史や陰謀論の話をよくしていて亀岡の大本教施設や京都太秦の三角鳥居などを見に行きました。のちにモンド・ブリューイッツのＣＤ [57] のために岩崎君はわざわざ私の家へ来てヘッドフォンをかけて夜中に録音していましたが古代文字をジャケットにしたのは私のアイデアです。

｜トゥルー・ロマンス｜

………1991 年から 1994 年にかけてはトゥルー・ロマンス（True Romance）の一員としても活動されています。

　そのころはパフォーマンス・アートの催しがたくさんあり、そこへ呼ばれる機会がたくさんありました。当時、現代アートのバブルともいうような「メセナ元年」なんて言葉もありました。「キャンプ・イン・田島」の少し前に池袋の東京芸術劇場でプレ・イベントが開催されました。その際に私のアイデアで大きなジェーン・マンスフィールドの人形がついた裁断機で「美術手帖」を切り刻むというインスタレーションを行いました。このインスタレーションにはビデオとＤＪのサウンドがついており、それらも私が制作しました。このときに人形などの制作を坂井原さんらがやってくれました。

　後日、この人形を使って鶴川付近の山の池で人形を池に沈めたり穴を掘って埋めたりするパフォーマンスを行い、その模様を撮影しました。これがトゥルー・ロマンスの「Blood Orgy of She Doll」という作品です。しばらくして坂井原さん、清藤俊亨さんの三人でトゥルー・ロマンスの名義でパフォーマンスを始めました。「トゥルー・ロマンス」の名前はロマン・スロコムブの作品 [58] の一部にその名前があったのを借用しました。トゥルー・ロマンスはメディカル・アートやスプラッター／ゴア・フィルムなどの影響を受けていました。

　最初のパフォーマンスは日大芸術学科で行われました [59]。その際のパフォーマンスはラテックスで造形した物体を医療器具を使用して解剖するというものでした。当時、イトー・ターリさんというアーティストの方がラテックスを使ったパフォーマンスを行っており、ラテックスでの造形に興味を持ちました。一斗缶に入ったラテックスの液体を買ってきて庭にブルーシートを敷いて液体を塗っておくとしばらくして乾燥してラテックスのシートができます。それを剥がして切って内臓のような形に造形し、中にトマト・ジュースで作った血糊を仕込みました。医療器具は使用期限の切れた薬品などと一緒に廃棄処分になっていたものをたまたま大量に入手したものが手元にありました。その後、廃病院などからもっと大きな医療器具を拾ってきて使用機材に加えました。

　その後、トゥルー・ロマンスは７３１部隊や帝国日本軍のパロディー的なバカバカしい演出も加わり、劇場、クラブ、ライブハウスなどさまざまな場所でパフォーマンス、インスタレーション、ＤＪなどの活動を行いました。

｜バストモンスター｜

………1991 年 12 月 14 日にどん底ハウスで行われたバストモンスター（Bustmonster）のライブの一部が、1992 年 10 月に発売されたビデオ「Oh! Moro」の五号 [60] に収録されています。こちらのビデオではバストモンスターについて、「91 年秋、秋田昌美の呼び掛けにより結成された豪華ノイズ・ミュージシャン・オールスターバンド」と紹介されています。

　「バストモンスター」はゼヴ・アッシャーのネーミングです。確か最初は岩崎君が東京へ来たときに坂井原さんと三人で深夜に池袋のスタジオへ入ってセッションをしたのが始まりでした。岩崎君がギター、坂井原さんがベースで私がドラムです。最初はサバスの曲やゼヴがボーカルでホワイトハウスのカバーもやっていましたが、その後、ノイズ・オールスター的なメンバーになっていきました。坂井原さんはシールドがつながっていないエア・ベースだったこともありました。

| フライング・テスティクル |

………1992 年 2 月 21 日には大阪のファンダンゴにおいて、秋田さん／マゾンナ／ゼヴ・アッシャーによるフライング・
テスティクル（Flying Testicle）のライブが行われています。

　これもゼヴ・アッシャーのネーミングです。当時は何か意味があっていろいろネーミングしているのかと思っていま
したが今考えるとどれもひどい名前ですね。アルバム「Space Desia」[61] のレコーディングはゼヴとマゾンナの山崎琢姿
君から素材のテープをもらって私が楽器などを加えてミックスしました。リズムやギターを加えたりしてメルツバウよ
りはもっとロック的な作品だと思います。のちにセカンド・アルバムを制作しようと山本精一さんもメンバーになり素
材のテープだけは貰いましたが結局ミックスには至りませんでした。

………1992 年 2 月にはマゾンナとのコラボレーションによるアセテート盤「Latex Gold」[62] もリリースされていますが、
手元にある盤は完全に再生不能でジャケットも崩壊しつつあります。「Latex Gold」では崩壊していくアンタイレコード
を製作しようと意図しておられたのでしょうか。

　メルツバウ＋マゾンナの「Latex Gold」はアセテートの品質不良からか盤がすぐに剥落してしまいました。また、ジャ
ケットは私がラテックスで作ったものですが、こちらもしばらくすると溶解してきました。意図したわけではありませ
んが結果的に再生できないアンタイ・レコードになりました。

| ノイジェクト |

………1992 年 6 月 26 日から 28 日にかけては横浜のみなとみらい 21 地区の倉庫で、そして、1992 年 7 月 3 日から
11 日にかけてはスパイラル・ホールにおいて、勅使川原三郎＋ＫＡＲＡＳ「ノイジェクト」が上演されています。こちら
の公演にはメルツバウとアヒム・ヴォルシャイトが参加しており、スパイラル・ホールでの録音はＣＤ化 [63] されています。
レビューには「音のヴォリューム自体も大きく、音の素材と、音を出す仕掛けが多様であることに気付かされる。二人の
『ノイズ・オペレーター』（略）の操作によって、単純な音型のうねり、苛立つような金属音、水流に似た音、拍子を刻む音、
人の声の合成音が会場を満たす」[64] と記されています。

　勅使河原三郎＋ＫＡＲＡＳの宮田佳さんから最初連絡をもらいました。宮田さんはノイズに造詣が深く勅使河原三郎
＋ＫＡＲＡＳの舞台ではＳＰＫやライバッハの曲を使用しているようでした。「ノイジェクト」では、私はテープと生演
奏で参加しました。即興演奏のパートも一部ありましたが、舞台のシナリオに沿った演出で使用する音も全て決めてい
ました。テープは Porta Two でリアルタイムのミックスでした。生演奏にはいつものコンタクト・マイクを仕組んだ楽
器を使用したと思います。
　横浜では舞台後方にアンプをセットして演奏しました。スパイラル・ホールでは舞台後方のキャットウォークのよう
なところにアンプを設置したように記憶しています。アヒムはスピーカーのインスターションを行い、私との共演パー
トもありました。公演はＮＨＫの教育テレビでも放映されました [65]。当時、私はさまざまな表現ジャンルの越境を目指し
ていましたから、「ノイジェクト」はコンテンポラリー・ダンスとノイズのコラボレーションとして画期的な試みだった
と思います。

| 巨大都市の原生 |

………1992 年 10 月 16 日から 11 月 15 日にかけてはベルリン／アイントホーフェン／ゲント／ニースにおいて、日
本のパフォーミング・アーツを紹介するフェスティバル「巨大都市の原生」が開催されています。こちらは 1985 年から
2004 年までベルリンを中心に、基本的には毎年開催されていたイベント「ウルベーン・アボリジナーレ」の第八回となる

企画だったようです。記録集ではベルリンでのライブ[66]における坂井原哲生さんのパフォーマンスについて、「ガスマスクを着け、オーバーオールを着たこの男は初めは肘掛け椅子に身動きせずに座っていたが、無邪気にライターと戯れたあと、スペースの中を停まることのない音の波を分けて何かを探すように動き回った。しばらくして、彼がまた現れたとき、彼は燃える木の棒と皿を持っていた。彼は棒を肘掛け椅子の上に置いた。／肘掛け椅子が燃え尽きていく間に彼は服を脱ぎ、椅子の隣の柱によじ登った。まるで火の中に飛び込みたがってでもいるかのように、彼は柱の上でやや前屈みになった。観客は恐ろしげだが美しい影が、壁の上に現れているのに気付くのだった」[67]と説明されています。そして、ニース近代現代美術館（ＭＡＭＡＣ）でのメルツバウのライブ[68]において、美術館の二階の屋外にある広場から、坂井原さんが真下の道路に向けて放尿する映像が残されています。

　その直前の 1992 年 8 月 22 日には富山市市民プラザでシード・マウスの種口裕人氏による「前衛行為音楽祭」というイベントがあり、武井さんらと参加しています。

　「巨大都市の原生」はクリストフ・シャルル氏の企画で「東京─大阪行為芸術 1992 年ヨーロッパ・ツアー」という副題で行われました。このツアーにはオフィス・トリップ（武井よしみちさん、清藤俊亨さん）、イトー・ターリさん、千野秀一さん、灰野敬二さん、向井千惠さん、フルカワトシマサ氏、坂井原哲生さんなど、当時交流のあったパフォーマンス・アーティストやミュージションが多く参加しました。

　メルツバウではベルリン、アイントホーフェン[69]などで演奏しましたが、パフォーマンス・アートとノイズとの接点を模索していたこの時期の一つの象徴的な出来事となったのが、イヴ・クラインの所蔵品もあるニースのＭＡＭＡＣのまさしくイヴ・クライン広場でのパフォーマンスでした。本物のアートを踏みにじるとはこのことです。

　付け加えて、ベルリンではメガデスとパンテラのライブ[70]を灰野さんと一緒に見に行きました。たぶん本場のメタル・バンドの生演奏を最初に見たのがこのライブだったと思います。さらにニースでは一人でデス・メタルのライブに出かけました。そのイベントはフランスのバンド、アグレッサーがヘッド・ライナーでした。日本人の客などいませんでしたが多くのメタル・キッズの輪に入れてとても居心地のよかった思い出があります。

　以前、「スカム・カルチャー」でも書きましたが[71]、ＭＡＭＡＣではテリー・ライリーが「ザ・ファタール・フォール」というアウトサイダー・アートの画家アドルフ・ヴェルフリに捧げた作品を演奏していました。ヴェルフリはのちにローザンヌのアール・ブリュ美術館や世田谷美術館の展示[72]でも実物を見ることができました。そもそもヴェルフリのことを知ったのはＳＰＫのメンバーが 1984 年に始めた「ムジク・ブリュ」というプロジェクト[73]だったので一際感慨深いものがありました。

| ライブ機材 |

………このころお使いになられていた機材についてお話しいただけますか。

　ライブ活動が活発になるにつれライブの機材が次第に充実してきました。基本的なセッティングはコンタクト・マイクをつけた鉄板やバネを張った鉄製のトレイなどからの音をオーバードライブで増幅し歪ませて、ミキサーに一度入れてミキサーから出した音をさらにエフェクターで変調し、ハイとロウに分けてアンプから出すというものでした。

　フランクフルトのカフェ・デア・ＦＨでのライブ[74]のころからディレイ／サンプラーはネクストのサンプラーDD 1100 とＤＯＤデジテックの Echo Plus PDS 8000 の二台を使用しています。ネクストのサンプラーでバックグラウンドとなるループを流し、そこにメタリックなノイズを被せるというスタイルが次第に定着してきました。オーバードライブは以前からプロコの Turbo Rat を使用していました。これはトニー・アイオミが使っていたからです。

　ワウファズは、最初はアイバニーズの WF 10 でしたが躯体がプラスティックですぐに壊れるのでのちにローランドの AD 50 Double Beat になりました。ディストーションはＤＯＤの Buzz Box と Deathmetal。ロウのブースターとしてＤＯＤの Meat Box を使用していました。フィルター系はボスの Dynamic Filter FT 2、ラブトーンの Meatball などです。

　機材については岩崎君からの情報も多かったです。大阪の中古楽器屋に面白いものが出るとすぐに連絡してくれまし

た。そうして購入した機材の中でもローランドの GR 500 というギター・シンセサイザー[75] は掘り出し物でした。また、私がのちにローランドのワウファズ AD 50 を愛用するようになったのも岩崎君からの影響です。

| Metalvelodrome |

………1993 年 10 月には「金属電子メタル時期の集大成的な作品」[76] として、四枚組のＣＤ「Metalvelodrome」[77] のミックスが行われています。

　この時期の最大の関心はデス・メタル／グラインドコアからインスパイアされたヘビー・メタリックな音色とスピードの追求です。メタリックな音色というのはＤＯＤのペダルの使用によって増長されました。またメタリックとは私にとって文字通り金属製の楽器の使用を意味します。金属製の楽器にコンタクト・マイクをつけて増幅し、ファズやディストーションのエフェクトにより極端に歪ませた音像を獲得しました。また二台のサンプラーを複雑に絡み合わせることで高速のスピードやリズムを生み出しました。
　さらに、このアルバムのビジュアルで使用された死体写真は後述する「Venereology」[78] と一連のもので同じ入手経路のものです。当時、デス・メタル、ゴアグラインドなどでエグい写真が頻繁に使われていましたが、そうしたものを意識して当時たくさん出版されたジョエル＝ピーター・ウィトキンや一昔前のＳＰＫなどのインダストリアル・ミュージックのアート・センスを混ぜた雰囲気のものです。「Hitchhike to Kill」[79] などゴア・フィルムなどのタイトル、ジャーマン・オークなどのクラウト・ロックからの引用[80] などもあります。
　さらに、同時期によく聴いたりサンプルしたりしていたアーサー・ライマン、マーティン・デニー、レス・バクスター、ヒューゴ・モンテネグロなどエキゾ・ミュージックの雰囲気もあります。つまり、デス・インダストリアル・エキゾ・ブルータル・ハーシュ・ノイズという集大成的なコンセプトです。

Metalverodrome

| Hole／Noisembryo |

………ＣＤ「Hole」[81] の３トラック目には、1992 年 11 月 6 日にフランクフルトのカフェ・デア・ＦＨで行われたライブが「Krautrock #1」というタイトルで収録されています。

　「Krautrock #1」は 1992 年のフランクフルトでのライブをミックスしたものです。レーベルもドイツですし、ジャケットもグル・グルの「ヒンテン」[82] のパロディでクラウトロックのオマージュ的な性格があります。

………1993 年 11 月から 1994 年 2 月にかけてはＣＤ「Noisembryo」[83] の制作が行われています。

　この作品のバージョンの一つにメルセデス・ベンツがあり搭載されたカーステレオに「Noisembryo」のＣＤが入っているということになっています。実物を見たことはありませんがそのような噂でした。私の当初の希望ではＣＤを流しながらカークラッシュしてもらえば最高でした。この作品と「Venereology」では声も使用しています。

Noisembryo

| Venereology |

………1994 年 1 月から 2 月にかけては、ＣＤ「Venereology」の録音とミックスが行われています。こちらのＣＤは音圧が高く、1995年1月にもおなじくリラプス・レコーズからリリースされたオムニバスＣＤ「Release Your Mind」[84]（メルツバウ「Crack Groove」収録）には、アーティストらの要望によってＣＤの規格に準拠しないオーバーレベルでプレスされているという注意書きがあります。

　リラプス・レコーズからリリースのオファーがあったときはとても嬉しかったです。リラプスがニュークリア・ブラス

ト・アメリカのころからディスメンバー、パンジェント・ステンチ、ベネディクション、ゴアフェスト、ディシーストといったバンドのアルバムは聴いていたし、マスター、シニスター、ブルータリティ、インカンテーション、ディスハーモニック・オーケストラ、ウインター、アモルフィス、フェティッシュ69、ライチャス・ピッグスなどの入った 1992 年のコンピレーション「デス…イズ・ジャスト・ザ・ビギニングス II 」[85] は愛聴盤でビデオ[86]も持っていました。類は友を呼ぶというのか、デス・メタル／グラインドコアのレーベルから声がかかったのは光栄でした。

　また、メタルのレーベルから出す最初のノイズのアルバムだったと自負しています。内容としてはイントロなどに少しグラインドの要素を加えたほかは、音はメチャクチャなノイズで、ジャケットはシリアスでグロテスクなもので、サンクス・リストなどはメタルの真似をしました。また、音圧は数デシベル上げてマスタリングするように指示しました。リラプス・レコーズは「エクストリーム・ノイズ」としてプロモーションも大々的にやってくれました。インタビューもたくさん来て、プレス・リリースやレビューなども後で丁寧にスクラップして送ってくれました。

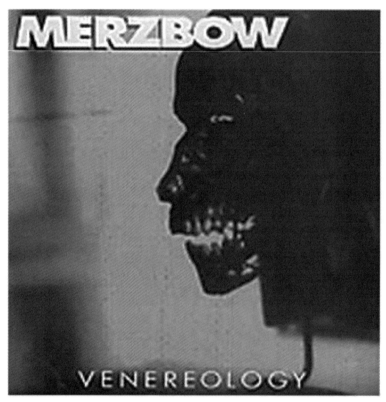

Venereology

| メタリック・ツァイト |

………1994 年 6 月 14 日には大阪のミューズ・ホールでコンサート「フェティッシュ・インフォバーン＃0」が開催されており、秋田さんは中嶋昭文さんとメタリック・ツァイト（Metalik Zeit）としてご出演されていました。

　オウブの中嶋昭文さんとの共演で形に残っているのはこのライブぐらいですが、当時、中嶋さんにはたいへんお世話になっていました。京都へ行ったときはたいてい中嶋さんの家に泊めてもらっていました。町屋というんですか、小さな中庭のある古い二階屋でした。当日電話して押しかけたこともありました。岩崎君とよく一緒に泊まってレコーディングをしたこともあります。メタリック・ツァイトは「金属的時間」というリシャール・ピナスが言った言葉をドイツ風にしたものです。中嶋さんは大のクラフトワークやクラウト・ロックのマニアでしたから。

| Dadarotenvator |

………1994 年から 1995 年にかけては L P「Dadarotenvator」[87] の録音とミックスが行われています。A面には短めの 10 トラックが収録されており、B面は「Koji Tsuruta had Big Grinder」というタイトルでした。

　これはサン・ラとグラインドコアの融合を意識したアルバムです。A面はわざとスカスカな音作りにしており、昔のＥ Ｓ Ｐディスクなどの生っぽい録音を目指しています。B面は鶴田浩二の映画をサンプルしたものでコラージュ的な作品 ですが、「抜刀隊」のころとは異なり、もっと自然なノイズ的な流れで制作しています。

| メルツバウ＋ゴア・ビヨンド・ネクロプシー |

………1994 年 12 月から 1995 年 2 月にかけては、秋田さんのプロデュースによるゴア・ビヨンド・ネクロプシーとの ７インチ「Rectal Grinder EP」[88] の録音とミックスが行われています。

　当時、ディスエンバウルメントやモーティシャンのような重低音のバンドが好きでよく聴いていましたが、日本のデ スメタル・バンドのライブに通っていてとても気に入ったのが彼らでした。

| Green Wheels／Magnesia Nova |

………1995 年 3 月から 5 月にかけてはＣＤ「Green Wheels」[89] の録音とミックスが行われています。「Green Wheels」 には５インチのレコードが付属しておりますが、こちらは秋田さんの発案だったのでしょうか。

　1994 年の後半に EMS Synthi A を渋谷の楽器屋で購入しました。ＥＭＳはピンク・フロイド、ホークウィンド、キン グ・クリムソンなどの往年のプログレ・バンドが使用していた名機なので憧れていました。シンセサイザーを買おうとい うときにこれだと思って購入しました。「Green Wheels」はＥＭＳを初めて導入した作品です。内容的には 「Venereology」を踏襲していますが、ＥＭＳにより新たな色付けがされていると思います。ＣＤに５インチのレコード をつけるというのはレーベルのアイディアです。最初はプラスティックのケース入りでしたが、のちに在庫がなくなっ て紙製に変更されました。

………ライブでＥＭＳを初めて使用されたのはいつごろのことだったのでしょうか。

　アヒム・ヴォルシャイトが来日し、川崎市市民ミュージアムでイベント[90]が行われました。アヒムはスピーカー・インス タレーションを行いました。私はおそらく初めてここで EMS Synthi A をライブで使用しました。ほかのノイズ・エレク トロニクスと併用していたと思います。

………1994 年 12 月から 1995 年 1 月にかけては、「Merzbox」に収録された「Liquid City」[91] の録音とミックスが行わ れており、1995 年 2 月から 5 月にかけてはＣＤ「Magnesia Nova」[92] の録音とミックスも行われています。

　「Magnesia Nova」の曲名は全てアタナシウス・キルヒャーの著作[93] からとりました。音源は「Green Wheels」と同じ セッションの中からセレクトされています。当初は「Liquid City」との三部作でコラージュの画集と一緒に八幡書店から ＣＤ−ＲＯＭで出す予定だったようですが実現しませんでした。

………1995 年7月にはヨーロッパでのツアーが行われています。

ウィーン　Japan Now パンフレットより　1995

7月3日にアムステルダムのＶＰＲＯという場所でスタジオ・ライブ収録がありました。ミックスは当時アムスに住んでいたジョン・ダンカンが行い、この録音はスタールプラートのサブレーベル、モール・オー・ヴァシュから「Locomotive Breath」[94] というタイトルでリリースされました。

　この後、5日にマインツのブリュッケンコップという大戦中の地下壕を改築したスペースでライブ[95] を行いました。その後フランクフルト経由でウィーンに行き、クンストハウス・ウィーンで開催された「ジャパン・ナウ」[96] というイベントに出演します。ボアダムスが対バンでした。

　その後、プラハを経由してロンドンへ行きます。アップステアーズ・アット・ザ・ガレージという場所で「ディソベイ」[97] というイベントに出演しました。これはミュート・レコーズの傘下にあるレーベル、ブラスト・ファーストの主催でした。アセンションが対バンでした。ヤン・シュワンクマイヤーのフィルムやブルース・ギルバートのＤＪセットもありました。

　このとき、当時ブラスト・ファーストにいたラッセル・ハズウェルに初めて会いました。彼はナパーム・デスの友達だというので話が弾みました。ブラスト・ファーストといえばソニック・ユースやビック・ブラックといった印象がこれまでありましたが当時彼らのリリースしていたグレン・ブランカ、フィル・ニブロック、サン・ラといった意外なラインナップから何か新しい息吹を感じました。ラッセルは最近フィンランドの凄いバンドを発掘したと言って自慢げに話していま

チューリヒ　1995 (c)Silvia Luckner

33

した。そのバンドはやたらに巨大なローテックな機材を並べて演奏し、おまけに嘘か本当か英語が喋れないと言っていました。

　それがパンソニックでした。しばらくして彼らは「パナソニック」名義でブラスト・ファーストから最初のアルバム[98]をリリースしましたがクレームがつき改名したのは有名な話です。またブラスト・ファーストはアースの「サン・アンプス・アンド・スマッシュド・ギターズ・ライブ！」[99]もリリースしました。アンダーグラウンド・メタルのシーンはドゥームやドローンの方向へ舵をとっていました。ノイズがこうした新しい音楽とリンクしていることは明らかでした。

　そうした流れの中にいることを感じて、チューリッヒへ向かい、ヴォイス・クラックと一緒のショー[100]に出演してツアーを終えました。なお、「ディソベイ」でのライブはラッセルがミックスしてブラスト・ファーストから「Noizhead」[101]のタイトルでリリースされました。

………1995 年 6 月から 8 月にかけては「Pinkream」[102]の録音とミックスが行われています。秋田さんは「Pinkream」について、「ＥＭＳの反復パルス音を前面に出してノイズは控えめに使っている。パルス音がドイツ語の『駅』に似ていると直感した曲タイトル」[103]とおっしゃっておられます。

　ドイツ中央駅「Hauptbahnhof」の発音がＥＭＳのパルス音に似ていたのでこのようなタイトルにしました。当時のリリースの中ではリズムを強調した作品です。

│ 1995 年のアメリカ・ツアー │

………1995 年 9 月にはアメリカでもツアーが行われています。

　これはソルマニアとの合同ツアーでした。ニューヨークは「ＣＭＪ ミュージック・マラソン」という大きなイベントでたくさんのレコード・レーベルのショー・ケースが行われました。我々はニッティング・ファクトリーのアルター・シアターというスペースで行われたアルケミー・レコーズ・ナイト[104]にボルビトマグースと出演しました。翌日、コロンビア大学のカレッジ・ステーションＷＫＣＲでスタジオ・ライブ[105]を録音しました。このときの録音はバスタード・ノイズとのスプリット・アルバム[106]に収録しています。

　この日の晩、ブルータル・トゥルースのダン・リルカとたぶんディスコーダンス・アクシスのジョン・チャンらとメタルのライブを見に行きました。出演はカタクリズム、アナル・カントなど。アナル・カントのセス・パットナムは客席に降りて客と喧嘩していました。この後、西海岸ツアーへ行きました。まず、ロサンゼルスのスペース・ランド[107]でブレイン、クリブ、バスタード・ノイズと共演。次に 50 バックス・ギャラリー[108]でスペキュラム・ファイト、フィジックス、ソリッド・アイと共演。翌日、サンフランシスコのボトム・オブ・ザ・ヒルズ[109]でモレキュールらと共演しました。その後、ソルマニアとは別れ、メルツバウはシアトル[110]、ヴァンクーヴァー[111]、ポートランドなど何箇所かでやったようです。

│ Electric Salad │

………1995 年 10 月 14／15 日にはＣＤ「Electric Salad」[112]の録音とミックスが行われており、ＥＭＳや坂井原さんの声も使用されています。

　このアルバムは長いセッションで、シンセ、テルミンなどのスペーシーな響きを強調したものになっています。当時、私が使用していたテルミンはテルマニアックス・テルミン社のドーム型のもので、ドーム内側にアルミ泊が貼ってありアンテナがありました。またイシバシ楽器のテルミンも所有していましたがどこかにいってしまいました。ジャケット・デザインは「サイ・ファイ・パーティ」[113]あたりのコスミッシェ・ムジークからインスパイアされました。

| Pulse Demon |

………1995年10月から11月にかけてはリラプス・レコードからリリースされたＣＤ「Pulse Demon」[114]の録音とミックスが行われており、秋田さんは「ＥＭＳとメタル・ノイズのコンビネーションである。ジョン・アップルトンの『シントニック・メナジェリー』[115]を意識している」[116]とおっしゃっています。

　この作品は何度か再発されていますが、2023年にイタリアのオールド・ヨーロッパ・カフェからリリースされるＣＤ盤[117]で初めて自分でリマスターしました。最初と最後のトラックはリズムが強調されていますが、それ以外はアブストラクトなノイズ中心の流れるような構成になっていると改めて感じました。つまり、メルツバウの通常モードであるという点で、前回のリラプスのリリースに比較すれば気負いなどは感じられません。
　ただ、タイトルやジャケット・アートワークなどの統一感はこの作品唯一のもので、後年にこの作品がメルツバウの代表作としてシンボリックに扱われるようになったのはそうしたイメージが成功したためでしょう。ジョン・アップルトンの「シントニック・メナジェリー」からの影響は「Tokyo Times Ten」[118]という曲[119]です。

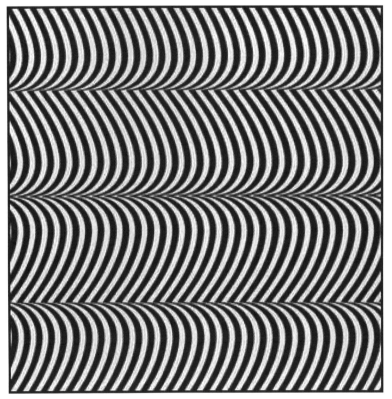

Pulse demon

| Project Frequency／Scandal／Electro – Music for Romantica |

………1995年にはＬＰ「Project Frequency」[120]の録音も行われており、機材としてオーディオ・ジェネレーターの記載もあります。こちらの作品のＡ面に収録された「Epitaph for Noboru Ando」というトラックには、「includes very high/low frequency signals under 20 Hz + over 30 kHz」という注意書きがあります。

　おそらく意図的にリーダー電子のオーディオ・ジェネレーター Leader 27A をフィーチャーした最初の作品です。Leader 27A は 10 Hz から 1 MHz までの正弦波、矩形波を発生することができます。Ｂ面はヤクザ映画をサンプリング

しています。

………2021 年にリリースされたＣＤ「Scandal」
「Evening Scandal」というトラックが収録されて

　これは元々1992 年にＲＲレコーズがリリース
ものです。「Evening Scandal」の元の素材には倉
ングして使用している部分がありましたが著作権

………1996 年 3 月 28 日から 31 日にかけての
カ「悪徳の栄え、美徳の不幸」が上演されています
ン／テープ／ノイズ・エレクトロニクスによる音
容に即した録音をご用意されたのでしょうか。そ

　劇団ロマンチカのために制作した音源はのち
ルツバウとはやや異なる作風だったため個人名
ヨーロッパ・ツアーの日程と被り本番は見られなかったような記憶があります。

｜ 1996 年のヨーロッパ・ツアー ｜

………1996 年 3 月から 4 月にかけてもヨーロッパに行かれており、スイス／ドイツのケムニッツとロストック／オーストリアでライブが行われています。

　3 月の終わりにスイス、ベルンの「タクトロス」フェスティバルに出演したようです [125]。旧東ドイツのケムニッツは小さな会場でしたが歓待されました [126]。ロストックはＭＳストューブニッツという船が会場でした [127]。
　オーストリアでは 4 月 9 日にザルツブルグのカルチャーゲレンデ・ノンタールというところでフェネスと対バンでした [128]。当時彼はまだギターやシンセサイザーを中心にしたセッティングでした。この箱には別の日にミック・テイラーやウエイン・クレイマーなどが出演していました。このときに初めてメゴのピタなどと会ったのだと思います。
　ラッセル・ハズウェルもＤＪで来ていました。11 日にはウィーンのフレックスで同じメンツによるもっと大きなイベント [129] が行われました。フレックスは当時ドラムン・ベースの会場として有名な場所でした。ラッセルがＤＪで強烈なノイズを流していたのを憶えています。

INTERFEARENCE and STEINKLANG - RECORDS

present

FEAR OF NOISE pt.I

Dienstag 09.04.96

live
FENNESZ
MERZBOW

psychic rotations with
PURE
MAX PRESCH

Kulturgelände Nonntal - Mühlbachhofweg 5 - Salzburg

ザルツブルグ　フライヤー　1996

………1996 年 5 月 27 日にはじめ「Spiral Honey」[130] のための「selected & re – numbered」が行われたようです。秋山さんはこのときのＣＤについて「『ノング』のメルツ的解釈である。フィルター・バンクを多用している」[131] とおっしゃっておられます。

　当時、テクノやドラムンベース全盛で、クラブなどで耳にする機会も多かったですが特に夢中になるわけではありませんでした。しかし、新しい音の質感として顕著に感じたのが大胆にフィルターで加工された電子音でした。ＥＭＳシンセサイザーで出せばいい話でしたが、ライブ用に従来のノイズのセッティングに追加するかたちでアナログ・システムズの FILTER BANK FB3 MKII を導入しました。

………1996 年 6 月にはＣＤ「Oersted」[132] のための「remixed by live tape manipulation with mk2 filter」が行われており、秋山さんは「フィルター・バンクを積極的に使った最初の作品[133] であるとおっしゃっておられます。

　この作品でも Filter Bank を多用しています。1993 年の素材も一部使用しています。アートワークやタイトルにはもちろんフィルター・バンクとの関連があります。……のアルバムがリリースされたころ、フランスのインダストリアル・アートのベルナール・ヴネが連絡してきて、シャベルで石炭を延々とすくっている音とか、二時間も続くコンコルド・ジェット機のエンジン音とかが録音されたフィールド・レコーディングのＣＤを送ってきました。なぜだかわかりませんが、Oersted (磁場の強さを表す単位) なんていう変なタイトルのせいだったからでしょうか。

| 1996 年のアメリカ・ツアー |

………1996 年 10 月にはアメリカ・ツアーを行っておられます。

　10 月のツアーはマゾンナと一緒で、シアトル、ポートランド、サンフランシスコ[134]、オークランド、ロサンゼルス[135]、クリーブランド[136]、ニューヨーク[137]、ボストン[138] で行われました。ダニエル・メンシュ、スモール・クリュエル・パーティー、スメグマ、バスタード・ノイズ、ボルビトマグース、ＭＸ８０サウンドなどが対バンでした。最後に単独でシカゴでガスター・デル・ソルと共演しました[139]。ツアーで印象に残っているのはクリーブランドで会場はザ・ピエタという小さな体育館のような場所でした。主催はハードコア・バンドのインテグリティをやっているドウィド・ヘルトンで、彼のノイズ・ユニット、サイワーフェアも出演しました。

36 Lansdowne Street
Boston, MA 02215

an evening of
serious noise

MERZBOW
MASONNA
EMIL BEAULIEAU
SKIN CRIME
NIGHTSTICK
JAPANESE TORTURE
COMEDY HOUR

monday, oct 14, 8:00pm

ボストン フライヤー 1996

　｜□□□□□□□□□□□□□□□□□□□□□□□□□□□□□□□□｜

　………1996 年 6 月から 11 月にかけて「ラ・ピョント・ネクロフィシーとの」コラボレーション LP「Rectal Anarchy」[140]
の収音が行われており、「ライブ音源などと共に過去の未発表コンピレーダー編集[141] が行われていたようです。秋
田さんは「Rectal Anarchy」について、「パンク・ロックをテーマにした作品」[142] であるとおっしゃっておられます。

　「Rectal Anarchy」のミックスはメンバーの自宅で、コンピュータで行っています。巷ではパソコンがまだ普及し出し
たばかりでした。私は操作していません。全て小林君（？）がやっていました。「パンク・ロックをテーマ」というのは
ジョークです。私の音源は全てアナログで作ったものを彼らの音と現場でミックスしています。

　｜ Soft／Space Metalizer／Hybrid Noisebloom ｜

　………1996 年 12 月にはカデフ（カロヤン・ウィタン（？も）とのスプリット 10 インチ「Soft」[143] の録音とミックスが行わ
れています。「Soft」について「最初にムーグを積極的に使用した作品」[144] とおっしゃっておられます。

　「Soft」で最初に使用したムーグの The Rogue はアメリカ・ツアーの際に中古楽器屋で購入して持ち帰りました。
　□□□
です。

　………1997 年 1 月には「Space Metalizer」のデジタル・マスターが完成しており、秋田さんは「再び E M S を多用しだ
した頃の作品」[145] とおっしゃっておられます。

　「Spiral Honey」、「Oersted」などのテクノにインスパイアされたミニマルな傾向の作品を作るかたわら、この「Space
Metalizer」と「Hybrid Noisebloom」では E M S シンセ、ムーグ、テルミンなどを強調したスペーシーな作風になってい
ます。

　………1997 年 1 月から 2 月にかけて「Hybrid Noisebloom」[146] の録音とミックスが行われています。こちらの作品に
ついて「さらに Moog を多用し大幅にスペーシーになった作品。ジャケ裏は Heldon のパロディ」[147] とおっしゃっておら
れます。

　エルドンのリシャール・ピナスのアルバム [148] のジャケットを真似しています。このころのジャケ写はデジカメで撮影
して自分で印刷するタイプのものを版下に使用しています。このアルバム・カバーは昔作った「Tibet Baroque Collage」
に特殊ライトを当てて撮影したものです。

　｜ボリス・ウィズ・メルツバウ｜

　………1997 年にはボリス（Boris）とも共演されています。

　1997 年 1 月 27 日に高円寺 2 0 0 0 0 V でボリスとの初めてのコラボ・ライブが行われました。対バンはコラプテッ
ド・ウィズ・ソルマニアで東京と大阪の超低音ラウド・ロック＋ノイズの爆音対決という主旨でした。当時のアンダーグ
ラウンド・ヘビー・ミュージックの流れは、グラインド／デス・メタルからスラッジ、ストーナー、ドゥーム、ドローン・メ
タルといった方向へシフトしていました。サン O))) はまだデビューしていませんでした。

………1997年6月にもヨーロッパに行かれています。「Merzbook」にはこのときのロンドンのライブにおいて、モーターヘッドが実際に使用していたマーシャルのアンプ[149]が持ち込まれていた旨が記されています[150]。

　6月19日にストックホルムのフィルキンゲンで演奏しています。22日にロンドンのアップステア・アット・ザ・ガレージで行われたブラスト・ファーストのイベント「ディソベイ」で二度目の演奏をしています。この際にモーターヘッドの三段積みのマーシャル・アンプが用意されていました。ステージ後方にはアンプの壁が出来ていて、バンド・オブ・スーザンズが対バンでした。バックステージでラッセル・ハズウェルの紹介でリー・ドリアンなどカテドラルのメンバーに会い

ました。

………1997年6月にはバルセロナで開催されたフェスティバル「ソナー」にも参加されています。

　ロンドンの後、バルセロナへ飛んで大規模フェスティバルの「ソナー」に出演しました。同日のラインナップはカール・ストーン、ブルース・ギルバート、Ｈｅｘ＋コールドカットでした。前の日にはスクエアプッシャー、フェネス、センサーバンドなどが出ています。その日の晩にブルース・ギルバートが誰かとケンカして目を腫らしていたのを憶えています。
　「ソナー」の会場の中庭で一人の初老のヒッピー風の男に話しかけられました。男はエリシオと名乗り、ヴァギナ・デンタータ・オルガン（ＶＤＯ）のメンバーだと言いました。ＶＤＯは過去に狼の声のサンプリングだけで構成されたレコード[151]や、人民寺院の自殺者の数だけプレスしたジム・ジョーンズのレコード[152]、二千人が二昼夜血まみれになってドラムを叩き続けるスペインの奇祭カランダの実況録音[153]といった奇抜な作品のリリースで有名でした。
　当時のＶＤＯの近作は「カタロニアの犬」[154]と題されたハーレー・ダヴィッドソンのエンジン音だけで構成されたもので、バイク事故死したメンバーに捧げられていましたが、なんとその死んだはずの男こそ目の前にいるエリシオでした。そして、サルバドール・ダリとルイス・ブニュエルの有名な映画「アンダルシアの犬」ならぬ「カタロニアの犬」とはエリシオの愛車バイクの名前でした。
　エリシオは、ＶＤＯはカタロニア独自の芸術衝動の表われだと言いました。そして、ＶＤＯのリリース元ＷＳＳＮは「ワールド・サタニック・ネットワーク・システム」から最近「ワールド・シュルレアリスト・ネットワーク・システム」に改名したばかりでした。つまり、ＶＤＯはダリやミロといったカタロニア芸術の末端に位置づけられるのでした。スペインに来て「ダリ」の名前を口にしたのは彼だけでした。
　そんな彼は私をフィゲラスのダリ美術館に案内してくれました。当時の感想ですが、ダリはブルジョア芸術の過去の遺物といった評価しかありませんが、ダリ美術館に来て思ったのは、そこにあるのはブルジョア的というよりは金ピカの見世物芸術的ないかがわしい世界でした。エリシオは生前のダリがフィゲラスの街を散歩するところを何度も見たらしいですが、フィゲラスの街でこの画家のことを知る人はわずかしかいなかったと言いました。ダリは自分の愛したこの街に美術館を建てると、しばしば美術館の中庭の椅子に座って昼寝していたそうで、エリシオはその椅子の位置を教えてくれました。
　そして、中庭にはキュベレー像が突っ立った黒塗りの古いシボレーが置かれてあり、二体のマネキンが中にいて、ボタン操作で車中に雨が降る仕掛けになっています。エリシオによれば、この車こそキャプテン・ビーフハートが「トラウト・マスク・レプリカ」で歌った「ダリの車」[155]であると言いました。エリシオはダリにビーフハートのレコードをプレゼントしたと言っていました。ダリ美術館にはアリス・クーパーの三次元ホログラフィー彫刻[156]もありますが、ビーフハートを

（…degraded line, illegible…）

│ソニック・アクツ│

………1997 年 8 月にアムステルダムで開催された第四回の「ソニック・アクツ」でメルツバウのライブを行っておられます。

　8 月の 26 日にアムステルダムのパラディソで行われた「ソニック・アクツ」というイベントに出演しました。この日は「イヤー＝アイ・クロッシング」[157] という企画でＤＪスプーキー、スクエアプッシャー、カールハインツ・シュトックハウゼン、メルツバウ、フロレンティン・ボデンダイクの五組の音のアーティストに五人の映像アーティストが映像を作り、それをライブと同時に見せるというものでした。
　（…degraded…）スクエアプッシャーは××××でした。シュトックハウゼンの作品は演奏されましたが、シュトックハウゼン（…degraded…）としてＦＡＸで指示したそうです。メルツバウの映像は（…degraded…）がライブで作りました。もともとこの企画はオランダのＴＶドキュメントか何かのためのもので [158]、このイベントの（…degraded…）
　（…degraded…）
　また、クラブ・イベントも行われ、いろいろなＤＪたちやパンソニックなどのライブも行われ、その意味では現代音楽のアカデミックなものから最近の音響テクノ系、そして、我々のようなノイズまで、電子音響についての幅広い解釈が見（…degraded…）
　私はこのイベントの主催者の一人でもある映画監督のフランク・シェッファーにインタビューを受けました。シェッファーは「ノイズ」と過去の歴史的音楽のリンクに興味があるようでした。私はとりあえず電子音響音楽を聴いてはいたが、それはザッパからの影響だと語ったところ、彼もそうだ、というので話が盛り上がりました。実際に彼はシュトックハウゼン [160]、ジョン・ケージ [161] のほかにフランク・ザッパ [162] のフィルムを撮っています。

│ Tauromachine │

………1997 年 5 月から 9 月にかけてはＣＤ「Tauromachine」[163] の録音が行われています。秋田さんは「サルバトール・ダリをテーマにした作品」[164] とおっしゃっておられますが、こちらの作品はダリの牡牛＝ Tauro を描いた作品などがモチーフになっているのでしょうか。

　リラプスからの三作目のリリースになるこの作品はとてもファットでヘビーな音作りを手がけています。コルグのTone Works AX 30G[165]、ボスの SE 70 Super Effects Processor[166] などを使用しています。AX 30G はプレッシャー・ペダルというものがついていて踏むことで音程を急激に変化させたりできます。主に重低音をコントロールするときに使用しました。SE 70 はさまざまなエフェクトが入っていましたがディストーションをより強く調整できるので使用していました。ただエフェクトを切り替えるときに途切れるという欠点がありました。
　7 月にダリ美術館を訪れたからかこのアルバムはダリに捧げられていました。ジャケットは虎と女性の写真をフォトショップで加工したものです。コンピュータで作った最初のジャケかもしれません。

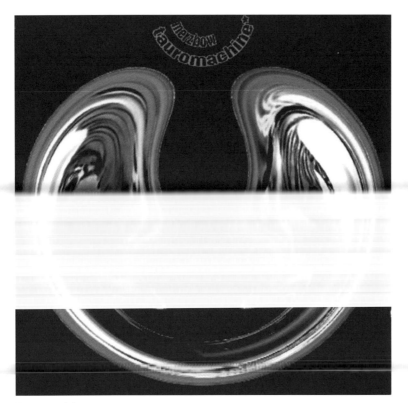

Tauromachine

| MAZK |

………1997 年にはズビグニエフ・カルコフスキーとのユニットＭＡＺＫによるＣＤ「Sound Pressure Level」[167] の録音も行われています。カルコフスキーとはどのようにして出会われたのでしょうか。カルコフスキーはヨーテボリの国立音楽大学とチャルマース工科大学で作曲とコンピュータ音楽を学び、デン・ハーグの王立音楽院でも電子音楽を学んでいたようです。なお「Sound Pressure Level」の録音は、ＮＴＴインターコミュニケーション・センター（ＩＣＣ）のスタジオで行われていたようです。

　カルコフスキーが私を訪ねてきた正確な日付は分かりませんが、彼が東京へ来た 1994 年ごろでしょうか？　ジョン・ダンカンに紹介されたと言っていました。彼はザ・ハフラー・トリオなどでジョン・ダンカンと一緒に仕事をしていました。彼はアカデミックなクラシックや現代音楽、電子音楽を学んでいましたがドロップアウトしてもっと新しい音楽をやりたがっていました。そして、ノイズにその可能性を見ていたようです。私の音楽を高く評価してくれていました。
　出会った最初のころはセンサーバンドでデスクトップ・コンピュータや大掛かりなセンサー装置を使ったパフォーマンスを行っていましたが、のちにラップトップへ移行しました。ＭＡＺＫの最初のアルバムを録音したときは、私はまだアナログ機材を使っていました。私の録音テープを彼が懇意にしていたＩＣＣのスタジオへ持って行って彼の素材とミックスしたのだと思います。その際にはＩＣＣのスタジオにあったハーモナイザーを多用しています。

| She |

………1997 年にはフェイス・ノー・モアのマイク・パットンとのユニット、マルドロール（Maldoror）のＣＤ「She」[168] も録音されています。こちらのコラボレーションはどのような経緯で行われることになったのでしょうか。

10月にメルボルン[169]、ブリスベン、シドニー[170]の三箇所でマイク・パットンとのユニット マルドロールのツアーが行われました。マイクからの要請により、フェイス・ノー・モアのオートラリア・ツアーの合間を縫ってのツアーでした。オーストラリアでは絶大な人気を誇るマイクのノイズにとってはリノイズ人的なものにしたと思います。メルンにはレコード屋に行ったり、動物園へ行ってコアラを抱っこしたりしましたが、マイクはどこへ行ってもサインを求められる人気者でした。

　私はメルボルンでレコード・レーベル「エクストリーム」のロジャー・リチャードと「Merzbox」[171]の打ち合わせなどをしました。またフェイス・ノア・モアのメルボルンのコンサート[172]も見に行きました。その後、東京のスタジオで一緒にセッションを行い、持ち帰ったテープをマイクがミックスしてマルドロールのアルバム「Cha」をリリースしました。

| Psychorazer／New Takamagahara |

　‥‥‥‥‥1997 年 12 月 25 日にはＣＤ「Psychorazer」[173]の最終ミックスが行われています。

　メルボルンで新たに EMS VCS3 シンセサイザーを購入し日本へ持ち帰りました。エクストリームのロジャーが運搬用に特注ケースをわざわざ業者に依頼して作ってくれました。確か、同じ楽器屋にマイク・パットンを案内したときに彼は EMS Synthi HI FLI も入手していました。「Psychorazer」は VCS3 を導入した最初の作品です。やはり VCS3 独特の乾いた硬い音色が特徴です。

　‥‥‥‥‥1997 年 12 月から 1998 年 1 月にかけてはＣＤ「New Takamagahara」[174]の録音とミックスが行われており、秋田さんは「シンセを使ってるとどうしても宇宙空間へ行く」[175]とおっしゃっておられます。また、こちらのＣＤのアートワークはコンピュータによるもののようです。1997 年の 6 月から 7 月ごろにかけて撮影されたと思われる映像作品「Beyond Ultra Violence」において、すでにご自宅のコンピュータで画像を操作する様子が写っているため、このころまでにはコンピュータ・グラフィックスの制作に着手しておられたということになりますでしょうか。

　同じく VCS3 を本格的に入り入れた作風です。ジャケットはいかにもフォトショップで作ったという感じです。当時、最初に購入したコンピュータはマッキントッシュの Performa 5440[176]でした。「Merzbox」のＣＤアートワークを行うために導入したものです。音楽ソフトも入れて試してはいましたが動作が遅くすぐ固まるので使えませんでした。

| 1930 |

　‥‥‥‥1997 年 12 月 24 日にはＣＤ「1930」[177]の最終ミックスが行われており、秋田さんは「壮大さに飽き久しぶりにテープを多用して室内楽的になった」[178]とおっしゃっておられます。

　この作品はテープをエフェクトで処理して作りました。このところシンセサイザー中心のライブ的な録音が多かったですが、この作品は一度録音した素材にもう一度エフェクターを通してミックスしています。主なエフェクトはエレクトロ＝ハーモニクス社の PolyPhase の古い型[179]のものです。
　この作品で象徴的なのはタイトルの「1930」という数字と新宿伊勢丹の照明器具をあしらったジャケット・アートワークです。それはこの次にお話しする当時の私のマイブーム「近代建築」につながります。「1930」は日本で近代建築が最も隆盛だったと私が感じる 1930 年代という意味です。新宿伊勢丹はそんな東京の代表的近代建築の一つです。

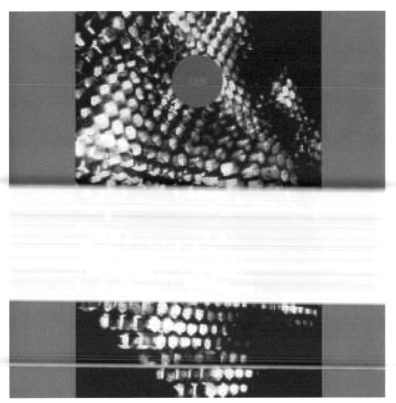

1930

| 近代建築 |

………当時の秋田さんがご関心をお持ちだった近代建築についてお話しいただけますか。

　私が近代建築に興味を持つ最初のきっかけの一つは松葉一清の「帝都復興せり！」[180] という本でした。この本には東京の関東大震災後の復興建築と呼ばれる近代建築の数々が写真、住所、昔の地図入りで紹介されています。もともとダダや立体主義、川端康成の「浅草紅団」[181]、江戸川乱歩などのモダニズムの時代についての関心はありましたが、そのころの建築についてちゃんと見ることはそれまでありませんでした。ヨーロッパから帰ると日本の建築は灰色で薄汚くて味気ないなぐらいにしか思っていませんでした。特に鉄とガラスで作られたインターナショナル建築の良さなど知る由もありませんでした。

　ところが「帝都復興せり！」を読んでから建築を見て街を歩くようになると今まで見慣れていた薄汚い風景が一変して東京の街は一挙に美術館に変貌したのです。見るもの見るものがそれはそれは美しく感慨深い建築ばかりでした。さらに、鹿島出版会の「近代建築ガイドブック 関東編」[182]、藤森照信の「建築探偵の冒険」[183] や「東京路上博物誌」[184] などと読み進み東京下町の看板建築の魅力にも取り憑かれました。また、清水組の古い「工事年鑑」[185] などにも手を出してマニア化が進行しました。

　1990 年代後半の東京にはまだ良い近代建築がたくさん残っていました。日比谷の三信ビル、同潤会の青山や大工町や江戸川、茗荷谷の大塚女子などのアパートなどなど。私は「インターコミュニケーション」の第 26 号「音楽／ノイズ」特集号に「近代建築とノイズ」[186] という文章を書いています。

　「東京の街は震災を契機に完全に作り替えられている。建築様式でいえば、それは当時の最先端のアール・デコ、ドイツ表現派、ウィーン分離派、インターナショナル様式等々だったわけである」（「近代建築とノイズ」より）

東京の面白いところはそうしたカッコいい建築様式が安っぽい下町建築と一体化しているところでした。それが看板建築のいかがわしさでした。また、下町古びた私風景か街の一角に山田守が作ったモダン表現主義の名建築（旧『山郵便局電話事務室』）があったりしてびっくりしました。山田守の反収利小場はのりにシャリ屋[187]としても使用しました。

　当時は多くの近代建築は老朽化、スラム化して見る影もなく朽ち果てている様を露呈していました。解体寸前の建物も多く、次に行ったらなかったというものもたくさんありました。同潤会の江戸川アパートは解体寸前に訪れることができました。その意味では当時現存していた多くの近代建築を見られたことは貴重な体験でした。

　雑誌「骰子」の 1998 年の第 25 号から「東京近代建築探訪記」という連載を始めました。有名なものから街歩きで見つけたレアなものまで、毎回気になる近代建築をカメラマンや編集スタッフと一緒に訪ねて六章も書きました。取り上げたものは、月島の看板建築 [188]、同潤会大塚女子アパート [189]、根岸の旧陸奥宗光別邸 [190]、王子の東京書籍印刷 [191]、千石の旧亀井茲明伯爵邸 [192]、新宿の旧小笠原伯爵邸 [193]、秋葉原の交通博物館 [194]、北区の戦跡産業遺跡 [195] などでした。

　旧小笠原伯爵邸 [196]、北区中央公園文化センター [197] 以外はもう現存していないと思います。アポなしで住居にお邪魔させてもらい住人に話を聞いたりとこちらも貴重な体験でした。

│ インターナショナル・フィルム・フェスティバル・ロッテルダム │

………1998 年 1 月 28 日から 2 月 8 日にかけては、第 27 回の「インターナショナル・フィルム・フェスティバル・ロッテルダム」が開催されています。こちらの映画祭ではアリアン・カガノフ（イアン・ケルコフ）監督によるメルツバウをテーマにした映像作品「Beyond Ultra Violence」が上映されています

　1998 年の 1 月に私はロッテルダム映画祭に招待されてロッテルダムを訪れました。イアン・ケルコフのメルツバウを扱った映画の上映があったためです。しかし、偶然というか、私にとっての最重要の関心事はロッテルダムが優れた建築の宝庫だった点です。

　「ロッテルダム映画祭のメイン会場であったメガバイオスコープという七つの映画館を入れた巨大な建物は、全面を銀色に輝く鉄のコルゲート・シートで覆い尽くしてあった。広場の床まで同素材の鉄板で覆い尽す徹底ぶりには驚かされた」（「近代建築とノイズ」より）

　「ロッテルダムはデ・ステイルをはじめとするインターナショナル様式の建築のメッカでもある。1918 年に 28 歳にしてロッテルダム市の建築家となった J・J・P・アウトのデ・キーフフーク集合住宅やモンドリアン・スタイルのカフェ・デ・ユニ、あるいは J・A・ブリンクマンと L・C・ファン・デル・フルフトの鉄とガラスの壮麗なるファン・ネレ煙草工場等はあまりにも有名である」（同上）

　「ロッテルダムは現代建築も奇抜なものが多い。H・C・H・レインデルス作のブラーク駅は駅舎というよりはアート・インスタレーションで地下鉄の階段口の屋根は 35 メートルもある鉄と透明ガラスで出来た円板で、遠くから見ると U F O のようだ。また、この近くにある P・ブロム作のブラーク・ハイツという共同住宅は遠くから見ると四角い黄色いキノコか鉛筆が斜めに傾いたように見えるが実際に部屋が傾いているのである。建築家ブロムはこれを作った後アル中になり仕事が不能になったと聞いた」（同上要約）

　このようにロッテルダムでは近代から現代までの名建築を堪能しました。

│ Aqua Necromancer／Door Open at 8am │

………1998 年 4 月から 5 月にかけては CD「Aqua Necromancer」[198] の録音とミックスが行われており、1998 年 4 月から 5 月にかけては CD「Door Open at 8 AM」[199] の録音とミックスも行われています。これらは電子ロック／電子

ジャズ的な作品であり、1998年5月10日に大阪のベアーズで開催されたイベント「ギャザリング・オブ・ノイズ・ガロア」では、秋田昌美の名義でご出演されてドラムを叩いておられたような記憶があります。これらはこのころのシンセサイザーによるスペーシーなアプローチに対する反動としての側面もあったのでしょうか。

「Aqua Necromancer」はヴァン・ダー・グラーフ・ジェネレーターの「エアゾール・グレイ・マシーン」の「アクアリアン」「ネクロマンサー」[200] からタイトルを取りました。ヴァン・ダー・グラーフのほかにレ・オルメやパトゥ、フシオーンなどもサンプリングしています。このところシンセサイザー中心の作品が多かったので、何か変化を求めてのことだと思います。「1930」に続いてジャケットは近代建築です。上野の東京国立博物館、国立科学博物館、表慶館などの写真を使用しています。

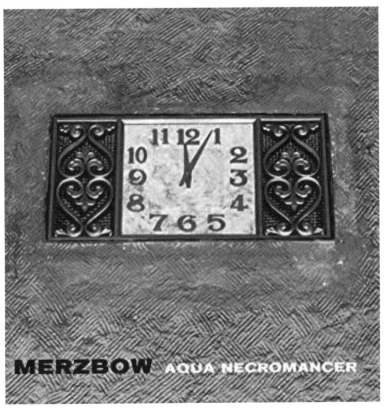

Aqua necromancer

「Door Open at 8 AM」はトニー・ウィリアムス・ライフタイムの「ターン・イット・オーバー」[201]、ジョン・コルトレーンの「アフリカ」[202] などのジャズをサンプリングして作ったものです。「アフリカ」ではシンセやテルミンを使ったスペーシーな展開もあります。ジャケットは近代建築のガソリン・スタンドを使用しています。

Door open at 8am

│ センサラウンド・オーケストラ │

………1997 年 12 月 5 日には国際交流フォーラムにおいて、センサラウンド・オーケストラ（Senssurround Orchestra）のコンサートがあり、秋田さんのほかにズビグニエフ・カルコフスキー／有馬純寿／古舘徹夫／三輪眞弘さんなどが参加されています。

　　最初にやった場所は浅草のアサヒビール本社の隣にあるスーパードライホール（通称うんこビル）だったと思います。カルコフスキーの音頭によるプロジェクトでたくさんのアーティストが集まっていました。1998 年 7 月 1 日にベルリンのポーデウィル[203]、7 月 2 日にロンドンのサウスバンクにあるクイーン・エリザベス・ホールでもやっています。ロンドンはジョン・ピール企画の「Meltdown 98」という約二週間にわたって行われたプログラムの一つで、我々はラッセル・ハズウェル、ピタ、オウブとともに出演しました。

　　この日は「東西ハードコア／ノイズコアの衝突」と銘打たれていて西からはなんとエクストリーム・ノイズ・テラーが出演したのには驚きました。ほかにはソニック・ユース、オウテカ、ルーク・ヴァイバートらが出演しましたが、私が見たのはスーイサイドでした。伝説のバンドのライブをこんなところで見ることができるなんてとても興奮しました。アロハ・シャツ（？）を着てアラン・ベガが出てきたときは驚きましたが、もちろんすばらしいライブでした。

　　この後私はボローニャへ行きマイク・パットンとマルドロールのライブを行いました。ボローニャへ列車で行くためにミラノ中央駅へ寄りました。フランク・ロイド・ライトが「世界で一番美しい鉄道駅」と絶賛した豪華で壮大な駅舎です。ファシスト政権の時代に完成しただけあって威圧するような権威主義的な美しさと迫力があります。なんとなく東京の国立博物館と似たような逆光美を感じさせました。

　　マルドロールのギグの翌日、ラヴェンナの美しいオペラ・ハウス、ダンテ・アリギエーリ劇場でディアマンダ・ガラスの公演[204]を見ました。ラヴェンナ・フェスティバルの「天才の声」プロジェクトの出し物の一つでした。深夜に始まり、劇場の壮麗さと相まって幻想的な雰囲気に包まれていました。

| Maschinenstil |

………1998 年 7 月 27 日から 30 日にかけてはＣＤ「Maschinenstil」[205] の録音とミックスが行われています。1 トラック目はＬＰ「リー・マイケルズ」に収録された「ストーミー・マンデイ」[206] のカバーのようで、1989 年にリリースされたフランク・ザッパのＣＤ [207] におけるテリー・ボジオのドラムがサンプリングされているようです。また、秋田さんは「Maschinenstil」ではローランドのリズム・マシン TR 606[208] や「ＢＩＡＳのエレクトリック・ドラム・キットを 5 つのオシレーターとして使用している」[209] とおっしゃっておられます。

　これはリー・マイケルズなどのサンプリングを使用しています。リズム・マシーンやエレクトリック・ドラム・キットなども使用しています。このＣＤのアートワークは秋葉原の交通博物館で撮影したものです。交通博物館ももちろん近代建築の一つです。この時期の作品は全て近代建築に関係づけて制作しています。

………1998 年にはＣＤ「Vibractance」[210] の録音とミックスも行われています。秋田さんは「オーディオ・ジェネレーターにディレイを通して作ったアンビエント的作品」[211] とおっしゃっておられます。

　このアルバムは発信機などで作ったほぼノイジーではないミニマルな作品です。

| スカンジナビア・ツアー／Live CBGB's NYC 1998 |

………1998 年 9 月には北欧に行かれています。

　9 月 9 日にベルゲンのデット・アカデミスケ・クヴァテル [212]、9 月 10 日にオスロのジョン・ディー[213]、9 月 12 日にストックホルムのフィルキンゲンでライブを行っています。ノルウェーではジャズカマーやオリガミ・レプリカのラッセ・マーハウグ、ジョン・ヘグレとの共演だったと思います。当時はまだブラック・メタルにまだあまり強い関心はなくベルゲンやオスロがブラック・メタルのメッカだとは知りませんでした。

………1998 年 11 月 4 日にはアレック・エンパイアとの「二度目」[214] の共演となるライブがニューヨークのＣＢＧＢで行われています。

　ＣＭＪカンファレンスでデジタル・ハードコア・レコーディングス（ＤＨＲ）のショーケースがあり、その一環としてアレック・エンパイアとのセッションがＣＢＧＢで行われました。アレックとは以前ベルリンで一度一緒にやったことがあります。そのときは確かＤＪをやりながらリストカットしていました。今回は全身銀色のペイントをして登場しました。この模様はのちにアレックがミックスしてリリース [215] されました。
　最初、私は映像アーティストのフィリップ・ヴィールスの紹介でアレックと出会ったのだったと思います。フィリップとはハニン・エリアスの作品 [216] でも一緒にやっています。ニューヨークではエンパイア・ステート・ビル、クライスラー・ビル、デイリー・ニュース・ビルなどのアールデコの摩天楼を満喫しました。

| mego@ICC／ツァイトクラッツァー・プレイズ・メルツバウ |

………1999 年 1 月 14 から 17 日にかけては、ＮＴＴインターコミュニケーション・センターにおいて「mego@ICC テクノ・ミュージックの未来形」が開催されており、1 月 16 日にはメルツバウとラッセル・ハズウェルによるサターンズ・トルネード（Satans Tornade）のライブも行われています。

　その前の 1999 年 1 月 11 日にベルリンのポーデウィルで開催されたツァイトクラッツァーの演奏会でメルツバウ

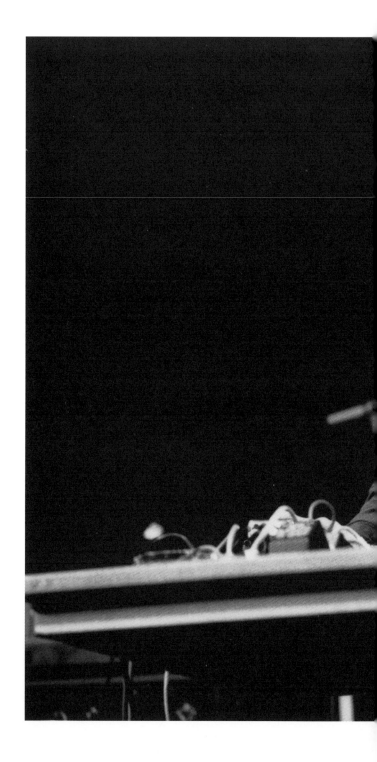

ベルン　1999年 (c)Leonhard Muhlheim

の曲が演奏されました。演奏された曲目は「Crack Groove」[217] と「Yahowa Stackridge」[218] の二曲で私はノイズ・エレクトロニクスで参加しました。ツァイトクラッツァーの面々が生楽器でメルツバウの曲をコピーして演奏するというユニークな企画でした[219]。

　ＩＣＣでのラッセルとのデュオ、サターンズ・トルネードでは、まだ私はアナログ機材でした。このとき、彼らは全てラップトップ・コンピュータのみの演奏でした。このイベントの後に１月29日に高円寺のユーフォークラブで私が企画したイベントが行われ、ピタ、ファーマーズ・マニュアル、サターンズ・トルネード、ズビグニエフ・カルコフスキーなどが出演しました。私はこのときはＥＭＳシンセを演奏した記憶があります。このころ、すでにサターンズ・トルネードの名前があったことが分かります。イベントの後にフリードリンクがないという日本式の常識に怒ってカルコフスキーが店員と喧嘩していました。

| コンピュータ |

………秋田さんがラップトップのコンピュータを使用されるようになられた直接的なきっかけは、「mego@ICC」だったのでしょうか。

　私はこのころからコンピュータを音楽に使い始めています。最初に購入したラップトップはマッキントッシュのPowerBook G3 / 300 MHz[220] でした。これまで Performa で音楽用ソフトは少し試してはいたものの、思ったような音を出せなかったのですが、Ｇ３になり処理能力も向上して出したい音が出せるようになってきました。

　ラッセル・ハズウェルやメゴからの影響はもちろんありますが、直接的にはより頻繁に会っていたズビグニエフ・カルコフスキーからの影響が大きかったです。彼はメゴとほぼ同じソフトを使用していました。彼から基本的な操作方法やファイルの格納場所などを教わりました。当時、私が使用していたソフトは Peak[221]、Peak のプラグインでHyperEngine[222]、SFX Machine[223] など。そして、MacPod[224]、Cubase[225]、Max/MSP[226]、Spongefork[227]、SoundHack[228]、Spark[229]、Reaktor[230]、Hyperprism などでした。

　中でも最も好きなものはアーボリータム・システムズの Ionizer というノイズ・リダクションのプラグインでした。一つのパスによりさまざまな帯域をカットしたり増幅したりが瞬時、自在にできる優れものです。また MacPod やReaktor の Plasma[231] などグラニュラー・シンセシスの音はこれまでアナログでは出せなかったとても新鮮な音に感じました。

| Ｔ ｈ ｅ　Ａ ｒ ｋ |

………1999 年 3 月 21 日には「ＩＣＣプレゼンツ マルチメディア・パフォーマンス『Ｔ ｈ ｅ　Ａ ｒ ｋ』by noise + industrial + spiritual show」が開催されており、一連のイベントの最後にメルツバウによるライブが行われていたようです。

　これは東京オペラシティの脇の階段部分に設けた特設会場で行われたパフォーマンスです。階段の上に櫓状のステージがありそこへ登って演奏しました。このとき私は初めてコンピュータをライブで使用しました。しかし、まだ単独ではなくアナログ機材と併用しています。ステージからは分かりませんでしたが地上に接地されたスピーカーからはかなり爆音が出ていたようです。

　このあとの 4 月 23 日にもスイス、ベルンのライトシューレというところでライブ[232] をやっているようです。このイベントの別の日にはヴォイス・クラックとボルビトマグースが出演しています。

| Collapse 12 Floors |

………1999 年 2 月 11 日には「Collapse 12 Floors」[233] の最終ミックスが行われています。タイトルは関東大震災で倒

壊した凌雲閣を指しているのでしょうか。

　これは初めてコンピュータを導入して制作したアルバムです。音源にはアナログの録音素材をランダムで使用しています。一曲目はアナログとコンピュータを混ぜているようです。選択した音源を Peak で開きループさせ Ionizer や HyperEngine といったプラグインでリアルタイムに加工するという作り方です。

　録音したものは最終的にもう一度 Peak で編集していますがほとんどライブに近いものです。最初は編集も Peak で行っていたため左右２チャンネルしかありませんでした。のちに Pro Tools[234] などのマルチトラックで編集するようになっています。このアルバムでもアートワークに近代建築を使用しています。タイトルは今東光の「十二階崩壊」[235] にちなんでいます。

│ Tentacle │

………1999 年には CD「Tentacle」[236] がリリースされており、1 トラック目には「electric for ICC, turn」というトラックが収録されています。

　この作品で全面的にコンピュータの使用となりました。制作方法は前作と同じですが段々と慣れてきたのでより操作性が上がっていると思います。アートワークも全てコンピュータで作りました。アートワークのアイデアはカンの「Out of Reach」[237] とピエール・アンリの「Remixe Sa Dixième Symphonie」[238] です。「electric for ICC, turn」は３月に ICC でやったパフォーマンスで演奏した曲で使用した音源をのちにミックスしたものです。

Tentacle

| FIMAV |

………1999年5月にはオーストラリアのフェスティバル[239]と、カナダのＦＩＭＡＶ[240]というフェスティバルに参加されています。なお、2000年に秋田さんは「ラップトップになったのは、やっぱりライブを第一に考えた結果なんですね。機材持っていくだけでしんどいですからね（略）音を作るプロセスは全く変わりました。（略）パワーブックだけっていうやり方が、非常にノイズに近いわけです。（略）これ一つあれば高級なスタジオ機材なんて何もいらないわけじゃないですか？（略）ある意味、80年代初頭にノイズが出てきた時に近いスタンスですね。音楽産業を通過させずに自分勝手なものが作れるという」[241]とおっしゃっておられました。

　5月5日にオーストラリア、パースで開催された「ア・トータリー・ヒュー・ニュー・ミュージック・フェスティバル」に出演しました。私はコンピュータとアナログを併用したセットで演奏しました。コンピュータで低音のループを流し、その上にアナログで音づけをしました。初めて訪れたパースは海に臨む風光明媚なとても美しい場所でした。

　5月22日にカナダのヴィクトリアヴィルで開催されたＦＩＭＡＶに出演しました。モントリオールの空港から車で二時間以上かかってホテルに到着しました。当時は周りに薮があるだけの殺風景な場所でした。綺麗な自然の中というのとは違う雑然とした微妙な印象でした。私はパース同様のコンピュータとアナログを併用したセットで演奏しました。

　ほかにジム・オルーク、ギュンター・ミュラー、ミルフォード・グレイヴス、ペーター・ブロッツマンなどが出演していました。ＦＩＭＡＶはその後何度も出演させてもらっています。今はホテル周りも近くの街も整備されて綺麗になっています。行きつけのベジタリアン・レストランも街にできました。

| トライアド／アルス・エレクトロニカ |

………1999年6月にはロンドンで勅使川原三郎さんの「トライアド」[242]という作品が上演されており、秋田さんも参加しておられます。

　6月にヘイワード・ギャラリーで行われた勅使河原三郎のダンスにはラップトップのみで音をつけています。今回は全て即興でした。この機会にラッセル・ハズウェルとサターンズ・トルネードのミニ・ライブ[243]とアルバム[244]のための録音が行われました。録音は全てブルース・ギルバートの家の台所でラップトップのみで行われました。後でラッセルがミックスして彼のコネクションでワープ・レコードからリリースしました。このころは特にコンピュータでの演奏が面白くなってきたころなのでまだ音質など細かい点への配慮はあまりなかったと思います。

………1999年9月4日から9日にかけてリンツで開催された「アルス・エレクトロニカ」において、ＭＡＺＫの「Metabolic Speed Perception」という作品が特別賞（Honorary Mention）を獲得されています。

　9月にリンツで行われたアルス・エレクトロニカでＭＡＺＫの演奏を行っています。カルコフスキーのアレンジした企画です。ＭＡＺＫの演奏もこのときはすでに二人ともラップトップのみになっています。レーベルク＆バウアー、フェネス、ファーマーズ・マニュアル、ラッセル・ハズウェル、フローリアン・ヘッカーなどメゴ関係のアーティストの出演、またパワーブック・オーケストラという合同演奏もありました。この後、9月17日にリヨン[245]、9月21日にパリのオーベルヴィリエでライブを行っています。

| Migrateurs／Merzbox |

………1999年11月9日から12月6日にかけてはパリ市立近代美術館において第28回目の「ミグラテール」展[246]が開催されており、こちらでは秋田さんが取り上げられています。

「ミグラテール」はアート・キュレーターのハンス・ウルリッヒ・オブリストの企画で行われたものです。アニエス・ベーがスポンサーになっています。神宮前のアニエス・ベー事務所に航空チケットを取りに行った憶えがあります。ハンスとアニエス・ベーは「ポワン・ディロニー」[247]というフリー・ペーパーを出しており、その関連の企画だったのかもしれません。

　パリ市立近代美術館では「Merzbox」の五十枚のＣＤをガラスのショーケースに並べて展示しました。担当者が怠慢なのか、最初はジュークボックスに「Merzbox」のＣＤをセットして観客が選んで聴けるはずでしたが、ジュークボックスの手配ができずパソコンの設置になりました。また、私が提示したプランでは近代建築の写真と関連するテキストをフランス語に翻訳して展示するはずでしたがそれもできませんでした。このとき、たまたまパリでコンサート[248]があったニューロシスのメンバーが見にきてくれました。彼らのライブは前日に見ています。

Merzbow vs. Boris

Shimokitazawa SHELTER

Advance 2300yen At Door 2500yen + Order

前売りチケットは11/27(土)よりチケットぴあ12/13(月)よりシェルターにて発売開始。
INFO 03-3466-7430 (SHELTER)

COSMICDRIVE1999
12/27
mon
OPEN 19:00
START 19:30

東京　シェルター　フライヤー　1999

注釈

1　Merzbow／Cloud Cock OO Grand / Japan / CD / ZSF Produkt / MERZCD 01 / 1990

2　1989 年 10 月 17 日にフランクフルトのスタジオで立ち会ったＳＬＰのレコーディングセッションについて、秋田は以下の文献で「彼らのセッションは、スタジオに四つのターンテーブルを設置し、メンバー四人がそれぞれＰ１６Ｄ４のアルバム『ＮＮＮＮ！』を乗せ、一定のプロセスに従ってスクラッチする。その四つの異なったスクラッチ音はコンピュータ制御される。コンピュータのプログラムは、あらかじめ確定された部分とマスキングされた部分との二つから成っている」と述べている。
　　秋田昌美『ノイズ・ウォー』青弓社（1992 年 12 月）109 頁

3　秋田昌美「Merzbow Discography」『Studio Voice』291 号（2000 年 3 月）34 頁

4　1990 年 6 月 23 日　クラック・アタック・ジャム Vol. 0（ギグホール、東京）

5　Vis a Vis Audio Arts はゲロゲリゲゲゲの山ノ内純太郎が 1987 年に始めたレーベル。

6　モンド・ブリューイッツという名義は 1991 年から。

7　1990 年 8 月 12 日　メルツバウ、Roughage（大阪造形センター）

8　秋田昌美「Merzbow Discography」『Studio Voice』291 号（2000 年 3 月）34 頁

9　Faust / The Faust Tapes / UK / LP / Virgin Records / VC 501 / 1973.5.19

10　秋田昌美「Merzbow + Emil Beaulieau Tour 1990」『ノイズ・キャプチャー』1 号（1998 年 3 月）66 頁

11　秋田昌美ほか「ニューヨークの興亡」『エキセントリック』1 巻 1 号（1989 年 11 月）2 ～ 33, 36 ～ 37, 40 ～ 41, 44 ～ 45, 60 ～ 61, 65 ～ 83, 113 ～ 117 頁

12　V. Vale, Andrea Juno. *Re/Search 12: Modern Primitives*. RE/Search Publications, 1989.

13　Merzbow／Great American Nude/Crush for Hi-Fi / Japan / CD / Alchemy Records / ARCD 035 / 1991.11.25

14　美川俊治「痛快！ メルツバウ、アメリカを行く !!!」CD『Merzbow／Great American Nude/Crush for HI-Fi』Alchemy Records（1991 年 11 月）2 頁

15　秋田昌美「アンビエント・ノイズ？」『Ur』4 号（1990 年 12 月）93 頁

16　秋田昌美「Merzbow + Emil Beaulieau Tour 1990」『ノイズ・キャプチャー』1 号（1998 年 3 月）70 頁

17　1990 年 9 月 30 日　Merzbow, Emil Beaulieau, Eric Lund, Illusion of Safety（Edge of the Looking Glass, Chicago, USA）

18　秋田昌美「Merzbow Discography」『Studio Voice』291 号（2000 年 3 月）34 頁

19　1990 年 9 月 27 日　Merzbow, Emil Beaulieau（Washington DC Art Center, USA）

20　1990 年 9 月 27 日　Foetus Inc.（9:30 Club, Washington DC, USA）

21　1990 年 9 月 22 日にメルツバウはオルバニーで、そして、9 月 23 日に約 250 km 離れたニューヨークでライブを行っている。

22　The Breeders / Pod / UK / 4AD / CAD 0006 / 1990.5.28 / A1: Glorious

23　1990 年 9 月 26 日　Merzbow, Emil Beaulieau（Forenz Tavern, Philadelphia, USA）

24　秋田昌美「Merzbow Discography」『Studio Voice』291 号（2000 年 3 月）34 頁

25　トム・ウェッセルマンは 1961 年から 1973 年にかけて 100 点の「The Great American Nude」を制作した。

26　1967 年に製作されたオットー・ミュールの映画「Zock – Exercises」の第四部のタイトルが「Michelangelo」。

27　秋田昌美「Merzbow Discography」『Studio Voice』291 号（2000 年 3 月）34 頁

28　Gordon Mumma / Dresden/Venezia/Megaton / USA / LP / Lovely Music / VR 1091 / 1979 / A1: The Dresden Interleaf 13 February 1945

29　脳力開発研究所が発売したリラックスした状態や集中した状態を測定するための装置。指に電極を装着して使用する。

30　秋田昌美『ノイズ・ウォー』青弓社（1992 年 12 月）

31 秋田昌美「帝国ノイズの進軍」『早稲田文学』204 号（1993 年 5 月）63 頁

32 Jacques Attali、金塚貞文訳『音楽／貨幣／雑音』みすず書房（1985 年 9 月）

33 Jean Baudrillard、今村仁司／塚原史訳『象徴交換と死』筑摩書房（1982 年 10 月）

34 秋田昌美『ノイズ・ウォー』青弓社（1992 年 12 月）211 〜 217 頁

35 V. A. / Altered States of Conciousness / Japan / CD / UPD Organization / UPD 006 / 1991.10 / T1: HGL Made a Race for the Last Brain

36 1987 年 9 月に公開されたクライヴ・バーカーの監督によるイギリスの映画。

37 1987 年 10 月に公開されたスチュアート・ゴードンの監督によるアメリカの映画。

38 1991 年 2 月に公開されたジョナサン・デミの監督によるアメリカの映画。

39 Carcass / Symphonies of Sickness / UK / LP / Earache Records / MOSH 18 / 1989.11

40 秋田昌美「残虐マニアと音楽」『Marquee』13 巻 1 号（1992 年 4 月）37 頁

41 Black Sabbath / Paranoid / UK / LP / Vertigo / 6360 011 / 1970.9.22 / A1: War Pigs

42 アンスラックス／メガデス／メタリカ／スレイヤーの 4 バンド。

43 V. A. / Grindcrusher / UK / LP / Earache Records / MOSH 12 / 1989

44 Napalm Death / Harmony Corruption / UK / LP / Earache Records / MOSH 19 / 1990.8

45 Napalm Death / Live Corruption / UK / VHS / Fotodisk Video / LFV 115 / 1990

46 「Gods of Grind」ツアーは 1992 年 2 月から 4 月にかけて開催。

47 ＣＤ『Merzbow／Noise Mass』解説　Room40（2019 年 7 月）

48 秋田昌美「帝国ノイズの進軍」『早稲田文学』204 号（1993 年 5 月）61 頁

49 1991 年 2 月 16 日　メルツバウ、岩崎昇平（ベアーズ、大阪）

50 1993 年 3 月 2 日　AGA Festival（京都大学西部講堂）

51 C.C.C.C.／ディスロケーション／メルツバウ／モンド・ブリューイッツのメンバーによるセッションが行われた。

52 秋田は以下の文献において「ライヴをやり始めた当時（略）たまたま見ていた舞踏の人が、あれは田植えをしている身体に近い感じだと評した」と発言していた。
秋田昌美、相良好彦「音楽の無意識へ」『ユリイカ』30 巻 4 号（1998 年 3 月）166 頁

53 メルツバウは 1991 年 8 月 1 日に出演。

54 1991 年 8 月 26 日　キャンプ・イン・田島 パフォーマンス・フェスティバル '91（福島県田島町）

55 1991 年 9 月 17 日　Noise Forest（河合塾名古屋校サクセスホール）

56 V. A. / Noise Forest / Japan / CD / Les Disques du Soleil / SOLCD − 2 / 1992 / T1: Travelling

57 Monde Bruits / Selected Noise Works 93 − 94 / Japan / CD / Endorphine Factory / EDP 009 / 1994

58 以下のＣＤのジャケットにも使用されている。
The Golden Showers / USA / CD / Reptilian Records /　REP 040 / 1999

59 1991 年 11 月 3 日　True Romance（日本大学芸術学部 江古田キャンパス、東京）

60 V. A. / Oh! Moro volume 5 / Japan / VHS / ○か× / none / 1992.10

61 Flying Testicle / Space Desia / USA / CD / Charnel House Prods / CHCD 8 / 1993.12

62 Merzbow − Masonna / Latex Gold / Japan / 7″ / ZSF Produkt/Coquette / Gold Latex/COQ　79 / 1992.2

63 Merzbow & Achim Wollscheid / Eleven Live Collaborations / Germany / CD / Selektion / SCD 010 / 1992

64 恩地元子「原初的なかたちとの対峙」『音楽芸術』50 巻 9 号（1992 年 9 月）81 頁

65 1993 年 06 月 13 日　芸術劇場「ノイジェクト・勅使川原三郎 + KARAS」（ＮＨＫ教育テレビ）

66 1992 年 10 月 25 日　Urbane Aboriginale VIII: Japan（Ballhaus Naunynstrasse, Berlin, Germany）

67 Mark van de Voort「東京─大阪行為芸術」ギャラリー・サージ編『巨大都市の原生』国際現代美術交流展実行委員会（1993 年）16 〜 17 頁

68 1992 年 11 月 13 日　Manca Festival (Musée d'Art Moderne et d'Art Contemporain, Nice, France)

69 1992 年 10 月 31 日　Performance from Japan (Activiteitencentrum 2B, Eindhoven, The Netherlands)

70 1992 年 10 月 22 日　Megadeth (Huxley's Neue Welt, Berlin, Germany) パンテラはオープニング・アクト。

71 秋田昌美「聖アドルフとムジク・ブリュ」『スカム・カルチャー』水声社 (1994 年 8 月) 198 ～ 208 頁

72 1993 年 9 月 30 日～ 12 月 12 日　パラレル・ヴィジョン 20 世紀美術とアウトサイダー・アート (世田谷美術館)

73 Graeme Revell, DDAA, Nurse with Wound / Necropolis, Amphibians & Reptiles (The Music of Adolf Wölfli) / UK / LP / Musique Brut / BRU 002 / 1986

74 1992 年 11 月 6 日　Merzbow, 古舘徹夫 , Office Trip (Kafe der FH, Frankfurt am Main, Germany)

75 1977 年に発売。

76 秋田昌美「Merzbow Discography」『Studio Voice』291 号 (2000 年 3 月) 34 頁

77 Merzbow ／ Metalvelodrome / Japan / 4 × CD / Alchemy Records / ARCD 061 ～ 064 / 1993.12

78 Merzbow ／ Venereology / USA / CD / Relapse Records － Release Entertainment / RR 6910 － 2 / 1994.9

79 1977 年のアーヴィン・バーウィック監督によるアメリカのテレビ映画に「Hitch Hike to Hell」がある。

80 秋田は以下の文献において「a tribute to 70s UK band Hi Tide but I used a sample of German Oak, not Hi Tide.」と述べている。

Brett Woodward. Merzbook. Extreme, Melbourne, 1999, p. 117.

81 Merzbow ／ Hole / Germany / CD / Heel Stone Records / STONE 001 / 1995.4

82 Guru Guru / Hinten / Germany / Ohr/Metronome Records / OMM 55 6017 / 1971.10.5

83 Merzbow ／ Noisembryo / Sweden / CD / The Releasing Eskimo / IGLOO 001 / 1994.12

84 V. A. / Release Your Mind / USA / Relapse Records － Release Entertainment / RR 6919 － 2 / 1995.1.10 / T5: Crack Groove

85 V. A. / Death .... is Just the Beginning II / USA / CD / Nuclear Blast America / NBA RED 6047 － 2 / 1992

86 V. A. / Death .... is Just the Beginning II / Germany / 2 × CD, VHS / Nuclear Blast / NB 068 / 1992

87 Merzbow ／ Dadarottenvator / Germany / LP / Praxis Dr. Bearmann / TH 01 / 1995.5

88 Merzbow + Gore Beyond Necropsy / Rectal Grinder EP / Japan / 7" / Mangrove / ROOT 005 / 1995.6

89 Merzbow ／ Green Wheels / USA / CD, 5" / Self Abuse Records / SAD 04 / 1995

90 1995 年 3 月 11 日　Sonic Perception 1995 (川崎市市民ミュージアム、神奈川)

91 Merzbow / Merzbox / Australia / 50 × CD, 2 × CD － ROM / Extreme / XLTD 003 / 2000.6.16 / CD44: Liquid City

92 Merzbow ／ Magnesia Nova / The Netherlands / CD / Staalplaat / STCD 108 / 1996.5

93 「Ars Magnesia」(1631 年)、「Pantometrum Kircherianum」(1660 年)、「Sphinx Mystagoga」(1676 年) など。

94 Merzbow ／ Locomotive Breath / The Netherland / CD / Staalplaat － Mort Aux Vaches / none / 1996.3

95 1995 年 7 月 5 日 (Bruckenkopf, Mainz, Germany)

96 1995 年 7 月　Japan Now (Künstlerhaus Wien, Austria)

97 1995 年 7 月 13 日　Disobey (Upstairs at the Garage, London, UK)

98 Panasonic / Vakio / UK / CD / Blast First / BFFP 118CD / 1995.9.25

99 Earth / Sunn Amps and Smashed Guitars Live! / UK / CD / Blast First / BFFP 123CD / 1995

100 1995 年 7 月 17 日 (Zürich, Switzerland)

101 Merzbow ／ Noisehead / UK / CD / Blast First / BFFP 125CD / 1995.10

102 Merzbow ／ Pinkream / UK / 2 × 10" / Dieter Promotions / 10DPROMD 37 / 1995.12

103 秋田昌美「Merzbow Discography」『Studio Voice』291 号 (2000 年 3 月) 35 頁

104 1995 年 9 月 8 日 (The Knitting Factory, New York, USA)

105 1995 年 9 月 9 日（WKCR – FM, New York, USA)

106 Merzbow/Voice Pie c/w Bastard Noise / USA / CD / Relapse Records – Release Entertainment / RR 6946 – 2 / 1996.11.1

107 1995 年 9 月 11 日（Spaceland, Los Angeles, USA)

108 1995 年 9 月 12 日（50 Bucks Gallery, Pomona, USA)

109 1995 年 9 月 14 日（Bottom of the Hill, San Francisco, USA)

110 1995 年 9 月 23 日（Crocodile Cafe, Seattle, USA)

111 1995 年 9 月 20 日（Vancouver Film School, Vancouver, Canada)

112 Merzbow／Electric Salad / USA / Etherworld Recordings / ETW 002 / 1997.9

113 V. A. / Sci Fi Party / Germany / LP /Metronome Records – Kosmische Musik / KM 58.011 / 1974

114 Merzbow／Pulse Demon / USA / Relapse Records – Release Entertainment / RR 6937 – 2 / 1996.5.28

115 Jon Appleton / Syntonic Menagerie / USA / Flying Dutchman / FDS 103 / 1969

116 秋田昌美「Merzbow Discography」『Studio Voice』291 号（2000 年 3 月）35 頁

117 Merzbow／Pulse Demon / Italy / CD / Old Europa Cafe / OECD 333 / 2023.3.24

118 Merzbow／Pulse Demon / USA / Relapse Records – Release Entertainment / RR 6937 – 2 / 1996.5.28 / T6: Tokyo Times Ten

119 ジョン・アップルトンの「シントニック・メナジェリー」には「Times Square Times Ten」というトラックが収録されている。

120 Merzbow／Project Frequency / Germany / LP / A.I.P.R. / A.I.P.R 07 / 1996

121 Merzbow／Scandal / Australia / CD / Room40 / RM 4148 / 2021.3.28

122 Merzbow／Recycled / USA / cassette / RRRecords / none / 1992

123 倉田まり子／イヴニング・スキャンダル / Japan / 7″ / キングレコード / GK – 380 / 1980.1.21

124 Masami Akita / The Prosperity of Vice, The Misfortune of Virtue (Electro – Music for Romantica)/ UK / CD / Ché Trading – i / IRE 2022 / 1996

125 1996 年 3 月 30 日　Taktros (Bern, Switzerland)

126 1996 年 4 月 4 日（Club Würfel, Chemnitz, Germany)

127 1996 年 4 月 6 日（MS Stubnitz, Rostock, Germany)

128 1996 年 4 月 9 日（Kulturgelände Nonntal, Salzburg, Austria)

129 1996 年 4 月 11 日（Flex, Wien, Austria)

130 Merzbow／Spiral Honey / UK / CD / Work in Progress / WIP 004 / 1996.10.30

131 秋田昌美「Merzbow Discography」『Studio Voice』291 号（2000 年 3 月）35 頁

132 Merzbow／Oersted / USA / CD / Vinyl Communications / VC 104 / 1996.10.8

133 秋田昌美「Merzbow Discography」『Studio Voice』291 号（2000 年 3 月）35 頁

134 1996 年 10 月 5 日（Bottom of the Hill, San Francisco, USA)

135 1996 年 10 月 8 日（Spaceland, Los Angeles, USA)
    1996 年 10 月 9 日（Jabberjaw, Los Angeles, USA)

136 1996 年 10 月 11 日（The Pieta, Cleveland, USA)

137 1996 年 10 月 13 日（The Knitting Factory, New York, USA)

138 1996 年 10 月 14 日（Mama Kin's, Boston, USA)

139 1996 年 10 月 17 日（Lounge Ax, Chicago, USA)

140 Merzbow, Gore Beyond Necropsy／Rectal Anarchy / USA / LP / Relapse Records – Release Entertainment / RR 6962 – 1 / 1997.4.15

141 秋田昌美「Merzbow Discography」『Studio Voice』291 号（2000 年 3 月）35 頁

142 秋田昌美「Merzbow Discography」『Studio Voice』291 号（2000 年 3 月）35 頁

143 Merzbow/Soft c/w Kadef/Lärm, Hitze und Faulige Gerüche / Germany / 10″ / Dreizehn / 1306 / 1997.2

144 秋田昌美「Merzbow Discography」『Studio Voice』291 号（2000 年 3 月）35 頁

145 秋田昌美「Merzbow Discography」『Studio Voice』291 号（2000 年 3 月）35 頁

146 Merzbow／Hybrid Noisebloom / USA / CD / Vinyl Communications / VC 113 / 1997.6.10

147 秋田昌美「Merzbow Discography」『Studio Voice』291 号（2000 年 3 月）35 頁

148 Richard Pinhas / Rhizosphere / France / CD / Spalax / 14237 / 1991

149 秋田註：おそらく機材屋に中古で出たものかと思いますがモーターヘッドのロゴがキャビネットにステンシル・スプレーで入っていました。

150 Brett Woodward. Merzbook. Extreme, Melbourne, 1999, p. 52.

151 Vagina Dentata Organ / Music for the Hashishins in Memoriam of Hasan Sabbah / UK / LP / World Satanic Network System / WSNS 001 / 1983

152 Vagina Dentata Organ / The Last Supper / UK / LP / World Satanic Network System / WSNS 002 / 1984

153 Vagina Dentata Organ / The Triumph of the Flesh / UK / LP / World Satanic Network System / WSNS 003 / 1984

154 Vagina Dentata Organ / Un Chien Catalan / UK / CD / World Surrealist Network System / WSNS 1994 001 CD / 1994

155 Captain Beefheart & His Magic Band / Trout Mask Replica / USA / 2 × LP / Straight Records / STS 1053 / 1969.11 / B7: Dali's Car

156 1973 年の「First Cylindric Chromo – Hologram Portrait of Alice Cooper's Brain」。

157 1997 年 8 月 26 日　Sonic Acts "Ear – Eye Crossings"(Paradiso, Amsterdam, The Netherlands)

158 オランダ放送協会から「Sonic Acts: From Stockhausen to Squarepusher」として放送。

159 1969 年にアムステルダムにＳＴＥＩＭ（Studio for Electro – Instrumental Music）が設立された。

160 「Helicopter String Quartet」(1996 年)

161 「How to Get Out of the Cage」(2012 年)など。

162 「Frank Zappa: The Present Day Composer Refuses to Die」(2000 年)

163 Merzbow／Tauromachine / USA / CD / Relapse Records – Release Entertainment / RR 6989 – 2 / 1998.7.21

164 秋田昌美「Merzbow Discography」『Studio Voice』291 号（2000 年 3 月）36 頁

165 1994 年に発売されたギター・ハイパフォーマンス・プロセッサー。

166 1993 年に発売。

167 MAZK / Sound Pressure Level / UK / CD / OR / If 2 / 1998

168 Maldoror / She / USA / Ipecac Recordings / IPC 3 / 1999.9.14

169 1997 年 10 月 28 日(Joey's Ministry of Sound, Melbourne, Australia)

170 1997 年 10 月 22 日(Harbourside Brasserie, Sydney, Australia)

171 Merzbow / Merzbox / Australia / 50 × CD, 2 × CD – ROM / Extreme / XLTD – 003 / 2000.6.16

172 1997 年 10 月 26／27 日　Faith No More (Festival Hall, Melbourne, Australia)

173 Merzbow／Psychorazer / Japan / CD / Kubitsuri Tapes / SEX59015CD / 1998

174 Merzbow ／New Takamagahara / Norway / CD / OHM Records/Jazzassin Records / 0.2　ohm/JAZZ 013 / 1998.3.11

175 秋田昌美「Merzbow Discography」『Studio Voice』291 号（2000 年 3 月）36 頁

176 1996 年 8 月に発売。

177 Merzbow／1930 / USA / CD / Tzadik / TZ 7214 / 1998.5.19

178　ＣＤ『Merzbow／Green & Orange』解説　スローダウン Records（2020 年 8 月）

179　1971 年に発売。

180　松葉一清『帝都復興せり！「建築の東京」を歩く』平凡社（1988 年 2 月）

181　川端康成『淺草紅團』先進社（1930 年 12 月）

182　東京建築探偵団『近代建築ガイドブック 関東編』鹿島出版会（1982 年 10 月）

183　藤森照信『建築探偵の冒険 東京篇』筑摩書房（1986 年 3 月）

184　藤森照信、荒俣宏『東京路上博物誌』鹿島出版会（1987 年 7 月）

185　1935 年から 1941 年にかけて清水組の編集／発行による「工事年鑑」が刊行された。

186　秋田昌美「近代建築とノイズ」『インターコミュニケーション』7 巻 4 号（1998 年 10 月）118 ～ 125 頁

187　Merzbow／Uzu Me Ku / New Zealand / LP / Samboy Get Help! Recordings / 003 / 2012.8
　　　Merzbow／Gman / USA / cassette / Midnight Sea Records / M.N.S.030. / 2012.3.19

188　秋田昌美「東京近代建築探訪記 その 1 月島、旧木浦邸」『骰子』25 号（1998 年 10 月）26 ～ 29 頁

189　秋田昌美「東京近代建築探訪記 その 2 小説と現実、過去と現在が錯綜する、老嬢たちの城」『骰子』26 号（1998 年
　　　12 月）22 ～ 25 頁

190　秋田昌美「東京近代建築探訪記 その 3 旧陸奥宗光別邸」『骰子』27 号（1999 年 3 月）26 ～ 29 頁

191　秋田昌美「東京近代建築探訪記 その 4 東京書籍印刷」『骰子』28 号（1999 年 5 月）30 ～ 33 頁

192　秋田昌美「東京近代建築探訪記 その 7 遠藤邸（旧亀井茲明伯爵邸）」『骰子』31 号（1999 年 11 月）26 ～ 29 頁

193　秋田昌美「東京近代建築探訪記 その 6 旧小笠原邸」『骰子』30 号（1999 年 9 月）30 ～ 33 頁

194　秋田昌美「東京近代建築探訪記 その 5 交通博物館」『骰子』29 号（1999 年 7 月）18 ～ 21 頁

195　秋田昌美「東京近代建築探訪記 その 8 北区の戦跡、産業遺跡」『骰子』33 号（2000 年 3 月）108 ～ 114 頁

196　1927 年に小笠原長幹の邸宅として建設されて、2002 年からレストラン「小笠原伯爵邸」として利用されている。

197　1930 年に建設された東京第一陸軍造兵廠本部は、戦後から北区中央公園文化センターとして運用されている。

198　Merzbow／Aqua Necromancer / Canada / CD / Alien 8 Recordings / ALIEN CD10 / 1998.10.19

199　Merzbow／Door Open at 8 AM / Canada / CD / Alien 8 Recordings / ALIEN CD17 / 1999.6.1

200　van der Graaf Generator / The Aerosol Grey Machine / USA / LP / Mercury Records / SR 61238-1 /
　　　1969.9 / B3: Aquarian, B4: Necromancer

201　The Tony Williams Lifetime / (Turn It Over) / USA / LP / Polydor Records / 24 4021 / 1970.12

202　The John Coltrane Quartet / Africa/Brass / USA / LP / Impulse! / A 6 S / 1961.9 / A1: Africa

203　1998 年 7 月 1 日　Japan Noise – Meltdown of Control (Podewil, Berlin, Germany)

204　1998 年 7 月 11 日　Genius Vocis Progetto Æthiopia (Teatro Goldoni, Revenna, Italy)

205　Merzbow／Maschinenstil / Australia / CD / Dual Plover / COQ ROQ / 1998

206　Lee Michaels / USA / LP / A&M Records / SP 4199 / 1969 / B1: Stormy Monday

207　Frank Zappa / You Can't Do That on Stage Anymore Vol. 3 / UK / 2 × CD / Zappa Records / CDDZAP
　　　17 / 1989 / CD2.T2: Hands with a Hammer

208　1981 年に発売。

209　ＣＤ『Merzbow／Green & Orange』解説　スローダウン Records（2020 年 8 月）

210　Merzbow／Vibractance / France / CD / E(r)ostrate / EROS CD003 / 1998

211　秋田昌美「Merzbow Discography」『Studio Voice』291 号（2000 年 3 月）36 頁

212　1998 年 9 月 9 日（Det Akademiske Kvarter, Bergen, Norway）

213　1998 年 9 月 10 日（John Dee, Oslo, Norway）

214　ＣＤ『アレック・エンパイア／インテリジェンス・アンド・サクリファイス』解説　Beat Records（2001 年 11 月）

215　Alec Empire vs Merzbow / Live CBGB's NYC 1998 / UK / CD / Digital Hardcore Recordings / DHR
　　　LTDCD12 / 2003

216　Hanin Elias / No Games No Fun / Germany / CD / Fatal Recordings / FATAL CD 1 / 2003.3.7

217 V. A. / Release Your Mind / USA / CD / Relapse Records – Release Entertainment / RR 6919 – 2 / 1995.1.10 / T5: Crack Groove

218 V. A. / Conception: The Dark Evolution of Electronics Vol. 1 / USA / CD /AVA/ES1 / AVA 79706 / 1997.10 / T4: Yahowa Stackridge

219 ツァイトクラッツァーとメルツバウによる演奏は以下のＣＤに収録されている。
Zeitkratzer / Noise ... [Lärm] / Germany / CD / Tourette / TICK 4 / 2002.6.3 / T1: Crack Groove, T3: Yahowa Stackridge

220 1998 年 9 月に発売。

221 1996 年にアメリカのバイアス（Berkley Integrated Audio Systems）社が発表した Macintosh 用のデジタル オーディオ編集アプリケーション。

222 1996 年にアメリカのアーボリータム・システムズが発表した HyperEngine は、Hyperprism や Ionizer などの 信号処理プラグインを実行するための環境を提供する Macintosh 用のアプリケーション。

223 1997 年にバイアス社が発表した Macintosh 用のマルチエフェクト・プラグイン。

224 1998 年にカナダのサード・モンク・ソフトウェアが発表したグラニュラー・シンセシス・アプリケーション。

225 1989 年からドイツのスタインバーグ・メディア・テクノロジーが開発し続けている音楽制作アプリケーション。

226 1990 年にアメリカのオプコード・システムズはデジタル信号処理環境「Max」のコンシューマー版を発売し、1997 年にサイクリング '74 社はコンシューマー版の Max のためのデジタル信号プロセッシングのセット「MSP」を発売した。当時は Max/MSP と呼ばれていたが、2001 年に発売された Max 4 以降では MSP が統合されている。

227 1999 年にアメリカのスポンジフォークが発表したライブ・インプロビゼーションのためのアプリケーション。

228 1995 年から開発された Macintosh 用のサウンドファイル処理プログラム。

229 1999 年から 2003 年にかけてデンマークのＴＣワークス社が開発していたオーディオ編集アプリケーション。

230 1996 年からドイツのネイティブ・インスツルメンツ社が開発しているデジタル信号処理環境。

231 秋田註：Reaktor 2.0 のユーザー／クリエーターが作って無償提供されていたユーザー・ライブラリー・アンサンブルの一つだったと思いますが、誰が制作者だったか定かではありません。

232 1999 年 4 月 23 日（Reitschule Bern, Switzerland）

233 Merzbow／Collapse 12 Floors / Norway / CD / OHM Records / 0.4 ohm / 2000.3.31

234 アメリカのアビッド・テクノロジー社が開発しているデジタル・オーディオ・ワークステーション。

235 今東光『十二階崩壊』中央公論社（1978 年 1 月）

236 Merzbow／Tentacle / Japan / CD / Alchemy Records / ARCD 111 / 1999.6.25

237 Can / Out of Reach / Germany / LP / Harvest Records / 1C 066 32 715 / 1978.7

238 Pierre Henry / Remixe Sa Dixième Symphonie / France / CD / Philips / 462 821 2 / 1998

239 1999 年 5 月 5 日　A Totally Huge New Music Festival (Perth, Australia)

240 Festival International de Musique Actuelle de Victoriaville の略。

241 秋田昌美、佐々木敦「Silence of Noise」『Fader』5 号（2001 年 1 月）43 頁

242 1999 年 6 月 10／11 日　勅使川原三郎「Triad」(Hayward Gallery, London, UK)

243 1999 年 6 月 12 日　Satans Tornade (Rough Trade, London, UK)

244 Masami Akita & Russell Haswell / Satanstornade / UK / CD / Warp Records / WARP CD 666 / 2002.11.25

245 1999 年 9 月 17 日　MAZK (Pezner Club, Lyon, France)

246 以下の文献に「アパート、ホテル室内での展覧会や、持ち運び可能な本の形態をした世界最小の美術館、美術館内のあらゆる展示場所の可能性を検証する『侵入者 Migrateurs』シリーズ（1993 年に開始（略）」と説明されている。
Hans Ulrich Obrist、三木あき子「世界を変える渡り鳥たち」『美術手帖』782 号（2000 年 1 月）256 頁

247 「Le Point d'Ironie」は 1997 年から発行。

248 1999 年 11 月 8 日　Neurosis (Club Dunois, Paris, France)

ＮＨＫの電子音楽Ⅲ

ＮＨＫの電子音楽　第3回　戦前／戦中編　1934年〜1945年

川崎弘二

第4章　1934年〜1937年（昭和9年〜昭和12年）

｜純粋ラジオ芸術｜

1930年の晩秋に山田耕筰はフランスの興行師から、パリのピギャール座において上演するためのオペラの委嘱を受ける。山田は1931年2月12日に東京を発ち、シベリア鉄道によって1931年3月3日にパリへ到着した。そして、1931年5月に山田はこの地において、パーシィ・ノーエルの作によるオペラ・バレエ「あやめ」を完成させている。「あやめ」は1772年に作曲された初代鶴賀若狭掾による新内「明烏夢泡雪」や、1851年に初演された清元「明烏花濡衣」などで知られるいわゆる「明烏」にもとづいた作品であり、1931年6月にブノア歌劇団によりピギャール座にて上演される予定だった。しかし「ヒトラーのヴィーン進駐によって同市に住む（註・ミシェル）ブノアの父親からの資金援助」[1]が打ち切られたため、「あやめ」の初演はキャンセルされてしまった。その後、山田はソ連の「各都市で、土地の管弦楽団を指揮して十数回にのぼる演奏会を開催」[2]して1931年8月17日に帰国している。

1932年1月15日に発行された東京日日新聞では、学芸欄の「私の一九三二年」という年頭所感に山田が取り上げられており、山田の「『ディスク芸術』と文化浪花節」という談話が掲載されている。この記事の冒頭には「わが楽壇が世界に誇る作曲家山田耕作氏は、昨秋パリの楽旅から帰朝するや『音楽企業』をサラリとやめて、専心作曲の世界に活躍することに決意し、日響の事務所を閉鎖し、茅ヶ崎の邸を引き払い、赤坂高樹町に一戸を構え、国民音楽創造に向って邁進しようとしている」[3]と記されていた。すなわち、1931年のパリ滞在とそれに続いて行われたソ連の各地と南満州鉄道沿線における演奏旅行は、山田にある転機を与えたものと考えられる。

そして、続く山田の発言では「私は実のところ西洋の音楽が嫌やになったんです。これは徒らに内容に添わぬ努力をしている西洋音楽の尨大なものに対しての疑いで、そこには何かしら、一般大衆が近よれないものがあることに気付いたのです。勿論、部分的には、いいと思う点は沢山あるが、全部を感動の中に浸らしてくれない。私はもっと民衆と共に謳い、喜ぶものが要ることを切実に感じ出した。／私は浪花節がなぜ流行し、日本人に喜ばれるかを考えてみたんです。あれは言葉もいいが、リズムが聴衆を動かすのだ。私はあの中に流れているリズムを体得して、新しい時代の浪花節を書こうと思う。いままでわれわれは音楽をあまりによそ行きの気持で聴いていたが、音楽を聞けば、一般大衆と意気を合せて歌い、ひくべきだ」[4]と述べられている。ここに記されているように山田は西洋音楽が一般大衆と乖離していると考えるようになり、一般大衆に受け入れられるための「新しい時代の浪花節」へ取り組もうとする姿勢を明らかにしていたのである。

さらに山田は「トーキーへすべての音楽が集まる傾向にあるが、これは電気の力が二十世紀を支配しているから、この勢力から音楽ものがれられない。またトーキーによって音楽も一般化するだろう。同様のことが蓄音器についてもいえます。私は最近蓄音器を通してマイクロホンの研究に力を注いでいますが、現在では、まだ、蓄音器のレコードは芸術を確立していませんが、やがては、『ディスク芸術』が生るべきだと考えています」[5]と発言している。先に記したようにこの時点でのトーキー映画の普及は映画館ベースで1割弱ではあったものの、山田はレコードも含めたメディアによって記録を行い、電気的に増幅した音響をスピーカーから流すというスタイルの音楽が、今後の世界を支配するであろうという極めて先見的な予測を行っていたわけである。

最後に山田は「私はまず『ディスク・シンフォニー』即ちマイクロホンを通してレコードで演奏されるシンフォニーを書こうと思っています。これはレコード一面の演奏が三分位で両面で六、七分、日本で十二インチ盤が吹き込めるようになれ

ばレコード一枚の演奏時間である十分から十五分位で完結するシンフォニーです。／私の今年の目標は、まずこの『ディスク・シンフォニー』と文化浪花節を生み出すことです」[6]と語っている。マイクロフォンを使用した電気録音が普及することで、SPレコードに記録できる周波数帯域は拡大してきてはいたものの、スクラッチ・ノイズや音の分離や録音時間の短さなどを始めとする解決すべき課題も多く存在していた。しかし、未来の音楽がレコードによって供給されるようになるならば、山田は音楽もそのメディアに合わせて作られるべきだと考えたのだろう。

　山田は「月刊楽譜」誌の1932年3月号に寄稿した「ディスク芸術・トーキー・その他」という文章においても、「ディスクとラジオの共通点は、音楽を大衆のものとする事で出来る点にある」[7]と述べている。ここでも山田は「一般大衆とともに歌い、喜ばれる音楽」を実現するためには、マイクロフォンを介した音楽、すなわち、レコードとラジオ放送が重要であることを訴えていたのである。なお、伊福部昭も当時の「レコードの片面は五分未満であって、ガブリエル・ピエルネなどは、作曲家は、このメカニズムの制限を考慮に入れて作品を書く可き時代であるとし、自ら片面毎に終結する作品『旋回』（ジラシオン）なる作品を発表したりなどしていた」[8]と述べている。「旋回 Giration」がフランスのコロムビアにおいて録音されたのは1934年1月のことであり、山田やピエルネは同時期にメディアの限界を意識したうえでの作曲に取り組む必要を感じていたことが分かる。

　1934年3月28日に東京中央放送局では「交響長唄楽」と題して、山田耕筰の編曲／指揮による「吾妻八景」と「越後獅子」が放送されている。これらの作品は、吉住小三蔵の唄、稀音家六治／四郎雄／五郎／六郎／六八郎／四郎作／六輔の三味線、稀音家三郎助／三郎／四郎助の上調子、望月長之助の笛、望月長四郎／左七の小鼓、望月吉三郎の大鼓、望月太佐吉／幸太郎の太鼓、日本放送交響楽団の演奏により放送されている。

　放送当日の新聞記事では「吾妻八景は在来の長唄を原形のまま生かしそれに管絃楽による額縁をつくったものであり越後獅子では長唄の旋律を洋

楽器に移してただ囃しをもとのまま使ったものである」[9]と解説されている。そして、山田は「素よりこうした伝統ある長唄にかく交響楽的な衣を着せたところで無意味なことだと云ってしまえばそれ迄ですが洋服を着て洋間に住む我々がこの試みの中から自然に新日本音楽を生み、和洋の融合が発見されやしないかとも思われます」[10]と解説している。すなわち、これらのラジオ放送による交響長唄楽は、先の新聞記事などで触れられていた「文化浪花節」「教養階級のための新しい浪花節」[11]の実践の一つとして制作されたものと考えられる。

　なお、1934年8月30日にも東京中央放送局からは、山田耕筰の編曲／指揮により交響長唄楽「鶴亀」が放送されている。このときの演奏は、吉住小三蔵／小三八／小三雄／小六郎の唄、稀音家六治／三郎助／六輔の三味線、稀音家四郎吉／六郎の上調子、望月長之助の笛、望月長四郎の小鼓、望月吉三郎の大鼓、望月太佐吉の太鼓、日本放送交響楽団によるものであった。

　書籍「日本放送協会史」には「慰安放送種目の変遷には二つの大きな流れが見られる。一つは既存芸術のマイクロフォンへの移植とその保護助長の歴史であり、他の一つはこれ等既存芸術の領域とは別個な独自の純粋ラジオ芸術創造の歴史である」[12]と記されている。後者の「純粋ラジオ芸術」の例としては、ラジオ・ドラマ／ミュージカル・ドラマ／ラジオ風景といった演劇の延長上に存在する番組があり、朗読系の番組として物語／詩の朗読が、そして、報道演芸系の番組としてニュース演芸が挙げられている。さらに音楽の領域における「純粋ラジオ芸術」としては「ラジオ音楽」というスタイルが挙げられており、このスタイルの代表として「日本放送協会史」では「この部門に於いては先ずAKに於ける長唄と管絃楽との結合運動を挙げねばならない。これは昭和9年3月吉住小三蔵、稀音家六治、山田耕筰等のトリオになる長唄交響楽『越後獅子』『吾妻八景』等を生むに至って独自のラジオ音楽創造への第一歩を踏み出したのである」[13]と述べられている。

　「ラジオ年鑑」の1941年版に掲載された「初放送年表」というリストにおいても、「吾妻八景」と「越後獅子」は「ラジオ音楽」の初放送であると記されており、東京放送局ではこの「長唄と管絃

楽の結合運動」は「放送」というメディアを使用しなければ実現できない「純粋ラジオ芸術」であると考えられていたことが分かる。「交響長唄楽」はそれまでになかった新しい形式というだけでなく、放送局のスタジオ内にあるマイクロフォンとそのミキシング操作を利用することによって、音量の小さい邦楽器と西洋楽器による管弦楽との音量バランスを調和させることが可能となったことも画期的だったのだろう。すなわち「交響長唄楽」は山田の言う「ディスク芸術」のバリエーションの一つであり、ラジオという放送メディアを使用した「純粋ラジオ芸術」としても構想されていたのかもしれない。

1934年2月には「トオキイ音楽」誌が創刊しており、創刊号の巻頭には山田耕筰による「音楽家の新しき職場」という文章が掲載されている。山田はトーキー映画について「音画のモンタージュ、画面と音声との組合法等を考える前に、先ず第一にマイクロフォーンのために最も適切な発声法、音色、音量、——更にマイクロフォーンとの距離、管弦楽作曲の場合は楽器編成法、録音の場合は各楽器の配列位置等を仔細に研究しなければならない」[14]と述べている。ここで山田は具体的なその研究の詳細については述べていないが、この「音楽家の新しき職場」という文章の発表から約2年後に、長谷川良夫は「音楽研究」誌へ「音楽と機械に関する現場報告」という文章を寄稿している。

長谷川はレコード録音について「すべての楽器は『単独に』『単音で』吹込まれた場合は、今日の機械は殆ど原音を再生する。(略)併し一度び他の楽器の音と一緒に吹込まれた場合は実に複雑な結果を生じて来る」[15]と述べている。すなわち、当時のレコード録音は複数の楽器を同時に録音した場合、音の分離に技術的な問題が存在していたわけである。続いて長谷川は個々の楽器を録音する際に生ずる問題点について列挙しており、例えばヴァイオリンについては「D線の音は全く効果はない。(略)D線G線は全くピチカットに適しない」[16]と述べている。そして、ギター/マンドリン/三味線については「これらの楽器はマイクの出現によって新しい存在理由を附加されたものである。ナマでは実に弱い音の楽器であるが、マイクのすぐ近くに置くことによって如何に大きい音にも入れることが出来る」[17]と録音がもたらすメリットについても記している。

さらに「和音はマイクにとって非常な苦手である。演奏のメンバーが少い程、概して和音はよく入り、絃楽クワルテットのハーモニーは最も明瞭に入る。(略)和声を把握することが『機械』にとって苦手であるからは、低音のスタッカート或いはピチカットに内声の分割和音的進行、乃至は対位法的手法の尊重と言う様な方法への廻避が行われることは当然である」[18]と述べており、山田の言うマイクロフォンを使った「ディスク芸術」を実現するためには、こうしたさまざまな技術的な問題をクリアする必要があったわけである。

1933年3月25日に東京中央放送局は「純粋マイクロフォン芸術の模索と創造」[19]のため、第1回となる放送文芸の懸賞募集を発表した。募集されたのはラジオ・ドラマ/浪花節/物語/新民謡という4つのジャンルであり、1933年5月15日の締め切りまでに5,100件を超える応募があったという。ラジオ・ドラマ部門の審査員は岸田国士/里見弴/成瀬無極/水上瀧太郎/山本有三/山本修二らが務め、石川晋子「波浪」、戸田歌心「二階借時代」、桜井武二「東京の人たち」が当選することとなった。1933年12月20日から1934年2月10日にかけても第2回となる放送文芸の懸賞募集が行われており、今回の募集はラジオ・ドラマまたはラジオ風景、そして、新小唄の2種類のみであった。応募総数は3,600件ほどで、ラジオ・ドラマ/ラジオ風景部門は岡鬼太郎/河竹繁俊/岸田国士によって審査された結果、ラジオ・ドラマとしては伊藤章三「爆音」、小川正夫「家族会議」、荻田十八三「春」、そして、清水昭一「母に生きる」の4作品が当選した。

1934年5月11日には岸田国士の演出指揮によって伊藤章三の作による「爆音」が放送されている(1939年2月には日活の製作による田坂具隆監督、伊藤章三の原作/脚色、中川栄三の音楽による映画「爆音」が公開されている)。「ラジオ年鑑」の1935年版には「或る村長の倅の飛行家が自分の村をはじめて訪問飛行するという趣向で、村長の親心、空を仰いで待ち受ける一家族の人々の気持などをほ

ほえましく描いたもの。形式的には自転車の移動、場面のカットバック等ラジオ的新手法を巧みに駆使したもの」[20]であると紹介されている。このラジオ・ドラマは軍人である飛行士から家族へ向けて、明日の11時に村の上空を飛行機で通過する旨の電報が届く場面から始まる。自転車で望遠鏡を借りに出かけるが小川に落ちてしまう父／息子の婚約者へ知らせに来た妹／濡れて帰宅した父をからかう妹と婚約者／小学校で兄の到着に気を揉む弟／旋回する飛行機を見守る家族といったシーンがクロス・カッティングされており、シーンごとの効果音を含めたこうしたテクニックの導入が「ラジオ的新手法」であると捉えられていたものと思われる。

| 業務機構の改革 |

1934年5月16日に日本工業倶楽部において、日本放送協会は定時総会を開催し、定款の改正案が可決された。この可決によって日本放送協会では業務組織の大改革が行われて、「本部支部の区別を撤廃し、従来関東支部（東京中央放送局を含む）に於て執行せる業務は之を協会の直轄に移し、関西、東海、中国、九州、東北並に北海道の各支部は之を大阪、名古屋、広島、熊本、仙台並に札幌の各中央放送局と改称し（略）全国中継番組編成を慎重ならしむる為め放送編成会を設置」[21]することとなった。しかし「日本放送史」では「この改組に当って逓信省がその強大な監督権をもって、終始指導的立場をとり、一切の革新工作に干与したことはいうまでもない」[22]と記されている。

さらに「創業以来営々辛苦してこの事業の育成に努め、現に見る如き驚異的発展をもたらした民間の幾多功労者が、一応事業の正面から退陣し、これに代って逓信省出身者が、或いは常務役員として、或いは中央放送局長として、事業の中枢陣営を構成し、その経営指導に任ずることになった（略）こうしてわが放送事業は表面上一応民営形態がとられていても、その実質は更に一段と国家管理的色彩を濃厚ならしめ」[23]るという事態を迎えてしまった。そして、1936年2月26日には二・二六事件が起こり、「日本放送史」では放送事業に対す

る「国家性の要請がこの時期から特に強められて」[24]いくことになってしまったと記されている。

1934年9月3日には三曲「松竹梅」が放送されている。1934年8月25日の新聞記事では「AK、BK、CKの三放送局合同のもとに三曲『松竹梅』の三元放送という初めての放送を行うことになった。この新計画によると、たがいに百余里を隔てたスタジオ内で、AKからは宮城道雄氏が箏を、BKからは菊仲米秋氏（きくなかべいしゅう）が胡弓を、CKからは佐藤正和氏が三絃を受持ち演奏者が互にレシーバーを耳にあてて相手の音波を聴き分けながら恰も三氏が同じスタジオ内に並んで合奏している如くに名曲『松竹梅』を演奏しようとするのである」[25]と報じられている。

1931年7月に大阪中央放送局から放送されたラジオ・ドラマ「おんごく」のように、背景として現実音を流すケースや、1933年7月に放送された三元放送による座談会においては、多少のタイムラグが生じたとしても番組の進行には致命的な問題が生じることはない。しかし、3人の演奏者が距離による遅延を計算したうえでタイミングを合わせて演奏し、技師がそれらの演奏をミックスして放送することにはかなりの困難があったものと考えられる。東京中央放送局の技術局技術部長であった初見五郎は新聞記事において、「音楽の三元放送は座談会等と異って技術的には全く至難である、うまく行くかどうかやって見ねば判らぬ、テストは近く文芸部とも連絡をとってやって見るが三曲放送だけに非常に苦心している」[26]という発言を残している。

1934年11月11日から13日にかけて、茨城／栃木／群馬／埼玉において陸軍特別大演習が開催された。「ラジオ年鑑」の1935年版には「今回使用された放送自動車は技術局技術部試験課に於て新に設計され、この陸軍特別大演習を期して先ずその第一声が放たれた訳である。放送自動車の車体はダッジ・ブラザース会社製KI34型トラックシャシーを使用し、前面硝子窓が上下二段になっていて下部は運転手席に、上部はアナウンサー席に対し、アナウンサー及び放送連絡係員の座席よりの展望を広くし、実況放送に万遺漏なきを期している」[27]と記されている。このように「松竹梅」

における遠隔地を結んでの三元放送の実現、そして、場所を選ばずに中継を実施することが可能な放送自動車の導入など、このころの東京中央放送局では組織の改革だけでなく「ラジオ的新手法」の試みがさまざまな方面へと展開していたことが分かる。

なお「電気工学」誌の1934年9月号には、日本電気株式会社の多賀久生による「磁気録音装置に就て」という文章が掲載されている。日本電気ではこのころ「デリーグラフ」という名称のいわゆるワイヤー・レコーダを発売しており、多賀は「録音及再生操作が極めて簡単で如何なる素人にも出来る（略）捲戻す事によって幾度も再生し得る（略）長時間使用し得る（略）別々の記録を寄せ集めて合成」[28]ができる装置であると述べている。そして、その利用法として「議会等で演説を記録して置けば間違いはなく速記人の必要はない。大切な演説は是非記録して置く必要があると思う。又国際電話等遠距離電話のときには一通話の料金が高い為に聞き漏しのない様本装置を使用すべきである。（略）捲戻しの時話は逆になって聞えるから之を増幅して聞けば全く無意味のものとなる。故に之を記録し之を捲戻して再生すれば原音を聞く事になり秘密電話に使用する事が出来る」[29]と主にビジネスにおける使用例について記しているものの、「音楽の如きを対称とする時は high frequency（5,000〜以上）及 low frequency（150〜以下）の記録は現装置では極めて困難」[30]であると説明している。すなわち、この時期には国産の録音装置が流通し始めるようになっていたわけであるが、ラジオ放送で使用することのできるクオリティにはまだ到達していなかったようである。

1935年1月1日から東京中央放送局は「主として音楽又は劇の放送用」[31]の新設スタジオを稼働させるようになる。その直前の1934年12月5日には第3回となる放送文芸の懸賞募集が発表されており、1935年2月10日の締め切りまでにラジオ・ドラマあるいはラジオ小説／浪花節の二部門を合わせて約2,300百件の応募があった。ラジオ・ドラマの入選作は藤高穂「高原にて」／立岡頼一「汽車が来る」の2作であり、ラジオ小説の入選作としては坂巻春之助「街の騒音」／長谷川更生「素馬行」／桜井三郎「ハウス蝸牛」の3作品が選ばれていた。

「ラジオ年鑑」の1936年版では立岡の「汽車が来る」について、「素朴に生き伝統に眠る田舎の人々、平和ながら時代の波濤から遠い距離にあるかの如き生活、そこへ突如文明開化の響が伝って来た。村人の驚異と想像を湧立たせる汽車の開通である。古き夢を破って、汽罐車が新しき夢を乗せて来る、その名誉ある運転を勤めるものは村出身の青年であった。一つのエポックの転移に動く村人の感情と喜悦を描いたもので、確かに運ばれている。新しき歓喜を齎す汽車の擬音効果は、ドラマの中心を貫く大綱となっている」[32]と汽車の擬音が重要な役目を果たしたことを紹介している。

そして「ラジオ年鑑」の1936年版では坂巻の「街の騒音」も、「都会に氾濫する楽音雑音、言語、叫声、機械音、……音音音。音の飽和する世界に悩む男、音のエアーポケットを求めついた逆説。純ラジオ向きテーマとして、秀れたものであるが、望蜀にはもう一歩突っ込んだものがあったらと思われた。音の意識に真向すぎて、音の整理、放送台本の構えを一湯がき湯がいて欲しかった」[33]とこちらの作品においても音響の要素が大きなウェイトを占めている旨が記されている。こうした作品が集まった理由としては、募集要項において「従来ラジオの特性を認めず、又考慮に入れない原稿が相当あったのに鑑みて、それらの点についての注意」[34]が書き添えられてあったことに起因するものと考えられる。その結果として「街の騒音」のように、過剰な効果音の使用へと傾いてしまった例も多くみられたものと推察される。

1935年3月5日には、真船豊の作によるラジオ・ドラマ「なだれ」が放送された。小林徳二郎は「ラジオ・ドラマの効果（演出としても亦擬音や音楽としても）には遠近を使うものに非常な効果がある。真船豊氏作の「雪崩」にしても、遠くで唄をうたいながら樹の上で枝を斬る娘の声で放送がはじまったり、スキーですべって行く娘の遠のきかた、遠くの山をすべる雪崩の音、それが又山へ反響する余韻、終りに犬をつれて都会の人達が大ぜい笑い興じながら遠くから近づいてくる群声。これらが、あのドラマ全体の演出効果を非常に多いものにしたのであった」[35]と述べている。すなわち、こ

のころまでにはラジオ・ドラマのテクニックとして、遠近感が高い効果を示すということが認識されるようになっていたものと思われる。

続いて小林は「右と左の区別は出来ない。反響のあるなしで上下程度は分らせることが出来るが、この遠近を巧みに用うることよって舞台や映画以上の効果はあげ得られると思う。(略)擬音というものはあくまでも一つの助手であることを忘れてはならない。この助手は主人同様に大切なものであるが、舞台で照明や背景があまり多くはびこる時、俳優の演技はそれに邪魔されて劇全体の価値を減殺するのと同様で、過ぎたるは及ばざるにしかずの喩えを知る必要がある。といって、この擬音がなければラジオ・ドラマは成り立たないのである」[36]と発言している。例えば映画は「地上の水平的運動」[37]を描くには適したメディアであるものの、蓮實重彦が「映画は、縦の世界を垂直に貫く運動に徹底して無力である。上昇とか落下とか、とにかく上下に位置を移動する対象をその垂直なる運動として表象しえたイメージと音の蓄積というものは驚くほど貧しい」[38]と述べたように、表現のできる限界というものはメディアごとに規定されているわけである。放送開始から10年ほどが経過することで、このころにはラジオというメディアの特性を踏まえたうえでの創作に取り組む重要性が、さらに周知されるようになってきたものと思われる。

| 電気鍵盤楽器 |

関重広は東京電気の川崎工場内にあったマツダ照明学校の校長も務めており、1934年10月から1935年3月にかけて欧米における照明についての視察旅行を行っている。関は1934年10月31日に閉幕する「シカゴ万国博覧会」を訪れており、「清水(註・与七郎)副社長がお土産に持って来られたテレミンという楽器がある。(略)アメリカでどうかしてこの真実の演奏を聞きたいとものだと思ったけれども、シカゴの或料理店でやっていたのを見つけただけで、それも丁度演奏者が帰ってしまった後で、遂に聞けなくて残念だった」[39]と述べている。関はこの視察旅行を通じて電気楽器について

の調査も予定していたものと思われ、1934年11月から12月にかけて滞在したベルリンでは1929年にドイツのベヒシュタイン社が開発した電気ピアノ「ネオ・ベヒシュタイン」を見学している。

関は「ドイツへ来たら何かそう云うものはないかと思ったら、ドイツにネオ・ベヒシュタインという電気楽器があるという事を聞かされて、それがあるベルリン大学の高周波研究室へ聞きに行った。そうしたら先方でも非常に歓迎してくれて、その教室の人が色々な弾き方をしてくれ、種々の音を出してくれた。これは一種のピアノの様なものであって、ベヒシュタイン・ピアノの新型という意味の名がついている訳であるが、此処で私も色々弾き方を教わって日本へ帰って来たところが既に日本へも一台来ておって、何んでもその試演会の時の評判は余り香ばしくなかったようである。/しかしこれはピアノと同じように取扱うのが悪いのと、又斯う云うものをピアノと同一視するのは間違で、新しい一つの楽器と考えて、その積りで弾けば新しい弾き方もある訳で、この楽器の特色が発揮出来るのである。どうも斯う云う楽器は従来の楽器の弾き方に囚れるからいけないので、それからすっかり離れたら、面白い用途も見出されるのだろうと思っている」[40]と述べており、関はネオ・ベヒシュタインの演奏法を学んで帰国していたようである。

1935年2月26日の東京中央放送局では「新楽器ネオベッヒシュタインとチェロ独奏」という番組が放送されている。放送当日の新聞記事には「今夜はドイツ楽界及び電気界に一大センセーションを捲起した電気応用の新ピアノ『ネオ・ベッヒシュタイン』が紹介演奏される。またこの新楽器伴奏でチェロが独奏される。ネオ・ベッヒシュタインはドイツのベッヒシュタイン・ピアノ会社及びシーメンス電気会社の技師によって協同製作された電気応用のピアノで、一昨年日本楽器株式会社々長が外遊に際して持ち帰ったもの」[41]と記されている。この番組でネオ・ベヒシュタインは吉原規、チェロは小沢弘によって演奏されており、ネオ・ベヒシュタインの独奏として吉原の作曲による「夜想曲」「無邪気な行進曲と其変奏曲」「ジャズ風」と、ドビュッシー「子供の領分」の第5曲「小さな羊飼い」、そして、チェロとネオ・

ベヒシュタインによりドヴォルザーク「我が母の教えたまいし歌」とグラズノフ「吟遊詩人の歌」が放送されている。

1935年10月18日にオルガン奏者の木岡英三郎は東京会館において、日本楽器製造（現在のヤマハ）の製作した電気楽器「マグナオルガン」を初めて公的な場で演奏したようである。そして、1935年12月10日には「東京音楽協会主催に依るフランスの楽聖サンサーンス生誕百年記念演奏会を日比谷公会堂に於て開催に付其の一部を中継放送[42]することとなり、サン＝サーンス「交響曲 第3番」が山田耕筰の指揮、大中寅二のマグナオルガン、新交響楽団の演奏により放送されている。放送当日の新聞記事には「この交響曲にはパイプオルガンが用いられるが今夜はその代りに最近日本楽器会社が発明した電気楽器マグナオルガンを使用する。マグナオルガンの演奏は今夜が初めてである[43]と記されている。なお、当時の雑誌記事ではマグナオルガンについて「此れは要するにオルガンにマイクを附加して、それを増幅し、スピーカーに出しただけだと、倍音で音色を変えることも、ポテンショメーターで音量を加減することも、之等は凡て公知のものであり、殆ど何等新奇の事項を見出し得ない[44]という批判的な内容のものも掲載されている。

1936年4月に発行された「音楽研究」誌は「機械と音楽」という特集が組まれている。この特集には、地震学者の石本巳四雄による「音楽と音響学」／物理学者の小幡重一による「機械音楽の将来」／作曲家の長谷川良夫による「音楽と機械に関する現場報告」／東京高等商船学校教授の久里原裕による「モノローグ 機械と音楽」／ドイツの音楽評論家アドルフ・ワイズマンによる「日常事の勝利 ラジオと映画」などといった文章が掲載されている。

小幡の「機械音楽の将来」では「電気楽器の中でセルミン、マルテノ、トラウトニウムは何れもラジオに使う様な真空管を利用して電気振動を起し是れに依って拡声器を鳴らすもので斯様な方法で音を出す事はラジオの専門家、音響学者等には少しも珍しいものではなく、前前から実験室其他で始終行って居るものであるが、唯律を合せて楽

器として使用する事をしなかったに過ぎないものである。然しながら在来の楽器とは発音の原理が全然異るので、エーテルから音を出すなど、何にか神秘的な楽器ででもあるかの様に宣伝されたため大に世人の視聴を集め、是れを以て明日の音楽を示唆するものであると賞讃された音楽家さえあった様な次第である[45]と述べている。

さらに小幡は「電気楽器と言うものは恐らく左様な価値のあるものではあるまいと思う。元来楽器の音色の特色と言うものは幾多の分子から構成されて居る実に微妙なもので在来の名曲たるものは何れも是等楽器の音色の特色従って其表現能力を巧みに利用して作曲されてあるものであるからして、ジャズに是れ迄使われなかった楽器が利用されると同じ様な意味に於て電気楽器が将来用いられる事は勿論大にあるであろうが、電気楽器の出現に依って在来の楽器の存在が脅かされると言う様な事はあるまい。在来の楽器の表現能力乃至音色というものはそんな貧弱なものでは無い筈である[46]と述べており、未来に電気楽器が普及したとしても、従来の楽器の存在が脅かされるようなことはないと主張していた。

1936年7月2日に「ハモンドオルガン独奏」と題して、神戸女学院からの中継番組が放送された。この番組ではハモンドオルガンによってメンデルスゾーン「ピアノ・ソナタ 第1番 第3楽章」や、アイルランド民謡「ダニー・ボーイ」などが演奏されたようである。放送当日の新聞記事には「日本全国に三台而も関東には未だ一台も無い新楽器ハモンドオルガンの独奏を神戸女学院から中継その音色を紹介する（略）今夜、この新楽器を独奏するケネス・A・パーカー女史はカナダのマウントアリソン音楽学校出身で神戸ユニオン教会のオルガニストであり神戸のカナディアン・アカデミーの音楽教師である。なお今夜はBKが不文律を破り音楽放送の最初の試みとして移動放送自動車マルコニー号によって無線中継する[47]と記されている。すなわち、これまで記してきたように1935年から1936年にかけては、ネオ・ベヒシュタイン／マグナオルガン／ハモンドオルガンといった電気鍵盤楽器による演奏が、ラジオというメディアを介して人々の耳に届くようになったというわけである。

「ラジオ年鑑」の1935年版ではこの年度の事業改善計画の一つとして、「音楽放送の効果を一層向上せしむる為めに優良なる諸楽器、各種歌劇、管絃楽、協奏曲の曲譜を豊富に設備する予定である」[48]と記されている。さらに「従来創造されたラジオ独自の芸術としてラジオドラマ、ラジオ風景、ラジオ物語があるが、本年に入り特にラジオ芸術の新生面」[49]として、東京中央放送局の「ラジオ小説」と大阪中央放送局の「詩の朗読」という番組が挙げられている。この「ラジオ小説」は「ラジオドラマとラジオ物語とを融合したようなものであるが、小説に声音的効果を求めて物語的部分には小説的手法を生かしつつ描写と筋を巧みに織込み、これに会話を配して小説を立体化せしめたもの」[50]であると解説されており、また「詩の朗読」は「聴覚鑑賞に喚び醒し朗読者による言魂とも云うべき正しく美しい言葉の韻きに音楽伴奏を織交ぜて詩の精神を時間的に鏤刻したもの」[51]であると説明されている。

さらに「ラジオ年鑑」の1936年版においても、新しい趣向の番組として「歌謡物語」という「物語の興味に加えるに歌謡曲の音楽味を配した」[52]番組の名称が記されており、そして「歌謡劇」という「ドラマと歌謡曲との組合せによる」[53]番組だけでなく、さらに「各所案内」という「日本全国の名所を居ながらにして聴く楽しみは四月から始まって年末まで南は天城雲仙から北は札幌、朝鮮に至る」[54]番組が紹介されている。すなわち「ラジオ芸術の新生面」についての開拓は、引き続き各放送局のあいだで熱心に行われていたというわけである。

1935年12月19日には岡本一平の作、指揮者／作曲家である宇賀神味津雄の指揮により、「擬音風景」という肩書きのついた「いろは歌留多」という番組が放送されている。この番組が放送された当日の新聞記事には「ラジオドラマやラジオ風景の放送効果になくてならぬもので、しかも常に縁の下の力持ちである擬音が今夜晴れの主役を勤めるのがAK新考案の『擬音風景』である、これはAKが漫画家岡本一平氏に依頼したもの」[55]であると記されている。

続いて小林徳二郎（東京中央放送局の文芸部の主事と記されている）のコメントとして、「創業当時は文芸部員と技術部員が協力して研究した。その頃の功労者は長田幹彦、小柳太以知氏、技術部の加藤（註・末丸）現業課長、大原富郎氏等で毎週一回ずつ集まって擬音の研究をした。その頃『大尉の娘』をやった時アナウンサーの京田武男君が海水着一枚で戸板の上へ倒れて生きた擬音を出したなぞと云う思い出話も残した。その後現在BKのスタジオディレクターをしている和田精氏が築地小劇場の演出効果をしていたがAKに来て今まで経験で出していた音を科学的な擬音に改善した」[56]と記されている。

そして、小林は「和田氏がBKに行った後に新響でヴァイオリンを弾いていた福田宗吉氏が音楽と擬音とを融合することに成功したが国産トーキー発生と同時にその方の知識を加えて益す進歩的、科学的なものになった。だが現在AKには専門の擬音掛りはなく放送の時はAKにある擬音道具を各放送団体専属の効果掛りが担当している、今夜はP・C・L、創作座関係の擬音掛が放送する」[57]と述べている。この新聞記事にあるように1929年末に和田精が東京中央放送局を去ったあとは、福田宗吉らがトーキー映画での効果音の作成方法なども参考にして擬音の研究を進めていたが、いまだ専属の効果団はなく番組の放送のたびに映画製作会社のPCLや創作座（1934年9月に旗揚げ）のスタッフが擬音を担当していたことが分かる。なお、この新聞記事には放送に使用する擬音のレコードとして、ポリドール製の日本盤とビクター製の外国盤を使用している旨も記されている。

福田宗吉は東京音楽学校を卒業したのち、日本交響楽協会や新交響楽団においてヴァイオリニストを務めていた。福田は1932年5月に公開された田中栄三の監督／オリエンタル映画社の製作による映画「浪子」や、1933年4月に公開された政岡憲三の監督／政岡映画製作所の製作による映画「力と女の世の中」などにおいて擬音を担当しており、さらに1935年1月に公開された池田富保の監督／日活の製作による映画「乃木将軍」では音楽を担当していた。こうした経歴を持つ福田によって、トーキーにおける擬音の技術も東京中央放送局にもたらされていたわけである。

1936年2月9日の読売新聞に掲載された記事において「AKでは演芸及び音楽放送の内容を一層充実し放送効果の完璧を期するため来る十五日から二つの研究会を新設することになった／その一は『慰安放送演出効果研究会』これは主なる慰安放送の指揮並に放送効果を調査する。最初の委員は文壇から久米正雄、川口松太郎、北村小松、高田保、劇作家から岡本綺堂、河竹繁俊、北村喜八、楽壇から山田耕筰、近衛秀麿、伊庭孝の諸氏に委嘱する筈である」[58]と記されている。そして、もう一つの研究会は「『慰安放送擬音研究会』で委員にはAKの文芸部員、技術部現業課員、局外からは福田宗吉、木村一、安藤清、菱刈高男、吉田貢、岩尾英之助、今堀淳一の諸氏で毎週火金の二回研究会を開く」[59]と報じられている。慰安放送擬音研究会の委員としてここに名前の挙がっている江口（菱刈）高男は、「昭和十一年（一九三六年）の二月十一日にNHKに初めて効果係が出来ることになり、久保田万太郎先生や小林徳次郎氏の御世話で私達七人の仲間で効果団が出来ました」[60]と述べている。すなわち、放送開始から11年後、和田精が東京中央放送局を去ってから6年後に、ようやく効果音を専門に研究する団体が東京中央放送局のなかへ組織されるに至ったわけである。

　「放送」誌の1936年5月号の記事には「去る二月八日から毎週火曜日、金曜日を期して文芸部と外部擬音研究者とが協力」[61]して改善された擬音として、雨音／輪転機の音／モーターボートの走行音が挙げられており、そして、新しく考案された擬音として、馬車の車輪の音／水鳥の鳴き声／カバの声／ライオンの吠える声／オットセイの鳴き声／自動車の走行音が挙げられ、それぞれの作成方法について触れられている。

　また、1931年2月に帰国した中山龍次がアメリカで購入した擬音発生装置について、「既に使用にたえなくなっていたのであるが、それを分解修理して、猫、山羊等の音を復活することが出来た」[62]とも記されている。そして、1936年8月7日の読売新聞には慰安放送擬音研究会を紹介した記事が掲載されており、「太鼓に電気アンマをかけているのが木村一君だがこの当て方ひとつで自動車や飛行機の爆音からモーターボート、オートバイいろいろと出来る（略）楽器ケースを毛糸で巻いたバチ

で叩く物、鉄板を叩く物──これが物凄い戦争の音製造中のシーン」[63]になるなどと記されている。こうしてふたたび東京中央放送局では、慰安放送擬音研究会を中心としてさまざまな擬音の研究が進められていくこととなったのである。

| ベルリン・オリンピック |

　1936年7月31日にベルリンで開催された国際オリンピック委員会総会での投票によって、1940年には東京でオリンピックが行われることが決定する。そして、1936年8月1日から16日にかけて、ベルリン・オリンピックが開催された。このベルリン・オリンピックの会場には中央技術局が設置されており、それは「中央競技場観覧席下に設け、中央競技場以下一六競技場の各放送室を有線にて繋ぎ、増幅並調整の上自国向、国外向放送所へ中継す。即ち同時に国内及欧洲に二〇放送、海外に一〇放送、レコード録音六二合計九二の放送を一斉に処理すべき中枢部をなす」[64]という技術的拠点であった。録音設備としては「競技時刻或は時差の関係上即時中継が困難な場合便ぜんが為め、各アナウンサー席、中継技術局その他四二ケ所、移動放送用自動車二〇台、合計六二ケ所にテレフンケン回転盤式録音装置」[65]が設備されていたという。

　ロサンゼルス・オリンピックにおける実感放送とは違い、ベルリン・オリンピックでは実況放送が行われることとなった。「ラジオ年鑑」の1937年版には「実況放送の行われるのは今大会が始めてであり、而も今回は放送参加国三二ヶ国、参加アナンウサー百余名を数えたので、協会よりも職員三名を特派して実況放送に、実況録音放送に華々しい舌のオリンピックを演じ半ケ月間に亘って全国民を興奮の坩堝と化した」[66]と記されている。そして、1936年8月2日の午前には「開会式実況を録音放造し、オリンピック組織委員長（註・テオドール）レワルト博士の開会の辞、ヒットラー総統の開会宣誓、陸海軍楽隊、伯林放送局管絃楽団の奏楽、殷々と響く祝砲、シュトラウスの指揮するオリンピア讃歌の演奏等を通じて壮厳極まりない情景を想像したが午後には待望の競技実況に

於て米国黒人（註・ジェシー）オーエンスの超人振りに驚嘆した」[67]と説明されている。この記述からも分かるようにベルリン・オリンピックの中継放送には、録音再生技術が大きく貢献するようになっていたというわけである。

さらにベルリン・オリンピックでは「初めてアイコノスコープ型カメラを使って実況を中継」[68]するというテレビ放送も行われており、4年後に開催される東京オリンピックのために「わが国でも、オリンピックの開催予定である昭和十五年を目標に、各界が協力してテレビジョン放送の実現を期する」[69]という目標が掲げられることとなった。そして、安立電気株式会社の研究部において録音機の研究に従事していた五十嵐悌二は、「磁気録音機の如きも『テレビジョン』同様『東京オリンピック大会』の寵児として活躍すべき一大使命を持っておるものではあるまいか」[70]と述べている。すなわち、ベルリン・オリンピックを伝えた放送で大活躍したテレビ放送や録音機を、アジアで初めて開催されるオリンピックにおいても整備しなくてはならないと各所で認識されるようになったことは当然の流れであったものと考えられる。

1926年に上野七夫は名古屋中央放送局の技術部長に就任しており、1929年12月27日から出力を名古屋放送局では10kWに、そして、1930年4月から東海支部の金沢放送局でも3kWに増力した放送をスタートさせている。上野はのちに「10キロに代る時、ドイツのテレフンケン会社のものが日本にまだ這入っていなかったから、是非研究して見たいと、当時の名古屋の青木（註・鎌太郎）理事に話したら、お前は海軍にいてマルコーニの機械に詳しいというから貰ったのだ。テレフンケンとは何事だと一喝された。それでも研究心に燃えていた熱意を認めて呉れたか、金澤には3キロのテレフンケン会社のものが据え付けられた」[71]と述べている。

そして、1936年には「欧米視察の途に上った当時大阪中央放送局技術部長上野七夫が、ドイツ及びイギリス」[72]において録音機を購入することとなる。東京中央放送局では1936年夏に「テレフンケン会社（ドイツ）の円盤式録音機二台一組」[73]を受け取り、さらに1936年11月に「マルコーニ会

社（イギリス）の鋼帯式磁気録音機一台」[74]が届けられることとなった。

「ラジオ年鑑」の1940年版ではテレフンケンの録音機について、「本法は所謂レコード盤の製作及びその再と大体に於て同様であるが、原則として放送盤は複写盤をとる必要はなく（略）使用する盤としては、金属芯にニトロ・セルローズを主成分とせる物質を塗布したものを用いている。切込は内方より横振れ式で、廻転数や盤の大きさ等は普通のレコード盤の場合と同一である」[75]と紹介されている。このテレフンケンの録音機は1936年10月29日に大阪中央放送局から放送された「海軍特別大演習観艦式御模様」にて初めて使用されており、詳細は大阪中央放送局の項にて述べる。

そして「ラジオ年鑑」の1940年版ではマルコーニ社の録音機について、「鋼帯の残留磁気を利用する方式で、一定速度で移行する鋼帯に接し、録音、再生、消去各回路の一部を形成する電磁極が装置されている。（略）磁気録音は録音後は単に捲戻し操作のみにて直ちに再生し得るのみならず、録音しつつ再生し得る利点がある。又長い鋼帯を使用すればゆうに三十分の継続録音が可能なるが故に長時間の講演、実況放送の録音に適している」[76]と紹介されている。

1898年12月1日にデンマークの電話技師ヴァルデマー・ポールセンはデンマークで磁気録音機についての特許を出願しており、ポールセンの発明による磁気録音機テレグラフォンは1900年4月14日から11月12日にかけて開催されたパリ万国博覧会に出品されて、「一般大衆に大センセーションを巻き起こした」[77]ようである。そして、1903年にポールセンは渡米してアメリカン・テレグラフォン社を設立し、「事務会話や電話用のテレグラフォンの製造を開始した。（略）このアメリカン・テレグラフォン社は、機械自身の欠陥もあって、販売上と財政上のいきづまりから、やがて解散する羽目になってしまった」[78]という。

しかし「1920年代の終わり頃になって、再び磁気録音機に対する関心が高まり、ドイツではスティーレ博士（Dr. Kurt Stille）によって、磁気録音機の製造権を売ることを目的とした会社のテレグラフォン・パテント・シンジカート社（Telegraphone Patent Syndikat）が設立され、改造されたテレグラ

フォンの普及に努めた。／その成果の一つとして、イギリスの映画会社の所有者ブラットナー（Louis Blattner）が、このライセンスを買い、1929年（昭和4年）、映画のトーキーに、従来のディスクに代わって鋼線式録音機を使用した。これをブラットナー・システム、録音機をブラトナフォンと名づけた。（略）ブラトナフォンは、その後イギリスのマルコニー社（The Marcorni Company）に譲り渡され、ここではスティーレ研究所の協力をえて鋼帯式のマルコニー・スティーレ録音機がつくられ」[79]ることとなる。1936年11月に東京中央放送局へ納入されたのは、このマルコニー・スティーレ磁気録音機であった。

このころ東京中央放送局に努めていた並河亮は、のちに第2次世界大戦前の「イギリス、ドイツ、フランスなどは、遠隔の地に向けて短波で番組を送って、直接外国の聴取者に文化的宣伝を行なうという『海外放送』を実施し、大きい効果を挙げていたのである。これは局から局へ番組を送ったり受けたりする『国際放送』とは異なり、一国の放送局で作られた番組が短波の送信所に送られ、そこから直接外国の一般の短波聴取者の家庭に送られるもので、この『海外放送』は当然大きい文化宣伝に役立ったのである。（略）戦前は、技術的に異なる『国際放送』と『海外放送』を厳に区別して使っていたのである」[80]と「海外放送」と「国際放送」の違いについて述べている。

日本でも1935年6月1日から「海外放送」が開始されており、並河は「海外放送番組の企画、編成、実施を担当していたが、スタッフはわずか四人であった。そのほかに私は国際放送の番組交渉、連絡、実務もやらされていた」[81]と当時の仕事を振り返っている。そして、並河は「テレフンケン録音器とほぼ同じ頃と記憶しているが、イタリア（註・イギリスの誤記か）からマルコニー・スティール・テープ録音器という、トラックにやっと載るという大きいたいへんなシロモノが愛宕山に届いた。（略）放送部員では私一人がそれを操作するよう命じられた」[82]と述べている。

そして、並河は「徹夜勤務のとき私一人で回してみた。ムッソリーニの獅子吼と軍歌の録音であった。ところが、右の輪の回転がどういうわけ

か突然停止してしまった。しかし左の輪は回転を続けている。左の輪から流れ出る鋼鉄のテープは機械からはずれて床に流れ出す。テープを切ることはできない。回転を止めることもできず、あっという間にテープは部屋の床いっぱいにひろがり、鋭い鋼鉄のテープは渦となり、部屋じゅうにのたうち回る。私は生命の危機を感じ、大声で『助けてくれ！』と叫んだ。とびこんできた技術の藤井一市氏がどこかをいじくって車輪を止めてくれてホッとしたのである。そして私に『バカヤロー』といった」[83]というトラブルのあったことを明かしている。

さらに並河は「スティール・テープのこの録音器はその後、ムッソリーニやヒトラーの演説の実況を録音した程度で、私たちはほとんど使わず、無用の長物として愛宕山に放置されていた。これに反し、テレフンケンの円盤式録音器は取り扱いも楽だし、失敗がなかったので、みんなは大いに活用した。（略）録音器が使用できるようになると、録音盤が『歴史』の最も有力な証人となることになった。私は満蒙開拓団の出発状況（註・満蒙開拓の試験移民は1932年10月に開始され、1937年5月には拓務省が「満洲移民第一期計画実施要領」を作成し、移民は本格化していく）や各地の行事を現地にとんで行って録音し、在外同胞のためにそれを海外放送の波に載せた」[84]と述べている。こうした並河の発言にあるように、テレフンケンの円盤型録音機は操作性や機動性が勝っていたこともあり、マルコニー・スティーレ磁気録音機よりもはるかに使用頻度が高かったようである。

| 朝から晩まで |

北村喜八は「放送」誌の1936年4月号に「実況放送演劇化の問題」という文章を寄稿した。北村は「『実況放送』と広い意味での『ラジオ・ドラマ』とは、ラジオの出現によって開拓された新しい世界である」[85]と主張し、さらに「実況放送の目的が（略）報道的意味のものであれ、娯楽的価値のものであれ、或は芸術的感動を目指すものであれ、『対象状況』（この新語を許されたし）がスケッチ風な簡単なもので事足りる場合は、そのまま放

送しても十分であろうが、数十分或は数時間の長きにわたる時は、印象を統一し感銘を深くするために技術上の且構成上の工夫が必要となってくる。／ここに実況放送の演劇化ということが考えられる」[86]と述べている。すなわち、北村は中継によってラジオ・ドラマへ現実音を導入するのではなく、実況放送自体を演劇化する道を模索しようとしていたのである。

　具体的には「『シナリオ』によって前以て予定された音を捉えるために、幾つかのマイクロフォンがそれぞれの場所におかれ、必要に応じて自己の目ざす音を捉えては、調節者(ミクサア)のもとへ送り、調節者はそれをシナリオに従って劇的構成へと統一してゆくのである。／例えば比叡山に於ける宗教的行事があるとする。と行事の進行に備えたマイク、本堂におかれたマイク、参詣の群集のためのマイク、比叡山の山の風景(風の音、水の流れ、鳥の声など)を伝えるマイクなどがあって、それらの捉えた音響が『シナリオ』に従って一つの表現へとまとめられてゆくのである。これはその場にある者の受取る印象よりも却って立体的且生彩あるものとなるかもしれない」[87]と説明している。

　続いて北村は「実況放送がここまで進展してくれば、既に芸術の領域へ足を踏み入れているのであって、それはラジオ・ドラマの問題でもありうる。／実況放送の演劇化という問題は多くの困難な面をもっているが、実況放送の重要性がますに従ってこの問題も重要性をまして来るであろう。しかし、その問題は、技術者の理解ある協力、文学的才能を兼ね備えた演劇の専門家(エクスパート)、即興詩人の才能あり話術の巧みなアナウンサー、この三者の協力によってはじめて、十分な成果をあげうるのである」[88]と記されており、ミキサーの存在が重視されていることが分かる。すなわち、複数のマイクロフォンによるミキシング技術の進歩によって、実況放送やラジオ・ドラマが新しい段階に進むことが期待されるようになったわけである。

　1936年4月27日に大阪中央放送局では本居長世の作詞／作曲／演出／指揮による「抒情歌劇」と銘打たれた「夢」という番組が桃谷演奏所からの中継によって放送された。放送当日の新聞記事には「本居長予氏が明治四十二年(註・1909年。松浦良代「本居長世 日本童謡先駆者の生涯」(国書刊

行会、2005年3月)によると作曲は1910年で初演は1913年)に作詞作曲して東京の白木屋で松本幸四郎舞台監督のもとに如月社が初演した最初の国産歌劇で、大正九年(註・1920年)には帝国劇場で羽衣会第一回公演(註・1922年2月26日から28日にかけて、帝国劇場にて開催された「羽衣会第一回公演」において楽劇「夢」が上演されている)(略)その後も数回上演、最近では昭和八年(註・1933年5月)増永丈夫、中村淑子さん等が帝国ホテル演芸場で上演した、放送は今夜が初演である」[89]と紹介されている。

　「放送」誌の1936年5月号には、河上徹太郎／唐端勝／諸井三郎による鼎談「ラジオ・オペラを語る会」が掲載されている。日本最初期の歌劇である「夢」は「記者A」によると「今後創造さるべきラジオの為の日本的オペラ」[90]として捉えられていたようである。そして、記者Aが「実は日本ではラジオのミクシングが未だ確立されていないようです」[91]と発言すると、唐端は「それだけにいけませんね。機械の処理というものが生殺与奪の権利を握って居ますから、そこで演出家がミクサーを兼ねるなり、またミクサーが演出の仕事をするなりしなければ、いつまでも食い違って参ります」[92]と苦言を呈している。しかし、和田精は「放送」誌の1936年6月号に掲載された「放送に於けるミクシング」という文章において、以前より大阪中央放送局では多彩なミキシングを実践していると反論した。その具体的な内容については、後述する大阪中央放送局の項にて触れる。

　小林徳二郎は「放送」誌の1936年10月号に「ラジオドラマの演出と効果」という文章を寄稿しており、「ミキシングは将来ラジオ・ドラマの表現が複雑になればなる程、放送室を幾個も使えば使う程、マイクロフォンの使い方を多くすればする程大切な役割を務めなければならない。これは電気学ではなく、一つの芸術の領分である。言葉や音や音楽を如何に正確に効果的に混ぜあわせるか、これは演出の領分と同様何より重大な仕事である。音の溶暗と溶明をとりちがえたりしたらドラマの効果は零になるからであるし、その混ぜ合せ方は舞台のかもし出す雰囲気と同様、一種のインスピレーションで作業せねばならないからである」[93]と発言している。これらの発言からも分かる

ように、1936年には今後のラジオ放送を発展させるために、とくにミキシングという要素が重要であると認識されるようになっていたわけである。

1937年4月9日には東京中央放送局から「ラジオ・オペレッタ」と題した大谷俊夫の作／演出、福田宗吉の編曲／音楽指揮、宇賀神味津男の伴奏指揮による「朝から晩まで」という番組が放送されている。オペレッタと謳われているように、この番組における会話の多くは歌唱によって表現されていたようである。そして、この番組は放送当日の新聞記事において「立体放送はAK文芸部が幾度か計画したが実現しなかったものでスタジオ、レコード録音、実況放送をカクテルにしたもので昨夏日本放送協会がドイツのテレフンケン会社から約一万円で買った録音機を活躍させ、第一景『上野公園』では寛永寺の鐘の音、動物園の小鳥の啼き声、第三景『飛鳥山』ではお花見の騒ぎ、第四景『稲田堤』では多摩川の水音、お花見の賑い、第五景『向島』は長命寺付近のポンポン蒸気の音に端唄、清元をあしらったものを使用するが今回の演出で最も興味あるのはこれらの録音レコードを会話の背音として使用する事である。このレコード録音は一昨七日AK文芸部員、技術部試験課員が現場へ出張して録音したのである」[94]と記されている。のちに「立体放送」はステレオによる放送を指す用語となるわけであるが、この時点ではスタジオでのセリフや音楽／レコードによる録音／実況放送などを組合せたものを「立体放送」と呼んでいたわけである。

先の記事によると第1景「上野の桜」は、「コロムビアの『桜もの』からダブって上野の桜の録音放送がはじまる。アナウンサーの風景描写があって西郷さんの銅像の下、人待ち顔で立っている新婚夫婦（徳山（註・璉）と神田（註・千鶴子は能勢妙子の誤記））を紹介する」[95]と紹介されている。コロムビアの「桜もの」とは1934年に複数のレコード会社から発売された「さくら音頭」と考えられ、柳橋歌丸らの歌唱／伊庭孝の作詞／佐々紅華の作曲によるコロムビア盤[96]は1934年4月に発売されている（夫役の徳山璉はビクター盤[97]の「さくら音頭」の歌手）。第一景ではレコード「さくら音頭」の再生／円盤録音機による上野恩賜公園の騒音／東京

中央放送局のスタジオからのアナウンサーや徳山らのセリフがミキシングされて電波に乗ったものと思われる。

夫婦は夫の妹、そして、妻の友人と西郷隆盛の銅像の下で待ち合わせをしていたが、彼女らは現われず第2景「上野駅告知板の前」へと場面は移行する。夫の妹は川崎市の稲田堤へ、妻の友人は都内の桜の名所の一つである飛鳥山公園へ行った旨が駅の告知板に残されていた。夫婦はそれぞれの場所へと向かうことにし、そして「今晩ラジオの実況中継をするマイクロホンのある所（註・隅田公園）で逢おうと約束」[98]する。第3景「飛鳥山の桜」の冒頭では東海林太郎らの歌唱による「さくら音頭」のポリドール盤[99]が再生されて、これにオーバーラップして飛鳥山での録音が流れる。また、夫が妹を探し当てる第4景「稲田堤」では、同じくビクター盤の「さくら音頭」と稲田堤での録音が使用されている。

続く第5景「向島の夜景」においては、向島の隅田公園からの実況中継が行われている。背後に「小林きん連中の端唄『夕暮』にかぶせて芝居囃子『都鳥廓白浪の段切』がだんだん近づく、延千嘉連中の清元『お染』の独吟」[100]が流れるなか、ようやく4人は合流し、彼らは花見をして「朝から晩まで」は終わる。「ラジオ年鑑」の1938年版には「映画演出家の大谷俊夫作並に演出で上野、飛鳥山、稲田堤の録音と放送室内のコメディに『向島夜桜』を川に船を浮べ、堤にマイクロフォンを置いての情緒的演芸を取入れて、『朝から晩まで』の花の世界をスケッチした（略）この頃から録音の価値を認められはじめたのであった」[101]と記されている。

この記述から第5景の端唄などの演奏は、隅田川の土手にマイクロフォンを設置して収録が行われたらしきことが分かる。この番組ではスタジオ外での音響を取り込むため、これまでにも行われてきた中継放送と新たな録音再生技術とが組み合わされていたわけである。ただ「朝から晩まで」において円盤型録音機の実用性が認められるようになり、さらに録音盤は複数回の使用が可能であることから、スタジオ外の音響を取り入れるための中継放送を行うメリットは次第に少なくなっていったものと思われる。

1937年5月17日から19日にかけて、東京中央放送局では「大相撲の実況中継放送の時間からはみ出した取組を録音して、ニュースの時間に再放送」[102]が行われている。さらに1937年5月21日には「亜欧連絡飛行『神風』号帰還飛行着陸実況」として、羽田東京飛行場朝日格納庫より「神風機の両勇士が羽田に輝やく凱旋をした時の挨拶をその日の四時のニュース中に録音放送」[103]されることとなった。こうして録音放送は「ラジオニュース、ひいては放送に一大勢力を加えるに至」[104]るようになり、これらの録音にはテレフンケン社製の円盤型録音機が使用されたものと考えられる。そして、1936年の夏にテレフンケン社製の円盤型録音機を購入した際には、「録音盤一万枚ほどを輸入したが、時局と経費の点から、一日も早い国産化が望まれて」[105]いたため、1937年末から1938年の初頭にかけては技術研究所に「録音盤材料研究室」が建設されている。

マルコニー・スティーレ磁気録音機については、1937年5月27日に「世界早回り旅行の途中、四国に不時着したフランスの飛行家（註・マルセル）ドレー、（註・フランソワ）ミケレッチ両氏のあいさつを高地からの中継で全国に放送したとき、これを東京で録音し、海外放送に再生送出したのが最初」[106]の使用であった。そして、1937年10月26日からこの磁気録音機は海外放送のために使用されるようになり、「日本放送史」では「大型（高さ一メートル、幅二メートル）で取扱いや編集に不便であり、音質もあまり良くなかったが、昼間おこなわれた番組や、国内放送番組を録音しておいて、夜間の海外放送に何回も再生送信するのにもっぱら使われた（略）マルコーニ録音機は一台だけしかなく、ひんぱんに使われたので早く老朽し、しかも修理部品の補給が続かなかったので、昭和十六年（註・1941年）末には使用が中止された。十五年初めごろ同型の録音機の国産化を図り、日本電気株式会社で製作にとりかかったが、時局のため完成せずに終わった」[107]と記されている。

さらに1986年12月に発行された書籍「オーディオ50年史」においても、「実際には、ほとんど海外放送専用で、国内放送用には交換プログラムとしてローマからの放送を録音したことが、ただ一度あっただけであった。しかも使用された期間が割り合いに短く、1941年末には全然使用されなくなった。それは編集が困難であること、音質があまり良くなかったことなどが主要因であった」[108]と述べられている。これらの文献からマルコニー・スティーレ磁気録音機は、録音再生技術を活かした番組制作の現場においてあまり活用されなかったものと考えられる。

なお、技術局技術部長の初見五郎は「ラジオの日本」誌の1937年10月号において、「我が国でも一つの試みとして、『花見風景』の上野の鐘と稲田堤の雑沓並びにドレー、ミケレッチ両氏の高知からの放送や大相撲の勝負をニュースに取入れたり、『行々子（註・オオヨシキリの別名）』の鳴声や華厳の瀧の音等を放送した。又近衛（註・文麿）首相の就任（註・1937年6月4日に任命）の第一声を一ヶ月後の学校放送に再放送した等が主たるものであるが、之等は皆、目下試験中のもので決して、成績を云々さるべきものではない」[109]と述べており、この時期までの録音による放送は本格的なものではないと考えていたことが分かる。

| 士気振興の夕 |

1937年7月7日に北京郊外の盧溝橋において日本軍と中国軍が衝突し、この盧溝橋事件は日本と中国が全面戦争へと向かう契機となった。1937年7月25日には「士気振興の夕」という番組が放送されており、放送当日の新聞記事には「時局ラジオに反映！／頽廃軟弱プロを排撃／演芸にも指導精神」[110]といった文字が並んでいた。

この記事では番組が制作された背景について「北支事変（註・紛争が勃発した当初の日本側が用いた呼称）に対処してAKでは去る二十一日片岡（註・直道）局長、西邨（註・知一）次長、内田（註・信夫）編成、小尾（註・範治）教養、小野（註・賢一郎）文芸、阿部（註・勇）報道各部長がプログラム編成緊急会議を開催した結果一切の報道プログラムから頽廃的若しくは軽薄的なものを放逐し国民精神作興のためのプログラムを放送する事に決定、其の皮切りに今夜午後七時半から東京、大阪共編の『士気振興の夕』を特輯放送する」[111]と記されている。すなわち、このころから東京中央放送局で

は時局に迎合しない番組の制作は影を潜めるようになっていくわけである。

「士気振興の夕」はまず東京中央放送局から、樋口静雄の歌唱による国民歌謡「日の出島」「日本よい国」の演奏に始まり、続く大阪中央放送局からの「ニュース演芸」では、①「感激！街頭風景」と題した「勇ましい赤襷、千人針の婦人の辞（略）新聞社の献金等街頭に漲る軍国風景を蒐めたスケッチ」[112]／②「支那駐屯軍の活躍を物語」[113]った楠旭崇の琵琶による「宛平県城第一弾」（盧溝橋事件の際に城郭都市の宛平県城には中国軍の大隊が配備されていた）／③活弁士としても知られる人見静一郎の漫談「献金天井の幸運」／④1933年11月に奈良で録音されたグリエルモ・マルコーニの挨拶の録音を含む「無電の父逝く」という追悼／⑤明治時代の軍歌「橘中佐」の歌詞を防空演習用に変更した「防空演習前奏曲」が放送された。

その後はふたたび東京中央放送局へと戻り、陸軍戸山学校軍楽隊による行進曲「皇軍の門出」「銃後の人」「威風堂々」と軍歌「敵は幾万」「帝国在郷軍人会々歌」「愛国機」「皇軍の歌」、意想曲「攻撃」が演奏された。そして、吉村岳城の詩吟による「正義」「挽乃木将軍」や伊藤痴遊による講談「北清事変を回顧して」（北清事変は1900年に起った中国の清朝末期の動乱）なども放送されている。また、1937年7月30日には田島淳の作によるラジオ・ドラマ「銃後の人々」も放送されており、「日本放送史」には「挙国一致の精神を女の側から描いたもので、生活の高低はあっても日本精神は同じであるということを強調」[114]した作品であったと紹介されている。このように盧溝橋事件によって日本放送協会におけるラジオ番組は、その内容を大きく変化させたことが分かる。

1937年8月9日には「海軍陸戦隊の大山勇夫海軍中尉と一等水兵が、虹橋飛行場付近で中国保安隊員に射殺」[115]されたことをきっかけとして、日中両軍の衝突は上海へと及んでいく。1937年10月27日に上海派遣軍は上海近郊の重要地点である大場鎮を占領し、後述する長崎放送局の技術係に所属していた齋藤基房によって製作された録音機を使用して、原田熊吉少将の演説が録音されている。この録音は1937年10月27日の昼に、東京中央放送局の報道課に所属していた友安義高と小倉

放送局の技術係であった島山鶴雄によって行われており、「陸軍の飛行機で直ちに福岡へ送り『大場鎮の戦勝について』と題し全国へ中継」[116]が同日の夜に行われていた。

1937年12月13日には南京が陥落する。この日の「深夜二時ごろの大本営発表は、これを録音して翌早朝のニュースに収め」[117]られることになった。また、友安と島山は占領直後の南京の取材を計画しており、「占領直後で、電源がないと予想」[118]していた彼らは、齋藤へもう一台の直流式録音機を製作するように依頼していたという。1937年12月14日に友安と島山は新しい録音機とともに南京に入り、島山は「（註・1937年12月）十六日国民政府楼上で深堀（註・游亀）報道班長の南京完全占領についての講演を録音しました。南京市を一望にする景色のよい処でしたが風が強くマイクロホンの働きが悪く閉口致しました。翌十七日国民政府で松井（註・石根）軍司令官並長谷川（註・清）司令官の歴史的入城式の録音をとることが出来ました。この録音は同盟の飛行機により直ちに東京に運び翌十八日東京より全国に放送致しました」[119]と述べている。

「放送」誌の1939年2月号には東京中央放送局「技術局技術部現業課」の執筆による「我が録音放送の現状と将来」という文章が掲載されており、「南京陥落公表を、陸軍省報道部室に於て捕えたのを契機として、宛も南京陥落が戦局に一転機を画したのと呼応するかの如く、録音の国内放送領域に侵入する」[120]ことになったと記されている。この文章に記されているように、ラジオ放送における録音再生技術は時局を反映した方面への利用によって広く注目を集めるようになっていったものと考えられる。

1937年8月2日から10日間にわたって「水十夜」と題した番組が放送されている。この番組は放送初日の新聞記事において「内地外地の放送局を動員しきょうから十日間連続放送する『水十夜』はAKの中継係員の合体他提案が実現したもので（略）有名な瀧、渓谷湖水又は怒濤を電波で伝え耳から涼味を満喫させようと云う」[121]企画によるものと紹介されている。第1夜では「富士の雪解水」「中禅寺湖と華厳滝」が放送された。「富士

の雪解水」は富士宮市の浅間神社の境内からの中継放送によるもので、「中禅寺湖と華厳滝」では円盤型録音機が使用されている。

先の新聞記事では中禅寺湖と華厳滝での録音について、「日光中禅寺湖の波、大谷川の急流、華厳の瀧はAKが去る二十八日久我（註・桂一）技術部試験課長、小林（註・徳二郎）演芸課主事等がテレフンケン録音機を使ってレコーデングしたものをAKスタジオから五分間放送する。／華厳瀧の音は瀧壺側にマイクを置き七十米の有線で茶屋に備えた録音機に連絡してレコーデング（略）大谷川急流のレコードは雨で増水したため瀧から聴こえたので翌日新にレコーデングし直したし、中禅寺湖は二十八日夜樹上から湖面にマイクを垂らして湖面を打つ雨の音と河鹿の啼声を録音した」[122]と記されている。その後、第2夜の京都／第3夜の名古屋／第4夜の山形と宮崎は中継放送が行われており、第5夜の大阪「潮岬の怒濤」（本州最南端にある和歌山の潮岬）は録音で、そして、第6夜のハルビン／第7夜の台北／第8夜の松江／第9夜の平壌と京城／第10夜の札幌は、中継放送によって全国へさまざまな水の音が届けられていた。

1937年8月15日から16日にかけて、日本海軍は中国の都市への長距離爆撃を行い、その戦果は大きく報道された。1937年8月20日に放送された「子供の時間」の枠は「擬音入管絃楽」と題して、福田宗吉の指揮、東京オーケストラの演奏によりジョン・フィリップ・スーザ「士官候補生」／エミール・ワルトトイフェル「スケートをする人々」／福田宗吉編曲「海の歌」「空襲」が取り上げられている。放送当日の新聞記事では「隔月に一回演奏する東京オーケストラ（主宰者福田宗吉、メンバー十七名）の擬音入り管絃楽は皇軍海軍の空襲部隊の世界的快挙、全支空軍撃破の胸のすくようなニュースを偲びながら福田宗吉さんが編曲した『空襲』を呼び物に四曲を演奏する。『空襲』は昨夏福田さんが防空演習に際し『燈火管制』の題で編曲したものを今度わが海空軍の活躍に感激して改訂編曲し題も『空襲』と改めたのである」[123]と記されている。

さらにこの記事において「海の歌」は、ヴァンサン・ダンディの同名曲を「骨子」としたものであり、「前奏曲に『海の歌』で帆船の感じを出しや

がて水夫の歌に変り水夫が帆を捲き上げている。船は太洋を滑っていると突如風の来襲、だが難航も束の間海はなぎ平和な航海に海の歌が繰返される／擬音…波、嵐、雷、帆綱の小車のきしる音」[124]と解説されている。また「空襲」についても「静寂の夜『おやすみなさい』の曲が聴こえてくる、突如、飛行機の爆音、空襲！　サイレンが吠える、市民のざわめき、爆音は高まる、高射砲、高射機関銃が唸り出した。曲は一転して空中に移る。敵味方秘術を尽しての空中戦、機関銃は唸る、砲弾の炸裂する音、アッ敵の飛行機が撃墜された『万歳！』意気天を衝く勇壮な行進曲で終る」[125]と記されており、具体的な擬音の作成方法については「サイレン、飛行機の爆音（モーターを使用）機関銃（ブリキを叩く）高射砲（鉄板、太鼓を叩く）」[126]と紹介されている。すなわち「擬音入り管絃楽」というスタイルによる効果音の研究も、これらの福田の作品のように時局を反映した方面へ進まざるを得なかったであろうことが推察できる。

1937年12月30日には、天津／上海／大阪／名古屋／東京からの「歳末時局風景」という番組が放送されている。放送当日の新聞記事では「AKが昨夏一万二千円で買求めたテレフンケン録音機を縦横に駆使してレコーディングし、大帝都各方面の音を集めた『帝都に訊く』八景を編輯放送する」[127]と記されており、たとえば第5景では「物売りの声、賽銭さてはおみくじ引等暮の雑沓に賑う浅草観音の『歳の市』風景」[128]が音によって描写されていたようである。この「帝都に訊く」という番組は「わずか25分足らずの放送であったが、のべ80名が動員され、録音に6日、編集には2日かかった（略）録音班は知り合いのゴム屋からダットサントラックを借りて、車の前にJOAKの旗を立て、録音機を積みこんで師走の街を駆けまわった。録音機はトラック上にむき出しになっていた」[129]という。

報道部の<ruby>独活山万司<rt>うどやままんじ</rt></ruby>は「録音放送が独自の芸術『ラジオ的な聴覚芸術』即ち『純粋放送芸術』とも云うべきものの可能を暗示したのは実に此の編輯、構成の可能を見出してからである。即ち昭和十二年（註・1937年）十二月三十日放送『歳末風景』の成功からであった。（略）社会生活の諸現象

82

から、或は自然の風物を単に模写する点から更に一歩進んで個々の断片的な現実音を自由に編集構成することに依って、そこに新しい芸術の創造を行うものであって（略）此の時初めてマイクロフォンは戸外に持ち出され街の歳末実況そのままを拾い上げ、その状況は正確に音盤に盛り込まれたのである」[130] と述べている。

| 大阪中央放送局　1934～1935年 |

　1926年12月から稼働していた上本町九丁目の大阪中央放送局の局舎は、先に触れたように局員たちからはあくまで仮の建物として捉えられていた。この局舎の使用が7年目を迎えた1934年1月25日から、大阪中央放送局では新しいスタジオとなる桃谷演奏所からの放送も開始することとなった。奥屋熊郎は「なんとかスタジオを考えなきゃならんという時に（略）それが桃谷、上九の東にあったんです。そこでね、ポリドル（ポリドール）の演奏所で（略）ポリドルがその時分に、宝塚歌劇を月に1回ないし、隔月くらいに、その、録音していたんですね。その為にそれが必要だった。普段はいらないんです。それに目をつけまして、あれを、空いてる時、貸してくれないか、ということで、承諾を得ましてね。そしてあれを以後、桃谷演奏所として使えるようにしたんです。これが放送の上における、音響効果においては、初めて、理想的とは言えないが、やや本格的なものになった最初だと思います」[131] と述べている。こうして大阪中央放送局では、音響の面での改善が見込まれたスタジオの利用をようやくスタートできることとなったのである。

　1934年7月26日から28日にかけて近畿防空演習が行われることとなり、大阪中央放送局では1934年7月23日に「防空の夕」を放送することとなった。第1部は海軍少佐の酒井慶三の作による「物語」として「護れ大空」という番組が放送されており、第2部では福喜多鎮雄の指揮による大阪吹奏楽団の「軍歌と吹奏楽」が桃谷演奏所から中継された。そして、第3部は岸田国士の作、BK文芸課の演出によるラジオ・ドラマ「空の悪魔」が放送された（「空の悪魔」は1933年8月8日の関東防空演習の際にすでに東京中央放送局から放送されている）。

　和田精は「放送」誌の1936年6月号に掲載された「放送に於けるミクシング」という文章において、「空の悪魔」は「時計商の息子が毒瓦斯の中から老婆を救い出し、自らその犠牲となると云う筋の、十数場からなるドラマで、先ず、大小各種の時計が雑然と置かれた店先で、時計屋の主人がオルゴール入りの時計を修繕して居るところから始まり、青年団員である息子とその家族の会話を中心として芝居の進行する間に、各地の通信隊、高射砲隊、防衛司令部、防護団、避難所などが次から次へ殆どフラッシュ バック的に織り込まれ、電信電話が乱れ飛び、飛行機の爆音、高射砲や機関銃の響き、号令の声、消防自動車の疾駆、それに交錯する群衆の絶叫、警報の声々、サイレンの唸りなど、壮烈な防空戦を描き出す極めて複雑な構成のラジオ・ドラマ」[132] であると、音響が重要な役割を果たしていたことを説明している。

　さらに和田は「マイクロフォン三つを使用しフェーディング ユニットを放送室の殆ど中央に置き、ミクシングと放送指揮を同時に行った。／(Im) は時計屋の場面のために、(IIm) は通信隊、防衛司令部以下多くの場面のために、そして (IIIm) は特に時計のセコンドの音を吸収する為に置いた。それは他の場面から時計屋の場面に戻る度毎に、その頭初に於て充分働かせ、セコンドの音によって転換を明瞭にするためである。／こうして、非常に多くの場面の溶明・溶暗・切替え、オーバラップなどを食い違いなく処理し、背音を適確に挿入且つ調整して、複雑な放送を全うするためには、ミクシングと放送指揮とを同一人が同時に行うことが絶対に必要である」[133] と述べている。こちらの文章が発表されたのは放送から約2年後のことであり、遅くともこの時期までに和田はミクシングの技術を持つ者こそが放送指揮＝演出を行うべきであると考えるようになっていたものと思われる。

　1934年12月14日に谷崎潤一郎の原作、JOBK文芸課の脚色、富田砕花の題詩、宮原礼次の題詩の作曲、菊原琴治の地唄による「物語」として「春

琴抄」が放送された。この番組は「主題歌を置き、その旋律を効果伴奏の地唄に移して、管絃楽にパラフレーズし、且つ三個のスタジオを用い、その一つに背音用の鶯を鳴かせる」[134]というものであった。和田精は「放送に於けるミクシング」において、「二つ或はそれ以上の放送室を併用し（略）物語、ラジオ小説、ラジオドラマ等に附帯する音楽、小鳥や虫類の鳴声、等の適当な挿入と調節（略）の場合、即ち伴奏として、或は効果として使用される各種の音楽を、適当なヴォリュームに調節し、又は完全な溶明溶暗を行おうとするためには、音楽を別の放送室に置くべきで、殊に鶯や雲雀、松虫や鈴虫等の実物の鳴声を取入れる必要のある場合は、数時間前から静寂な別室にそれらを準備し待機せしめるのでなければ絶対に不可能である」[135]と述べている。すなわち、和田は個々の素材を遮音性を高めたブースで収音し、それをミックスして作品を作り上げるマルチブース音楽スタジオの必要性をこの時点で認識していたことが分かる。

続いて和田は「この最も良き例として（略）『春琴抄』を挙げる。先ず松原操氏の主題歌に始まり、物語の進行中春琴の奏でる琴の調べと、伴奏の形としての箏曲とが随所に現れ、或はこれに銘禽と謳われた春琴愛玩の鶯の声が加わり、幽玄極りなき、盲目の佳人の一生を描いた物語りである。（略）第一放送室に岡田嘉子氏と松原操氏と、万一に備えるために鶯の擬声家とを置き、第三放送室に箏曲家菊原琴治氏と菊原初子氏とを置き、第四放送室に関西随一と称せられる名鶯を置いた。／フェーディング ユニットは第三放送室の合の間に置き、硝子窓を通して各室との連絡を取りながら、各室のマイクロフォンを調節しミックスした」[136]と述べている。

奥屋熊郎ものちに「第2スタジオ、第3スタジオというものをつないで1つに使うという方法も考えよう。例えば、ここでは録音をやろう、ここではセリフをやるという使い道をやってみようじゃないかと。（略）春琴抄の時はその3室を全部使ってやる。そういうことをやったわけで、スタジオについては苦労しましたですね」[137]と発言している。これらの発言から「空の悪魔」や「春琴抄」に使用された大阪中央放送局のスタジオは依然として不十分な設備ではあったものの、和田らの創

案によるさまざまなミキシングの実験が展開されていたわけである。

1935年2月6日に放送された菊池寛の原作、岸井良緒の脚色／演出による舞台劇「貞操問答」は、効果として吉田太郎の参加を確認することができた最も古い番組である。辻好雄は吉田が大阪中央放送局において効果を担当するようになった経緯について、「この頃、子供の劇団の指導をしていた吉田太郎は、BKで子供番組に出演し、擬音効果のしごとも器用にこなして良い仕事をしていた。ある日、教育係の足立勤に和田精を紹介されて雑談をしているうち、芝居のはなし、新劇のこと、かつて自分も築地小劇場に憧れて、築地に出入をしていたことなど、話しはすすみ、そして和田精よりラジオドラマの音響効果の実状を知らされて、協力を求められた。吉田太郎は迷っていたのである。／子供の劇団のほかに、新劇の仕事にも関係していたので、しばらく考えていたが、和田精のラジオドラマに傾ける情熱に負けたのか、文芸課の効果のしごとを引受けることになってしまった」[138]と説明している。

続いて辻は「吉田太郎は和田精の指導で擬音の工夫に協力した。ドラマで新らしい効果音がでてくると、放送の度毎に音の素材を求めて日本橋の『五階』へとんで行った。『五階』とは大きな古道具屋のような店で、必要なものは何んでも揃うという便利な店である。そして買い求めた道具に改良を加えて、放送の新らしい擬音用具を作り出していったのである。従来は出演の劇団によって、擬音の表現、手法が違っていたのが、ラジオのために書かれた作品の放送には、新らしい手法のラジオ独自の擬音が多く使用されるようになり、BKの擬音の写実音は質的に向上していった」[139]と述べている。こうして大阪中央放送局における効果音は、吉田の参加を得て次の段階を迎えることとなったわけである。

1935年5月26日には秋田実／長谷川幸延の脚本、JOBK文芸課の編集による「日曜特輯ニュース演芸」という番組が放送された。放送当日の新聞記事には「これまでAKからのみ放送されていた『ニュース演芸』を今晩初めてBKの手で放送

する。しかもBK文芸課が直接編集に当り新手法を見せるものでトーキーのスター市川春代が全体の解説や紹介をしてこれを物語風に運んでゆく『話す人』となり（略）唱歌、歌謡、端唄、替唄、立体的漫談、実写録音、軍歌などで組立てられているが特に新しいのは個別に引離せば演芸とはみなされぬ実写録音の挿入でこれはニットー式ポータブル録音機による試みで多分第八回日本学生競技入場式実況（註・1935年5月26／27日に甲子園南運動場にて第8回日本学生陸上競技対校選手権大会が開催）、楠公六百年祭祝賀式（註・1935年5月25日に大阪市中央公会堂にて大楠公六百年祭祭典が開催）実況の一部が取入れられることとなろう」[140]と記されている。

この番組は録音再生技術が放送に利用された最初期の例であるものと考えられ、使用された録音機は1920年に大阪で設立された日東蓄音器の製品であったことが分かる。1935年7月7日の「日曜特輯ニュース演芸」においては「（註・1935年）7月4日、日米交歓放送が行われた際、NBC管弦楽団が送って来た管弦楽『アメリカ』（註・エルネスト・ブロッホ作曲）の一部と、前月（註・1935年6月7／8日）、CKが放送し評判となった鳳来寺山からの仏法僧の鳴き声の録音盤を使用した」[141]という。大阪中央放送局の制作によるこの「ニュース演芸」は、30分の枠のなかで7つのトピックが扱われていた。そのうちの「国際放送」では「アメリカ」の一部がレコード録音により放送されており、モダン小咄「仏法僧異聞」は「大成功を収めた鳳来寺山の仏法僧放送がはしなくも学界にセンセイションを起したことをお聞かせする」[142]という内容であったため、こちらもレコード録音による仏法僧の鳴き声が挿入されたものと考えられる。

「日本放送史」では大阪中央放送局における「日曜特輯ニュース演芸」について、「レコード会社に依頼して必要の都度、現場または受信機によって録音し、ニュース演芸に使用した。しかし、これは他人に依存して実施するために、費用もかかり、思うように充分な活用も出来ず、満足なものではなかった」[143]と記されている。こちらの記述からこの時期の大阪中央放送局では、まだ自局で自由に使用できる録音機を導入するまでには至っていなかったものと推察される。

1935年6月3日から7日にかけて白井喬二の作、永田衡吉の演出、吉田太郎の効果による連続ラジオ・ドラマ「富士に立つ影」が放送された。この番組は和田精を取り上げた後年の新聞記事において、「今日でいうテーマ・ミュージックを初めて使ったことで、尺八を中心にしたオーケストラの演奏するテーマ・ミュージック──『荒城の月』をそれできけばおおよその時間がわかる、といった聴取者の反響となって、その実験は見事に成功したのである」[144]と記されている。「富士に立つ影」は20時55分から21時30分まで放送されており、21時ごろを示す番組としても機能していたのかもしれない。

この番組について辻好雄は「5日間連続で、BKのドラマ作りの総力を傾けて、3日間の徹夜を強行したそうである」[145]と述べており、さらにこの時期の大阪中央放送局での効果について「この頃には、BKの効果のしごとは、文芸課は吉田太郎（大阪協同劇団）、教育の子供ドラマは板垣重信（劇団ドウゲキ）で、主に二人で受持っていたが、二人とも効果を専門にではなくて、それぞれ劇団の仕事をしており、放送のある度にチーフとなって必要なメンバーを集め、一般の出演者として効果の仕事をしていた。谷晃、田中友幸（大瀬滝夫）、高橋正夫、若江二郎、山本紫郎、楠健、安田利一以上の人達が効果を手伝っていたが、殆ど新劇の人達であり、お互いにラジオドラマの出演で顔なじみであり、効果のしごとをするにもチームワークは良かった」[146]という証言を残している。

ここに名前の挙がっている田中友幸という人物は、関西大学に在学していた時期に豊岡佐一郎を指導者として劇団「新響劇団」を結成していた。豊岡は1920年11月に早稲田大学の同窓生らと「作と評論」誌を創刊することで戯曲の発表を開始することとなり、1923年2月10日に大阪の大江ビルヂング・ホールにて上演された舞台「忘れられたる人々」によって演出にも手を染めるようになる。1927年2月1日に豊岡は大阪中央放送局のラジオ・ドラマ「アンドロクレスと獅子」に主役として出演することでラジオの仕事も開始するようになり、1927年4月には関西大学の講師に就任し、さらに1927年8月には劇団「七月座」を結成することとなった。

1932年4月24日に新響劇団は大阪の日簡ビルの小ホールにおいて第1回の公演を開催し、田中は北村喜八の作による「山の喜劇」などを演出している。1933年12月16日には「関西大学劇研究会」の第1回研究発表会が日簡ビルにて開催されて、田中はアルトゥル・シュニッツラーの作による「盲目のジェロニーモと其の兄」を大瀬瀧夫の名義で演出する。さらに新響劇団は1934年7月7日に大阪瓦斯ビルヂングにてストリンドベリ「稲妻」を、1934年10月10日に大阪瓦斯ビルヂングにて山本有三「生命の冠」を、そして、1934年12月7／8日に日簡ビルにてチェーホフ「街道」を上演しており、田中は大瀬名義によってこれらの演出を担当することとなった。

田中の大学卒業に伴って1935年4月から新響劇団は「関西大学演劇研究会より街頭劇団となり、新響劇場」[147]と改称して、1935年7月13／14日には大江ビルヂングにてハイエルマンス「朝日商会」を豊岡の演出により上演していた。そして、1935年9月1日に大阪の「新人劇場」「新響劇場」「劇団『自由舞台』」は「大阪新劇史上最初の大同団結」[148]となる「大阪協同劇団」を創立する。結成の声明書に記された55名の団員のうち、演出に豊岡佐一郎と大瀬瀧夫、舞台美術に吉田太郎、演技／企画経営に谷晃、演技に楠健の名前を確認することができる。1936年1月27／28日に大阪協同劇団は第1回公演として、文楽座にてゴーリキー「エゴール・ブルイチョフ」を豊岡佐一郎の演出、吉田太郎の装置により上演していた。

この第1回公演のまえに大阪協同劇団は豊岡の演出により、大阪中央放送局から1935年11月17日に放送されたラジオ・ドラマ「摩天楼の女」に出演しており、さらに1936年3月21日放送のラジオ・ドラマ「天祐丸」にも出演している。「天祐丸」が大阪協同劇団の第2回公演として文楽座において上演されたのは1936年3月26日のことであり、公演に先駆けてラジオでの放送が実現していたわけである。その後も大阪中央放送局では1936年4月26日放送のラジオ・ドラマ「チェッチェ蠅と戦う男」、1936年9月20日放送のラジオ・コント「水だ！ マスクだ！ スイッチだ！」、1937年5月30日放送のラジオ・ドラマ「ヘンリー・ハドソン」などに大阪協同劇団が出演しており、

大阪中央放送局と彼らとの関係は深かったことが分かる。

大阪協同劇団の上演において大瀬の名義が確認できるのは、1937年2月27／28日に大阪朝日会館において開催された1周年記念公演での仲澤清太郎の作による「羅針盤のない船・都会」の演出助手であり、そして、以後は演出として、1937年6月7／8日に京都朝日会館にて開催された第2回京都公演での田口竹男の作による「京都三条通り」（吉田太郎装置）、1937年7月14日に大阪朝日会館にて開催された「豊岡佐一郎追悼公演」での豊岡佐一郎作「日曜は愉快に」、1937年12月25／26日に堀江演舞場にて上演された真船豊作「裸の町」、そして、1939年4月28日から5月2日にかけて堀江演舞場にて上演された大江賢次の原作、香村菊雄／木村武（馬淵薫）の脚色による「移民以後」（板垣重信効果）などの舞台にクレジットされている。

田中は1939年に「教育召集で大阪四連隊に入隊」[149]したものの、半年ほどで除隊して劇団への復帰を果たしていたようである。しかし、1940年8月22日には東京の新協劇団／新築地劇団が強制的に解散させられて、1940年8月30日には大阪の大阪協同劇団／劇団制作派／劇団ドオゲキ／大阪人形座も解散させられることとなった。そして、田中はこの年に大宝映画へと入社することとなる。すなわち、少なくとも1930年代後半の大阪中央放送局では、大阪協同劇団を始めとする舞台関係者がラジオ・ドラマにおける効果音の作成に貢献していたことが分かる。なお、田中はのちに「ゴジラ」を始めとする多数の東宝映画でプロデューサーを務め、東宝の社長へと就任している。

1935年6月24日には竹内逸の考案、山本修二の演出によるラジオ風景「新京極夜曲」が放送されている。放送当日の新聞記事には「新京極四條通りの入口から始まって『マイクロフォン』はまずその群衆の喧騒の状態を吸収して漸次北の方へ移動し新装成った花月劇場に裴亀子（註・ペ・クジャは舞踊家）嬢の朝鮮民謡の二、三を聴き、再び人浪に揉まれながらこの街には相応しからぬ逆蓮華（註・安養寺）、蛸薬師（註・永福寺）等の梵唄の声を聴き、花月席の絵看板に誘惑されて人いきれ

を堪えながら漫才の一席を聴く、この附近は最も熱閙混雑を極めて叩き売りの撥音（略）悪どいネオンの閃き、騒音雑音、これに加うるに不似合いな誓願寺の読経、鉦の音等雑然騒然、筆舌のよく尽すところではありません、最後に松竹座を一瞥して三條に出で、この大歓楽境の雑踏街を逃れるのであります」[150] と紹介されている。

　和田精は「放送に於けるミクシング」において、この番組は「実際音を取り入れ」[151] た番組であり、1931年7月に放送された「おんごく」のように「ラジオドラマその他に必要な音響効果を実際に外部から取り入れ」[152] ただけの番組ではなく、「予定された実況を現場に置かれた幾つかのマイクロフォンによって捉え来り、放送室内でこれを補足し、それに詩人或はアナウンサーの情景描写を加えて劇的構成をまとめ上げ」[153] たラジオ風景であったと述べている。さらに「現場の充分な調査の後、時間と場所とを正確に割った細密なシナリオを作製し、これによって軒をならべた商店街の騒音、救世軍のラッパ、カフェーから流れるジャズ、劇場や寄席の内部、出航を送る波止場の状況、裏街の寺の境内、などの実況を夫々のマイクロフォンによって順次に採り来り、更に放送室に俳優、擬音、蓄音機等を置き必要に応じて効果を補足し、これに話者の情景描写を加え、シナリオに従って劇的に統成して行く」[154] と記されている。なお、和田はこの種の番組として1935年10月16日に放送されたラジオ風景「大阪夜の盛り場」や、1935年12月30日に放送された「東西歳末風景」を挙げている。

　1935年10月17日には山田耕筰の原案／指揮、JOBK文芸課の脚色、土川正浩のピアノ、大阪放送交響楽団／大阪放送合唱団の演奏による「ミュウジカル・ドラマ」として「愛の葬送曲」が桃谷演奏所から中継放送されている。放送当日の新聞記事には「1849年10月17日この日はピアノの抒情詩人だといわれるフレデリック・ショパンがパリで不治の病に斃れた日である。この記念すべき日に、彼の残した不朽の作品数曲の演奏を経とし、彼の愛の生活を緯とする新形式のミュウジカル・ドラマを世に問おうという」[155] と記されている。和田精はこの番組について「管絃楽の『フュー

ネラル　マーチ』を前奏とし、ショパンがジョルジュ・サンドの為に弾く『ノクターン』、『犬のワルツ』、『雨垂れのプレリュード』などのピアノ曲や、折々窓の外に聞える娘達の『マジョルカの唄』の合唱などをとり入れ、やがてジョルジュ・サンドとの愛の終結とショパンの死とを予想させる『フューネラル　マーチ』が再び起って終局となる」[156] と説明している。

　先に触れたように山田耕筰は、録音再生技術を援用した「ディスク芸術」という新しいスタイルによる音楽を構想していた。山田は「愛の葬送曲」が放送される約3年半前の1932年に、「現在月々おびただしいレコードが売出されている。然しディスク芸術はまだ生れてはいない。今のレコードは交響曲や、歌劇の演奏を再録する程度の境地を彷徨しているにすぎない。これでは駄目だ。已に映画は機を得て躍進し、更に単なる演劇をフィルムの上に再録する従的な立壤を揚棄して映画としての独立した芸術界を完成した。これはもう誰もが知っている。だのにディスクは、どうして何時までも既成楽曲演奏の再録に止まっているのか。当然、時代の要求に適応した簡潔なディスク芸術、そして単なる既成楽曲の再録でない独自のディスク芸術が生れねばならない」[157] とディスク芸術の未来について説明している。

　続いて山田は「近くカルメンを入れる事になっているが（註・1932年12月に山田耕筰の指揮、宮川美子のソプラノ、日本コロムビア交響楽団による「ジプシーの唄（「カルメン」より）」のレコード[158] がリリースされている）、今までの様に、歌劇そのままを複写するのでは面白くない。何らかの新しい演出が為されねば、私の言うディスク芸術とはならない。例えばきっかけに有名な序曲のマーチを持って来て、それに望みの場面とオーヴァラップさせて行くとか、カルメンの主題を地に響かせるとかして音像（トンビルト）のモンタージュを為すべきだ。／複写でない演出をすれば二時間かかるカルメンも三十分で充分効果的にやり遂げる事が出来る」[159] と発言している。

　すなわち「愛の葬送曲」が制作された背景には「原案」としてもクレジットされている、山田耕筰の「ディスク芸術」という構想が影響していたことは間違いない。しかし、当時のレコードの収

録時間では30分に短縮したカルメンのディスク化ですら現実的ではなかったのだろう。

和田精は「放送に於けるミクシング」において、「愛の葬送曲」は「マイクロフォンは、科白のための (Im) と、ピアノ独奏のための (IIm) と、管絃楽及び合唱のための (IIIm) と、擬音——主として雨や雨垂れ——のための (IVm) の四つを使用し、放送室に隣接する調整室に置かれた四サーキットのフェーディング ユニットに依つてミックスされたのである。／この場合、科白のための (Im) は、解説及前奏の後から後奏にかかるまでの間、殆どマキシマムに固定されたが、ピアノのための (IIm) は、ショパンの部屋の場で弾かれる音量と、ジョルジュ・サンドの部屋の場で聞えて来る音量とを区別する為に、絶えずパネルが動かされた。(IIIm) は解説及前奏後奏のために充分働かされ、その他の間は合唱の移動や、窓の開閉による歌声の変化と、多くの伴奏曲とのために調節され、(IVm) は雨や雨垂れの音を適宜な時に適当な大きさに配合するために働かされた」[160] と説明している。

そして、和田は「この場合、四つのマイクロフォンの組合せは屢々変化するのであるが、そのために科白のヴォリュームや明瞭度に変化を来し、或は管絃楽や合唱の音色及均衡を破壊することのない様に注意すべきは勿論である」[161] と述べており、ミキシングには熟練が必要であることを示唆している。なお、このミュージカル・ドラマという新しいスタイルの番組は、1936年2月9日に放送された山田耕筰の原案／作曲／編曲／選曲／指揮、JOBK文芸課が脚色したシャリアピンの自叙伝[162] を題材とする「ヴォルガの舟曳唄」(シャリアピンは1936年1月23日から来日中であった)、1936年6月4日に放送されたJOBK文芸課の脚色、山田耕筰の作曲／編曲／指揮、吉田太郎の効果による「荒城の月」、そして、1938年1月9日に放送された堀正旗の作、JOBK文芸課の脚色／演出、山田耕筰の編曲／指揮による「凱歌」などがある。

| 大阪中央放送局　1936〜1937年 |

1936年10月29日に「海軍特別大演習観艦式」が神戸において開催された。この観艦式では昭和天皇の御召艦「比叡」(1914年竣工) の艦上と、六甲山の麓にある岡本から中継放送が行われた。大阪中央放送局の矢部謙太郎放送部長はこの中継について「放送室は艦の中央司令塔の下部にあり、操舵室と電池室が当てられた、操舵室は (略) 放送部員八名が入ると身動きもできない狭さである。マイクロフォンを艦内三ヶ所につけ、艦尾で奏せられる軍楽隊の演奏もその傍に設けられた一個に吸収されるし、皇礼砲を吸収するためにも適当なところへしつらえられてある。操舵室の一個こそはアナウンサー用として島浦 (註・精二)、永原 (註・芳雄) の両君が三時間余にわたる観艦式の大絵巻を叙述することとなった」[163] と説明している。

この日の夜には「録音と実況」と題した「今日の観艦式」という番組が放送されており、新聞記事には「観艦式御模様は (略) 御召艦上と陸上から午前七時五十七分、十時四十分、午後二時三十分の三回約三時間放送するが、これを聴き得なかった聴取者のため、御召艦軍艦旗掲揚から御召艦御出港に至るまでの観艦指揮御模様その他を録音、編輯して島浦、永原、杉本三アナウンサーの実感放送を配し、之に加うるに浜甲子園阪神水族館塔上より井上 (註・一郎) アナウンサーが海上百余隻の不夜城と化した帝国無敵艦隊の威容、それに応える陸上の盛観を中継するが、BKのこの録音放送は聴取者に対する特別サービスとしてその効果が期待されている」[164] と記されている。

さらに「日本放送史」では「テレフンケン社製円盤録音機を放送に使った最初は (略) 神戸港沖の観艦式の実況を中継放送したときである。このとき、大阪中央放送局は到着早々のテレフンケン録音機を東京から借用し、局内で録音して同夜再放送した」[165] と述べられている。また、奥屋熊郎も「録音放送なんかも、BKの方が早いですよ。ひどいもんになると、AKが持っていた、テレフンケン、ポータブルがあるんですよ、あれなんか全然使わずにおったんですよ。それを、私がね (略)『あれ貸してくれ、ちょっと大阪でいるから』(略) 放送の実況放送は実況放送でいいとして、あとでね、観艦式は昼ですから、夜の放送の中にね、いろいろの景観を取り入れたりしたものを録音でやりたい (略) 機械だけ貸すというのは困る。技師1人つけてやってもいいか (略) 紫色の透明の円盤

ですよ。でも、なかなか良質のものでした」[166]と
いう証言を残している。こうして録音による放送
は機動性の高いテレフンケンの円盤型録音機に
よって、日本でも本格的にスタートするように
なったわけである。

　先に触れたように1934年1月から桃谷演奏所が
放送に使用されるようになり、1934年2月19日
からは新しい放送局舎である大阪放送会館の建設
が始められることとなった。大阪放送会館は1936
年10月末に竣工し、その建物は「地下一階、地上
九階（塔屋を含む）の鉄骨鉄筋混凝土造近世式建造
物」[167]であった。「日本放送史」には「第一スタジ
オは一階から四階まで打ち抜いた約百坪ほどのも
のであって、大管絃楽、吹奏楽、大規模なラジオ
ドラマ、大交響楽を相当なゆとりをもって行い得
るものといわれていた。これには、グラスカーテ
ンで仕切られた観覧席も附属している。その他、
四階に第十一、第十二、五階に第二乃至第七、六
階に第八乃至第十のスタジオと予備スタジオが配
置されたが、これらのうち、四階の各スタジオは
ニュース、気象、その他の報道に、五階のそれは
大体音楽、演芸に使われた。五階の第二スタジオ
は床面積約三十五坪で、第一スタジオに次ぐもの
であり、中形式の管絃楽及び歌劇、合唱、ドラマ
などに向けられた。なお、第六スタジオは十坪足
らずの和風の部屋で、小唄や箏曲など邦楽の演奏
にあてられた」[168]と記されている。東京中央放送
局をはるかに凌ぐこの大規模な建物からの放送
は、1936年12月12日からスタートすることと
なった。

　辻好雄は大阪放送会館のスタジオについて、「第
1スタジオに於いては、マイクが4本、アナウンス
卓の専用マイクも使えることができる。上本町9
丁目時代、ラジオドラマの演出で、未解決であっ
た問題点も、この大きなガラス張りの副調整室か
ら指揮ができること、また、マイクのミクシング
によって、すべて解決することができた。更にド
ラマの音響効果に就いては、エコーが使えること
が最大の収穫であった。第1スタジオの奥に外部
の騒音を防止するために、外壁に続いて空洞が設
けられていた。この空洞の残響をエコーに活用す
ることができたのである。／従来から、擬音の最

も苦手としていた、幅のある音、迫力ある音も、
エコーを使用することによって可能となり、また、
スタジオ内の残響、付属する倉庫内での反響は、
擬音にとっては絶好の場所であり、この反響の利
用によって生まれ変り、見直される擬音もでてく
る始末。その上、倉庫の扉の開閉の操作によっ
て、音の遠近や移動が簡単に行うことができた」[169]
と述べており、この新しい局舎は創作の幅をこれ
まで以上に拡大することに大きく貢献したものと
考えられる。

　1937年6月2日にはこの新しい施設を利用した
「詩の朗読の最も大規模な形式」[170]となる「交響
劇詩」として、ルネ・モラの作、関口存男の訳、
アルテュール・オネゲルの作曲、菅原明朗の改修
／編曲／指揮、青山杉作の演出、東山千栄子の朗
読、大阪放送交響楽団／大阪吹奏楽団／大阪放送
合唱団の演奏により「ダビデ王」が放送された。
放送当日の新聞記事には「BK新局舎の全機能を
発揮する本格的大放送」[171]と記されており、「百数
十名の出演者」[172]によるスタジオ内での演奏が実
現していたようである。

| 静岡／名古屋／長崎／仙台の放送局 |

　1934年7月10日に静岡放送局では「潜水艇よ
り海底の神秘を探る」という中継番組を放送し
た。「ラジオ年鑑」の1935年版では「相模湾初島
附近六十米の深海より我国最初の海底放送を行っ
た。これは静岡県沿岸警備用快速船『天籠丸』に
無線中継用送信機、音声増幅器其他打合用受信機
などを積載し、伊東町水産試験場内に受信所を置
き、この間を無線中継により連絡し、マイクロホ
ンは豆潜水艇（全長七・九三米縦横各一・五三米）「藻
の花丸」の内部に設置し、艇の前面にある硝子窓
を通して海中の模様を自由に見透し得るようにし
て行った。この艇内のマイクロホンと母船天籠丸
との間はゴムにて被覆せる二芯入耐水ケーブル
により有線連絡をとることとした」[173]と解説されて
いる。

　1934年10月25日には名古屋中央放送局でも
「高山線沿線の実景及列車同乗名士の所感」とい
う進行中の列車からの中継放送が行われている。

「ラジオ年鑑」の1935年版では「名古屋中央放送局に於ては昭和九年十月二十五日高山線の開通に際し、之が開通式の状況を列車内より無線中継により放送した。走行中の自動車、或は航行中の船艦、飛行中の飛行機上よりの無線による中継放送は既に数回に亘り実施されたのであるが、進行中の列車より無線中継を行うことは未だ曽つて試みられなかったのである。使用せる放送車はナロネ型二等寝台車を使用し、五ワット中波長送信機（送信周波数一・四三〇キロサイクル）を積載し、送信用空中線として屋上に長き一三米のものを二條架設して之を並列に使用したのである。沿線諸駅附近より高山駅にいたる区間に於て列車内より放送した」[174]と記されている。

1934年12月30日には、仙台中央放送局からも街頭からの中継番組が放送されている。「ラジオ年鑑」の1935年版においては「仙台市内東一番町及び同二番町より、歳の市仲見世の賑う実況を中継放送したのであるが、この時背嚢式送信機と称する極めて小型（縦三〇糎、横二〇糎、奥行一四糎、重量七・五瓩）の携帯用送信機による短距離間無線中継を行い好結果を得た」[175]と記されている。「日本放送史」には「初めの予定では、アナウンサー一名で送信機を背負って放送するはずであったが、実際には、技術部員がこれを背負い、アナウンサーはマイクロフォンを手にして放送した。これによってマイクロフォンの自由な移動性が発揮され、中継技術に一新生面を拓いたのである」[176]と述べられている。

これらの番組から分かるように、1934年には各地の放送局においてそれまで試みられなかった場所からの中継を行う機運が高まっていた。ただ、それは新奇な場所でありさえすればよいという、安易な企画に流れる危険性もあったわけである。しかし、とくに仙台中央放送局での街頭中継の試みは、戦後に流行する「街頭放送」や「録音構成」へと受け継がれていったものと考えられる。なお、録音構成とはディレクターが当意即妙の会話ができるアナウンサーと組み、携帯型のテープ録音機であるデンスケを担いでさまざまな場所へと赴き、そこで録音した会話／ナレーション／音楽などを編集して、ドキュメンタリー的な社会番組を作り上げるというスタイルの番組である。

長崎放送局は1937年1月1日に技術係の齋藤基房が製作した「アルミ盤へ録音する、極くお粗末な手製の試作機」[177]を使用した放送を行っていたようである。NHKの放送史編修室の南利明は、齋藤について「若い時から能を習い、自分の謡曲の声を聴いてみたいと思って録音機を買い入れた。（略）おもちゃのような録音機であったが、斎藤は、これを放送に利用できるのではないかと着目した。そして回転むらをなくすために鋳物屋に円盤のエッジを重くしてもらったり、長崎の三菱造船所に頼んでギアを作り直してもらったりして、苦労の末になんとか使用にたえる放送用の録音機を作りあげたのである」[178]と、この「手製の試作機」の製作の経緯について述べている。

長崎放送局の業務係に在籍していた石井登志雄は、「放送」誌の1937年7月号に「長崎局の録音放送」という文章を寄稿している。石井はこの文章において「夙に録音機を設置し、放送各般の利便に供して来たが、AKに於て実況ニュースの先例が開かるるや、その直後の（註・1937年）五月二十三日、長崎県日華親善学童使節の長崎港出発を機会に、早速、録音機を乗船長崎丸の船室に運んで、団長及び学童使節一名のメッセエジを録音し、当日四時のニュースに放送せんとした。『時日切迫してが慎重審議の時間なし』という理由でお許しが出ず、遂にニュース録音の画期的計画も、実を結ばずして、半途挫折して了った」[179]と説明している。

そして、石井は「絵画・ポスター・映画等に於ける、情景を交錯、重畳させて、一つの印象的効果を創造する構成的手法を、その侭借用して、各種の音響（汽車、電車、船、下駄、鐘等々）をあらゆる態様、あらゆるニュアンスに於て構成したならば、素材の撰択、構成の方法次第では、頭に描いている主題を表現することが、或いは出来はしまいか」[180]と考えて、1937年6月13日に「長崎の印象」という全国初となる録音のみによる番組が九州の各局から放送されることとなった。

石井はこの番組について「使用したピックアップは総数三個、此の操作は各個に一人、それにミックサー、監督各一人、という陣容である。さて愈々やってみると、意外な障害ににぶつかるもので、第一、個々の盤（音響）の単なる並列が余り多過ぎ

ると、どう贔屓目に聴いても、『寄せ集め』としか受け取れない、という結果になる」[181]と述べており、こうした問題を解決するため「相継ぐ音響を互いにオーヴァーラップし、更に又、ベースとなる音響の連続の上に、他の音響を次々に点出してゆく方法で、容易に解消することが出来たが、次には、ただの音響（音楽を除く意味の）のみでは、興味を繋ぎ得るかどうか、甚だ疑問なので、チャルメラ入りチンドン屋の街頭行進とか、その他郷土色を持つ音曲などを、中に組み入れることとしてみたが、これが亦、分量を過すと、あくどい色彩の絵画同様に、下品なものになるという始末」[182]であったと記している。

1937年7月7日には盧溝橋事件が起こり、齋藤基房は1937年8月16日に「志那事変最初の邦人引揚げたる漢口避難者の長崎上陸に際し長崎丸船長の生々しい『上海ニュース』を、午後七時の全中ニュース（註・全国中継のニュース）に織り込んだのであった」[183]と述べており、ここでも齋藤の製作した録音機が使用されていたようである。南はこのニュース放送について「長崎局は港に録音機を運び、船長の談話のほか、出迎えのこども達の歓声やモーターボートの音なども収録」[184]したと説明している。

1937年7月14日に新潟放送局は「夏まつり越路風原」という番組を放送している。この番組は3部から構成されており、①下越の「羽黒神社大祭神輿渡御屋台行列実況」は録音で、②上越の「高田市祇園祭神輿流」は現場からの実況中継で、そして、③中越の俚謡「片貝木遣」はスタジオから放送された。①「羽黒神社大祭」の録音は1937年7月7日の大祭当日に行われており、「放送」誌の1937年9月号に掲載された記事によると「使用マイクロフォンは吸収用（Astatic Model K-2）及びアナウンス用（Astatic Model D-2）の二個にして、録音装置は愛宕山試験課の最新の試作品で当局今回の試みが試作後最初の使用である」[187]と記されている。このときは円盤型録音機により21面にわたる録音が行われて、屋台囃子や実況のアナウンスなどが収録されたようである。そして、放送のために10面の録音盤が選ばれて、「適当なカッティング・ダッビングを行い、紹介、引継アナウンス

を含めて約十七分間連続再生放送用として編輯」[188]が行われている。

1937年12月10日の「子供の時間」の枠では、仙台中央放送局の制作により「針金に音を吹込むお話と実験」が放送された。東北帝国大学工学部電気通信研究所からの中継によって同研究所の永井健三が解説を担当し、「安立電機（註・電気の誤記）が永井博士の研究の結果に依って携帯用として試作」[189]したワイヤー・レコーダが紹介された。放送当日の新聞記事には「針金に音を吹込むのですから針金が長ければ一時間でも二時間でも続けて音を吹込む事が出来る」[190]と長時間の録音が可能であるというメリットが強調されている。

番組の内容としては「JOHKのコールサインより説明の冒頭を約2分間安立電機製録音器にて録音し、説明の済むまでに之を捲返して置いた。而して説明が進んだ処で之を再生して聞かせ、又逆転した場合の再生音の面白い事等」[191]が紹介されたという。ただ、この装置は携帯用とはいえ、増幅機が30 kg、録音機が30 kg、試聴機が10 kgと、計70 kgもの重さのある録音機であった。しかし、1937年12月13日に仙台中央放送局では、この録音機を用いて、南京陥落の「賀行灯行列実況を市役所前にて録音し、之をローカル放送の際に再生放送」[192]していたようである。

第5章　1938年〜1945年（昭和13年〜昭和20年）

｜東京中央放送局のハモンド・オルガン｜

　1938年2月5日の東京朝日新聞の記事では「戦時下に迎える十一日の建国祭にはラジオも参加してその意義を深からしめるべく、かねてAKより山田耕筰氏へ交響曲の作曲を依頼中のところこの程交響曲『昭和讃頌』（合唱並に大風琴付）を脱稿した。この曲は同氏作の『明治頌歌』（註・1921年5月初演）の続篇ともいうべきもので、同日午後八時上野音楽学校講堂から全国に中継放送される」[193]と記されている。

　この記事にあるように1938年2月11日に東京中央放送局では「大管絃楽のために作れる合唱 パイプオルガン附」という番組において、山田耕筰の交響曲「昭和讃頌」が東京音楽学校奏楽室より放送された。放送当日の新聞記事には「出演者は日本放送交響楽団六十六名、東京放送管絃楽団から十五名、コンセール・ポピュレールの二十名及び大東京吹奏楽団員から八名のファンファーレ、それに二百五十名の大日本連合合唱団、総員三六九名大合同による放送開始以来最初の大規模の音楽放送である」[194]と記されている。さらに「使用するパイプオルガンは最近AKが購入した電気オルガン、ハモンドオルガンでこれは『パイプのないパイプオルガン』として世界の放送界に好評を博している新楽器である」[195]と述べられている。すなわち、この記事にあるように東京中央放送局では1938年の初頭までにハモンド・オルガンを購入していたことが分かる。

　1938年3月17日には杉井幸一の演奏による「ハモンドオルガン独奏」という番組が放送された。放送当日の新聞記事には「ハモンドオルガンは近年アメリカで発明された電気楽器の一つで、比較的小さい容積をもって巨大なパイプオルガンに匹敵する機能をもち、その音色に至っては極めて多様の変化をもって演奏効果を挙げることができ、AKではさきに『昭和讃頌』を放送した際管絃楽の中に用いたが、独奏としては今回が最初である」[196]と記されており、宮原禎次の編曲による「千鳥の曲」、ウォルター・ドナルドソン「My Blue Heaven」、そして、杉井幸一の編曲による「愛国行進曲」などが演奏されている。

　その後もハモンド・オルガンを演奏する番組はたびたび放送されており、1938年には6月21日に奥田耕天の演奏によりバッハ「前奏曲とフーガ」やセザール・フランク「パストラール」など／7月2日には小暮正雄によりリムスキー＝コルサコフ「インドの歌」など／8月16日には木岡英三郎によりシューベルト「セレナーデ」やラヴェル「ボレロ」／11月10日には北村滋章によりロッシーニ「ウィリアム・テル序曲」やチャイコフスキー「秋の唄」や北村滋章の編曲による「『荒城の月』変奏曲」などが放送されている。

　関重広は「科学ペン」誌の1938年5月号に「電気で音楽」という文書を寄稿しており、テルミンについて「（註・東京電気無線）清水（註・与七郎）社長の御土産であるが、日本では渡邊光子嬢（現月村夫人）が練習して時々発表会をやった。現在では筆者がやって居るだけである。（略）此テルミンは目下日本では（註・マツダ）照明学校で毎日レゾネーター（註・1936年1月に日本へ到着した電気蓄音機に接続する共鳴拡声器）と共に聞かせて居るだけであるが、外国でもやって居る所は少なく」[197]と述べている。1931年1月に日本へ届いていたアメリカRCA社製のテルミンは、1936年の初頭に「方々から引っぱりだこで日本中をまわって歩いたが、ようやく数年ぶりに照明学校へもどって来た。もうこれで、ここに落着ける」[198]ことになり、その後は関のみが演奏するようになっていたものと思われる。

　なお、関は「先頃日比谷公会堂に出演して大失敗をやった。夫は練習中はピアノをそばにおいて伴奏の音をガンガン耳に入れながらそれに合せてやったのであるが、公会堂のステージに出るとピアノが遠くはなれて、而もヴェロシティー・マイクロフォンでテルミンの音だけ特にセレクトして拡声されたので、ピアノの音が耳に入らず、仕方なしに勝手にやって所々節の終りで、伴奏をきく

と全く狂って居る。そうなると仕方ないもので、稍あがってしまって、音が高すぎるのか低すぎるのか突嗟の判断がつかず、遂に演奏は全く出たらめとなって大いに面目を失したのである」[199]と述べており、少なくともこの時期までは演奏会などにテルミン奏者として出演することもあったことが分かる。

| 東京オリンピックの返上 |

1937年9月10日には「輸出入品等に関する臨時措置に関する法律（輸出入品等臨時措置法）」が公布／施行されており、この法律の第1条には「政府は支那事変に関連し国民経済の運行を確保する為特に必要ありと認むるときは命令の定むる所に依り物品を指定し輸出又は輸入の制限又は禁止を為すことを得」[200]と記されていた。すなわち、海外からの物品を輸入することに対して制限が課せられることとなってしまったわけである。

1938年4月3日からは「毎日曜午前、録音に依る定時の番組」[201]として、「週間を顧みて」という番組がスタートしており、録音による番組はさらに発展を遂げるべく試行錯誤が続いていたものと推察される。しかし、1938年5月5日には「国家総動員法」も施行されており、録音機だけでなく録音盤や整備部品の輸入もますます困難となることが予測されたため、録音による放送の実施自体に暗雲が立ち込め始めていた。

このような背景のなかで、1938年6月4日の東京日日新聞には国産の録音機の開発に関する記事が掲載されている。この記事には「外国製録音機の輸入杜絶でAKはじめ全国放送局は恐慌を感じている際、若きエンジニヤ東京府北多摩郡狛江村フィルモン製作所技師長坪田耕一工学士（五四）は五ヶ年の苦心研究報いられて国産録音機の発明を完成、同時に同機に使用する特殊円板も元ビクター技師長楯豊氏（四一）によって国産が出来、オリムピック録音放送にデビューすることになった」[202]と記されている。すなわち、東京で開催されるオリンピックのための国産録音機と録音盤の開発は、坪田らの手によって一応の目処がついていたわけである。

「ラジオ年鑑」の1938年版では「時局を反映せしめ興味本位娯楽本位のものを差控える一方、緊張せる時局下にあっても清新なる慰安を与え国民士気の振作に資する事を期して軍歌、唱歌、軍記、修羅物その他銃後美談、滅私奉公の精神に取材せるものを多く編成して居る」[203]と番組編成が変化しつつあることを記している。さらに「録音盤に就ては予てより種々調査中であったが愈々積極的に研究の促進を計るため録音盤試作研究室一棟を新築することとし目下設備準備中である」[204]と録音による放送の拡充計画についても触れられていた。しかし、1938年7月15日に日本政府は閣議によってオリンピックの開催権を正式に返上することとなる。「日本放送史」には「テレビジョンの研究は当面の目標を失った形となったが、将来のテレビジョン放送に備えて、研究を続けることとし、昭和十四年五月の放送会館落成式を目標に、実験電波を発射するため設備の完成を急いだ」[205]と記されている。おそらく、オリンピックに向けての「当面の目標」を失ってしまったのは録音機も同様であったものと考えられる。

1938年8月12日の「趣味講座」という枠からは「諸国鐘めぐり」という番組が放送されている。放送当日の新聞記事には「未だ世界の学者が試みていない釣鐘研究に先鞭をつけた理研所員の田口汕三郎、早大講師板橋倫行両氏が過去数ヶ年に亘って『祇園精舎の鐘の声。諸行無常に響くなり……』を歴史的に音響学的に追求した結果の一端の通俗的発表」[206]と記されている。この番組では、法隆寺／東大寺／妙心寺／唐招提寺／浅草寺弁天山などで収録した鐘の録音が使用されていた。

また、1938年9月10日に東京帝国大学の厚木勝基教授／日本放送協会技術研究所の星佶兵衛と酒井勝郎は「録音用盤製法の改良」と題した特許を出願した（登録は1940年11月6日）。この特許は「金属平板（アルミニウム板）に特殊塗料を塗布するいわゆるアセテート板」[207]だったようである。アジア初となるオリンピックの模様を録音するという「当面の目標」は失われてしまったとはいえ、上記したように番組の制作や録音盤の国産化に向けたさまざまな研究などは継続して行われていたことが分かる。

1938年10月27日に日本陸軍の中支那派遣軍は武漢三鎮（武昌／漢口／漢陽）を占領する。関重広は1938年12月に発表された文章のなかで「近頃録音が非常に上手に行われることは誰も知って居る通りで、先日の漢口陥落の時の陸海軍の発表の如き、新聞記者団を前にして当局の人が、『六時三十分発表、漢口は……』と堂々読みあげるのを、記者諸君が、『も少しゆっくり』などと云いながら一語も洩らさじ、と書き取って居る光景が手に取るようにきこえて来た。而もこれが六時三十七分で、発表の六時三十分を過ぐる僅か七分の録音放送である。陸軍省の一室から録音盤を抱えて飛び出た局員が、待たせてあった自動車にのってフルスピードで愛宕山にかけあがる光景まで眼に見えるようであった」[208]と述べている。関の発言が正しければ、陸軍省のある三宅坂から放送局までの2 kmほどの距離を局員たちは5分足らずで移動したということになる。

1938年11月2日には知満大作の作、AK文芸部演出班の演出によるラジオ・ドラマ「ばっかり帳」の放送が中止されて（5日に延期）、その代わりに「武漢三鎮攻略まで」という番組が放送されている。この番組は新聞記事によると「去る二十五日から開始した中村（註・茂）、浅沼（註・博）両アナウンサーの前線よりの戦況放送は日を重ねるに従って放送機が快調となり電波も明瞭になったので一昨三十一日夜からは野戦放送局を漢口に移動し皇軍占領後の武漢三鎮情景を描写したが今まで空電や混信のため明瞭を欠いた戦況放送を明朗な電波で全国民に聴き直して貰おうと昨日前線から送って来た戦況録音のうち徳安攻略戦我砲兵の猛射、空軍基地に於ける出動状況、機上からの観戦記、歩兵陣地状況と中支軍報道部発表の武漢三鎮陥落公報、濱田報道部長の談話をAKで編集」[209]したと記されている。

この時期の録音放送は「ラジオ年鑑」の1940年版においても、「昭和十三年（註・1938年）度に於ける報道録音は非常な活躍を示し、場所及び時其他の関係により、現場中継不可能、或は不適当と認められた場合に、よく本来の特殊性能を発揮し得た。ニュースとの結合による録音の自主化は将来のニュース放送に一大示唆を与えた。即ち事変の進展につれ敵地要衝に突入或は陥落に際し

『大本営発表』をそのまま録音してニュース中にアレンジしたこと等は注目すべきである。其他実況録音として『勤労奉仕』『ヒトラー・ユーゲント到着』『軍楽隊行進』『コンドル機出発』『内原訓練所生活練』等の実況があり、適当に編輯して再生放送した」[210]と記されている。ここに示されているように、録音放送は戦況などを報道するにも都合がよかったことが分かる。

続いてこの文章は「更に進んで録音そのものの特性を利用した『東西音くらべ』放送は、関東・関西両地方自慢の音を録音再生し、音の品定めをしたわけである。なお録音を利用せる放送として、BKでは子供の時間中に『見学日記』と題し、捕鯨船進水式、グライダー製造実況、水や風は何に利用するか等を採上げた。／創作的録音放送（録音モンタージュに依る）は、現実音の記録主義により構成法を音の対位法にまで高めて編輯せるもので、例えば『皇国躍進の響』『銃後女性に拾う』『隣保相扶の一スナップ』等々であるが、記録的部分と演劇的部分との本質的差違の危険性にて、十分慎重誼に将来の方向が定めらるべきであろう」[211]と述べられており、各放送局ではさらに「録音そのものの特性」を生かした探究が進められていくようになる。

| 舞踏会の手帖 |

深井史郎は「映画と音楽」誌の1938年8月号に掲載された「トーキー音楽と録音について」という座談会のなかで、1938年6月に日本公開されたジュリアン・デュヴィヴィエの監督／モーリス・ジョベールの音楽によるフランス映画「舞踏会の手帖Un carnet de bal」の音楽について発言している。この映画では幻想の舞踏会のシーンで逆再生によるワルツが流れており、深井はジョベールが用いた技法について「あれは譜面を逆に書いて（註・録音装置に）入れたんです。（略）つまり、いわゆるまともなワルツとは多少違ったものなんですね。（略）残響から入るから、音が柔らかになるんですね。始めまず普通の様なワルツを作曲するんです。それを譜面の一番最後の音から逆に書いて、もう一つのスコアを作る。それを演奏して入

れて、そのフィルムを逆回転する。すると、逆の又逆ですからもとのワルツの形に音はなおって来る。ただ残響から入ってアタックが後になって来てアクセントが多少ずれるから不安なような又音色としては少しぼやけた感じがしてくるんです」[212]と詳しくそのテクニックを解説している。

そして、深井は「ムビオラなんかいじってるとこういうエフェクトはきけますがね。（略）ムビオラで音をいじっていると、この逆回転が面白くて盛んにやってみましたがね。何かに使えると思ったんですが」[213]と述べており、この時点での深井は逆再生による効果を映画音楽の現場で日常的に体験していたものの、それを映画音楽などに応用するまでには至らなかったことが分かる。

さらに深井は「機械がまだ限りなく進歩するものであっても、結局は生の音楽の表現と同じ事になる事は不可能ですから、機械という一つの媒体を充分に研究しなければ駄目なんです」[214]と音楽の機械化については慎重な姿勢をみせている。ただ「譜面だけ書いて、機械にかければ音楽が出てくるようなものが、出てくるかもしれない。（略）人間の趣味が移っていくんですよ。昔の人はヴァイオリンで感激したかも知れないけれども、これからの人は電気装置のハモンド・オルガンで感激するかも知れない」[215]とも発言していることから、深井は未来の音楽においては機械化／電気化／電子化が進んでいくであろうことを予見していたものと思われる。

なお、1944年11月8日に丸根賛太郎の監督／宮原禎次と深井史郎の音楽／大谷巌の録音による大映製作の映画「かくて神風は吹く」が公開されている。のちに録音の大谷は「蒙古兵。侍のところへ船で乗りつけてからに、立ち回りになる。そんで蒙古兵の言葉がね、分からへんのでね。それで現場で皆が、『おーい、そのライトをこっちあっち』ていう、こういう言葉を逆回転して使った。（略）サウンドトラックを逆にするわけ。だから裏やね、結局裏返し。そんで逆回転するわけ。（略）皆セットでワイワイ仕事してる最中の声を録音してね。つなぎ合わしたり、重ねたりなんかして。で、蒙古兵の言葉にした。『蒙古語』に」[216]という証言を残している。蒙古兵たちと侍たちが戦うシーンは2箇所にあるものの、いずれも単純に逆

再生すれば直ちにもとの発言が分かるというレベルにはなく、大谷が言うように細かな編集がなされていたものと考えられる。なお、大谷はこのフィルム編集を伴う音の逆再生について、「日本の録音技師のなかで一番最初にやったんじゃないやろか」[217]と発言している。

| 激流 |

1938年11月17日に東京中央放送局から真船豊の作、青山杉作の演出によるラジオ・ドラマ「激流」が放送された。放送当日の新聞記事では「全篇筏乗り兄弟が激流を筏の流れるままに、或いは激しく或いは緩く流れと共に会話は展開、それに筏の軋む音も取入れて心から音によるドラマを創作しようとしている」[218]と記されている。「ラジオ年鑑」の1940年版にも「激流の筏の上での兄弟の心理葛藤を描いた作品で、ラジオ独特の手法であり、出演者（丸山定夫、薄田研二）演出家（青山杉作）擬音、技術的ミックスの四者の一致協力を必要とするものであり、狭い、設備の不完全な愛宕山のスタジオにも拘らず相当の効果をあげた」[219]と記されている。この記述にあるように東京中央放送局の制作によるラジオ・ドラマとして、「激流」は久しぶりに高い評価の得られた作品だったようである。

真船は「激流」について「どうも私の書くラジオ・ドラマは、それが舞台にしたっていいようなもので、特にラジオ独自の機能をうまく生かし切っていかにもラジオ・ドラマだというようなものがさっぱり現われて来ないことに、ひそかに自分で不満を感じていた。（略）私はこの時間というものがラジオにあっては最も本質的な威力をもっているのだということに気がつき始めた。（略）音楽というものが、人間の耳に訴える芸術であり、それだけ純粋に『時間』の中にすべての表現が生れている。音楽の形式は極度の敏感さをもって、この『時間』の威力に従い、またこれを逆に鋭く生かすことによって、あの美しさを発揮するのである」[220]と述べている。

そして「ラジオ・ドラマは、ドラマであるが故に演劇の一つであり、芝居から生れたものだとい

う考え方は間違っていて、実は音楽から生れ直お さなければならなかったのだという新しい認識が 今日起って来ざるを得ないのではないかという事 になる。／だから、ここで、先ずドラマの本質に かえって、人間のドラマチックな性格を時間の上 に乗せた『言葉』の、その抑揚リズムの高低が、 ラジオを通して始めてドラマチカルに現わされる。 斯ういう意味でこのラジオ・ドラマという新しい 表現形式は一応、演劇的ではなく、文学的でもな く正に音楽的なものだということが言えると思う のである」[221]と説明している。すなわち、真船は ラジオ・ドラマを文学や演劇の延長線上に置くの ではなく、時間芸術として捉え直すことで新しい 表現形式として自立させられるのではないかと考 えたわけである。

演出を担当した青山杉作はマイクロフォンの セッティングと擬音のために用いた道具について、 「我々は先ず二つのマイクロフォンを用意した。 それ以上使う事は、あのスタディオでは困難であ り、効果も薄いと思ったからである。三尺四方の 水槽に、炬燵の上部程の小さな筏、それを引摺る 時の音を出す為に屋根瓦の程の平石が一つ、河浪 の岸を噛む轟々たる音を助ける鉄板。一つのマイ クは専らこれ等の音響に備えて、水槽を覗き込む ように据えた。／もう一つのマイクは俳優の対 話、鳥笛、樹を伐る斧の音などを捕えるのである。 筏が蛇が淵へ入ってから絶壁に反響する効果は、 予め洋楽のドラムをマイクの側へ据え、毛布で蔽っ て、いざと云う時の伏兵とした」[222]とその詳細を 説明している。

さらに青山は「マイクのヴォリームを任意に変 化させ得るという事だ。この奇特な作用は、同じ 護謨ホースから流れ出る水に、水流矢の如く万雷 吼ゆる体の怒叫を起させる事も出来るし、細流の せせらぐ哀音を奏でさせる事も出来る」[223]と述べ ている。先に引用した「ラジオ年鑑」に記されて いる「激流」の「技術的ミックス」とは、ここに 記されているように音量のコントロールによる音 質の変化も含んでいるものと考えられる。すなわ ち、このころからラジオにおける音響は、マイク によって捉えた音をいかにして変調するかという 方向に対しても探究の手を伸ばしていくように なったわけである

｜放送会館への移転｜

1935年10月から建設が行われていた東京中央 放送局の放送会館は1938年12月20日に竣工し、 1939年5月13日からこの新しい場所でラジオ放 送が開始されることとなる。新しい放送会館は「近 世式の鉄骨鉄筋コンクリート造り、地下一階・地 上六階・屋階三階・建築面積延べ五〇五六坪、ス タジオ一六室を含み、わが国第一のラジオ殿堂」[224] となる施設であった。しかし、放送会館へ移転し た時点での録音設備は「固定設備としてマルコニ 磁気録音機一台、可搬設備としてテレフンケン円 盤録音機一組二台という寥々たるもので、しかも その総てが外国製品という歎かわしい状態であっ た」[225]という。

ただ「東京放送会館落成を期に、懸案たる録音 陣の拡充強化」[226]が図られ、会館内には「録音室 が設けられ、録音機台数もふえ、録音専門の職員 が配置されるように」[227]なっていったようである。 「放送」誌の1939年2月号に掲載された記事に は、今後の東京中央放送局の計画として「円板式 録音装置（編輯用を含む）五組／電磁式録音装置二 組／フィルム式（トーキー式）二組／及右の一部を 搭載する録音自動車二台／の拡充計画を立案審議 中」[228]であると記されている。なお、録音自動車 の配備を進めなければならない理由については、 自動車に毎回「電動発電機と蓄電池によって自家 発電」[229]するための機材を積み込むのは現実的で はなく、録音機を持ち出しても「交流電源無き土 地に於ては全く無力と化す」[230]ことが最も大きな 要因として記されている。

そして、テープ・エコーの存在もすでに知られ ていた。先の記事には「電磁録音方式では、録音 しつつ再生することが可能で再生機構の配置を調 整すれば、録音と再生の間の間隔を数分の一から 二秒三秒と任意だけ遅延させることが出来る。 従って科白にその科白を録音再生したものを適当 にミックスすれば、谺する声を得ることが出来 る」[231]と記されている。また「擬音を目的に録音 に赴くこともあり（略）代々木練兵場に於ける戦車 の録音、霞ヶ浦飛行隊に於ける各種飛行練習の録 音」[232]などが行われており、「AKが今日保管し居 る録音済録音盤は昨年末現在で三〇九組（約

一五〇〇枚)」[233]に上ったという。こうしてさまざまな効果音も、磁気録音の技術や円盤式録音機の登場によってさらに拡大したかたちで使用することが可能になっていったわけである。

　1939年5月13日には放送会館への移転にあわせて「皇紀二千六百年を迎うるに当りて」という番組が放送された。第1部は「合唱と管弦楽」として山田耕筰の指揮、矢田部勁吉の合唱指揮、大日本連合合唱会、日本放送交響楽団、東京放送管弦楽団、コンセール・ポピュエール、星桜吹奏楽団の演奏により、①放送会館落成祝賀の曲／②北原白秋の詞、山田耕筰の作曲による「ラジオの歌」／③山田耕筰「大管弦楽のために作れる合唱（パイプオルガン附）交響曲『昭和讃頌』」などが放送された。そして「国際放送」として、ベルリンとローマからの祝辞とベートーヴェン／ヴェルディの作品の演奏が届けられている。なお、1939年5月13日から15日にかけては、放送会館への移転を記念して「無線によるテレビジョン実験の公開」[234]も行われている。

　1939年5月17日の読売新聞には、「放送音は良くなった、が？」という新しい放送会館についての記事が掲載されている。この記事では「三日間ラジオを聴いて音が非常によくなったのは御同慶に堪えない／第一日山田耕筰指揮による二百名の管絃楽合唱『昭和讃頌』の如きは実に好放送で第一スタジオの百十坪にモノを云わせたが、同日同一スタジオに於ける（註・四代目吉住）小三郎、（註・稀音家）浄観連の長唄『紀文大尽』は金屏風の前で演奏し来たった邦楽の習慣を無視した未曽有の反響は、殊にお囃子の物凄い反響は（略）放送を無残にして終った。同じ事が第三日新橋芸者連の新曲『やまと八景』でも云える。残響の少い十五畳敷の邦楽用第七スタジオを作った頭で何故邦楽用大スタジオを作らなかったか？　AKの洋楽と邦楽の演奏が根本的に相違することに対する無知識を軽蔑しよう」[235]と邦楽用の大スタジオが設置されなかったことに対する苦言が述べられている。

　そして「この他第一スタジオに於ける放送は（註・中村）吉右衛門一座の舞台劇『清正誠忠録』は相当なものだった。がセリフと歌の掛合う（註・古川）ロッパ一座のオペレッタ『オーケストラの親爺』や宝塚のレヴュウ『唄のアルバム』等――殊にロッパは非常な熱演で歌う部分は効果を挙げた――どうもセリフは音量がガタッと落ちて面白くなかった。これは出演者がスタジオの角度に馴染まないのかとも思えるがそれよりミクサーの要らざるオチョッカイのセイではなかろうか？　若しそうとすれば由々敷き問題で、第一スタジオは現在の技術部機構に大改正を加えない限り全機能を発揮出来ず、まるで金の死蔵同様の結果になる」[236]などと新しいスタジオでのミキシングの不手際に対しても厳しい意見が寄せられている。

　この批評が読売新聞に寄せられた日の夜には、亀屋原徳の脚本／関口次郎の演出／伊藤宣二の作曲と指揮／東京放送管弦楽団の演奏によるラジオ・ドラマ「海村記」が放送されている。同日の新聞記事では「放送会館最初のラジオドラマとして第一スタジオの三個のマイクを縦横に活用して放送効果を誇ろうと云うAKの意図」[237]があると記されている。また「ラジオ年鑑」の1941年版においても「此一篇は巨大な第一スタジオに数個のマイクロフォンを設置し、これを縦横に活用して放送のより広大な立体的効果をねらったもの」[238]であったと記されている。

　しかし「日本放送史」においても先の新聞記事の批判にあったように、「矢張り使って見ると、この新殿堂も非の打ち所なしという訳にはゆかなくなった。例えば、ラジオ・ドラマについて見ても、適当な演奏室がなく、洋楽向、邦楽向、講演向、台詞向というものはあったが、台詞と伴奏音楽、擬音効果を一室で行うに適するものがなかった。もっとも、台詞、伴奏音楽、擬音効果などを別々に各室で行って、これをミックスするいわゆるスタジオ・ミックシングの設備はあったが、当時は放送関係者からも歓迎されず、その活用は困難であった。結局はラジオ・ドラマの場合は、演奏室の一部に台詞用として、厚さ七ミリメートル程の部厚な羅紗にサージを覆ったカーテンを使用して、台詞と伴奏の間を区切り、また幕舎を設けて台詞室として、劇効果をあげることに努めた」[239]と記されている。環境が一新されたにもかかわらず、このころの番組は多様化が進んでいたせいか、残念ながら新しい放送会館での番組制作のスタートは順調に進まなかったようである。

｜録音による番組と録音機の拡充｜

　1939年6月22日の読売新聞には「ラジオに時局色」という記事が掲載されており、「聖戦下の報道、教養、娯楽の国家機関として全機能を発揮するため日本放送協会では今春来プログラム編成に再検討を加えていたが断案を得たので二十一日午後二時から放送会館第一会議室にプログラム刷新会議を開き、協会側から小森（註・七郎）会長、関（註・正雄）業務局長、中郷（註・孝之助）業務次長、逓信省から田村（註・謙治郎）電波局長（註・電務局長の誤記）、宮本（註・吉夫）電務課長らが出席協議した結果、昭和五年（註・1930年）A・B・C三Kの二重放送実施以来の第一放送、第二放送の名称を廃して第一放送を『全国放送』第二放送を『都市放送』と改称、プログラム編成の根本的観念を改めいよいよ七月一日から実施することとなった」[240]と記されている。

　続いてこの記事では「従ってプログラムは『全国放送』の講演の時間は火曜日の青年の時間、日曜日の時事解説のほかに木曜日の夜に講演の時間をふやし演芸プロは大衆的な講演、落語、浪花節、漫才などを主流に編成して従来の夜八時からの洋楽放送は毎週六回を基本としていたものを、そのうち四回を都市放送に編入して一週二回程度に減らし都市放送はラジオ・ドラマ、ラジオ小説、朗読等の都会人向けのプロを編輯しニュース放送にも実況録音を挿入してニュースの立体化を計画するなど新味が盛られることになった」[241]と説明されている。ここに述べられているように、日本放送協会では時局を反映した変革が進められており、そのなかでも録音による放送が「新味」として扱われていることが分かる。

　1939年10月8日の読売新聞の記事では「AKでは週間の生々しいビッグニュースをそのまま音で描いた『録音ニュース』の時間を新設、毎日曜日午後七時五十分から放送する／最初は今朝山田耕筰氏邸で行われた同氏作曲の『神宮国民体育大会の歌』の試演会（註・1939年10月29日に第10回明治神宮国民体育大会秋季大会の開会式が開催）、次は本社主催の全日本一般対学生、三部女子対抗陸上競技大会（註・1939年10月7／8日に明治神宮競技場において全日本一般対学生対抗陸上競技大会／全日本

女子三部対抗陸上競技大会が開催）のうち野球中継で放送出来なかった部分、三番目は去る四日府中競馬場で行われた競走馬のセリ売で三万円でモダンモア号が売れた実況、最後は汪兆銘氏の演説を朝日トーキーニュース（註・「朝日世界ニュース」328号）によって放送する予定である」[242]と記されている。こうして東京中央放送局ではニュース映画も借用して「実況録音を挿入したニュース放送」の試みが本格化していくこととなる。

　国産の録音機の開発も引き続き進められており、「日本放送史」では「放送協会ではテレフンケン録音機をメーカーに公開し、メーカー三社（日本電波株式会社・日本電気音響株式会社・日本無線電信電話株式会社）はそれと同型の円盤録音機を試作した。なかでも、日本電気音響で完成（昭一四）（註・一九三九年）したものが当時としては性能が良かった」[243]と記されている。そして「昭和14年9月にNHK仕様のデンオン（註・日本電気音響）録音機第1号が完成（略）手始めに全国の中央放送局向け7セットが最初の注文となって配備されることになった」[244]ようである。

　しかし「ラジオ年鑑」の1940年版によると「現在当協会に於て使用中の録音装置は、機械録音法に依るテレフンケンEla C 44型携帯録音機一組並びに磁気録音法に依るマルコニ・シュティッレ録音装置一台であるが、近く之等の方式に属する国産機を以て拡充され、且所謂フィルム式も採用される予定になっている」[245]と記されており、この文章が書かれたと思しき1939年の秋ごろの時点でも、まだ日本電気音響製の録音機は放送局へ納入されていないことが分かる。

　また、この文章には「無雑音録音再生方式の研究を行い相当の成績を挙げ得たるを以て現業用録音機に採用することを計画中なり。尚本方式の働作に付き細部の測定調査を行い一層の改善研究を行いつつあり。／録音盤の優良なるものの国産化を計画しラッカー塗附法に依る物及びセルロイド状ブロックを用うる物の試作研究中なり」[246]とも述べられており、録音放送のための研究は録音盤の国産化を含めてさらに推進されていたようである。ただ「録音放送は録音応用の一小分野にしか過ぎないのであるが、録音装置を放送機構一部と看做す時に一歩進歩せる放送技術が録音技術に力

強い推進力となっている事は見逃せない事実である。ともあれ録音技術を一日も早く放送技術のレベルに迄向上せしめる事が今日の問題である」[247]と記されている。すなわち、録音放送が内在するポテンシャルについての理解は進んでいたものの、音質を始めとする技術的な問題についてはまだまだ多くの改善点を残していることは認識されていたわけである。

「放送」誌の1940年3月号には技術局技術部現業課の山口三郎による「録音編輯再生の技術的問題」という文章が掲載されており、マルコニー・スティーレ磁気録音機は「一巻のテープを録音毎に保存することは経費の点から云っても困難と云わねばならない。(略) 現在では一般的ではない様にも考えられるけれども、実況の録音放送の際にアナウンスメントと録音とを組合せて、充分のテストを重ねて、偖放送となるのであるが (略) これをそのまま更にフィルムに録音して放送の際は単に再生するのみとしたなら随分と具合が良くなるわけである。(略) 殊に最近その再生技術、構成の方法に重点を置く芸術録音、文化録音などと一巻ものとしての録音の分野が展けて来ているときに、此の方法に依って記録が残されることは今後の此の方面の発展に資して非常な利益を齎すに違いない」[248]と記されている。

すなわち、録音を使用した放送が増えてきているとはいえ、磁気録音機で使用する巨大な鋼帯のリールは保存するには高価に過ぎるし、円盤型録音機を使用したとしても完成品は残すことはできず、放送後に残るのはディスクに記録された素材のみとなる。また、ラジオ放送を円盤型録音機によって保存しようとしても、3分間程度の細切れとなってしまうため、当時の技術で録音による番組を完成品の「芸術録音」として残すためには、フィルムによる録音がベストだったというわけである。1950年代に入るとテープを使用して番組を1巻のテープに収めて放送することが可能となったわけであるが、戦前からその必要性を提言していた局員もいたことが分かる。

1940年5月17日に東京中央放送局では「録音と擬音」と銘打たれた「水づくし」という番組が放送されている。放送当日の新聞記事では「水の変態を録音と擬音で描くが本物の録音と人工の擬音はラジオを通して聴く時どっちが本物通りに聴こえるかと云う興味もあり云わば録音と擬音の腕競べである。尚AKでは日光の華厳瀧と大谷川の渓流を録音する予定だったが華厳瀧の水量不足の為次の機会に譲り瀧と小川のせせらぎは擬音で描く」[249]と記されている。この番組では擬音として瀧の音／川のせせらぎが紹介されており、さらに録音としては豊島園で録音した鯉が餌を食べる音とウォーターシュートの音／YMCA体育館プールで録音した水泳の音／ラムネ製造の音／北京放送局が録音した水鳥の鳴き声／法華経寺の水垢離の音／茨城県潮来で録音した水車の音／鉄瓶の沸騰する音／汽車が発射する際の轟音などが紹介されたようである。

また「水づくし」と同日には「初夏ハイキング僕の山日記から」という録音による番組も放送されている。放送当日の新聞記事には「ハイキングを録音で描く『僕の山の日記』は去る (註・1940年5月) 十一、二日の土曜から日曜にかけてAKの録音隊が東京アルコウ会の中村貞治氏と令息日本橋十思小学校の二年生貞夫 (九つ) 君父子と一緒に奥武蔵高原の正丸峠から伊豆ヶ嶽に登り吾野に降りたハイキングを貞夫君の綴方を音で描く新趣向をこらしたもので録音をしたのは正丸峠の厚生道場 (註・宿の名前) に於ける午前五時の起床大太鼓の音、宿泊したハイカー達の国旗掲揚、宮城遙拝 (註・皇居に向かって敬礼すること)、山鴬の啼声、ハイカーの雑談、伊豆ヶ嶽に於ける中村氏父子のお弁当時風景、頂上の展望、吾野渓流の河鹿の啼声、畑井の村祭、村の少女の手毬唄、石炭採掘のハッパの爆音などである」[250]と記されている。

そして、1940年6月5日から9日にかけては東京で、1940年6月13日から16日にかけては奈良／兵庫において「紀元二千六百年奉祝 第一回東亜競技大会」が開催されており、この大会を紹介する「録音東亜競技大会」という番組も放送されている。「ラジオ年鑑」の1941年版によると「現在ではマルコニ録音機を専ら海外放送用に当て、他はテレフンケン並に日本電波 (註・日本電気音響の誤記か) 製を録音室に装置して運用し、必要に応じてこれを備上自動車に積込んで現場に向う状態にある」[251]と記されている。この記述から「初夏ハ

イキング」や「録音東亜競技大会」のような番組では、借り受けの自動車へ録音機を積んで現地への収録に向かっていたものと思われる。

また「ラジオ年鑑」の1941年版によると、東京中央放送局が放送会館に移転した1939年5月から1940年8月にかけての時期に「実現したものはテレフンケンの模倣に過ぎぬ日本電波（註・日本電気音響の誤記か）製二組四台のみである。この外に業務上の変更により、録音室に収容されたものには安立製磁気録音機一台（アナウンス練習用）アルミ盤用簡易録音機二組四台（監視用）などがあるが、これは放送用として挙げるべきものではない。（略）簡易録音機の持合せしかない各中央放送局に対しては、十四年（註・1939年）度に円盤録音機一組（電音製）磁気録音機一台（安立製）を配布する計画であったが、資材逼迫などのために延遷し、現在ではその一部が実現した程度に止っている」[252]と記されている。すなわち、先に触れた1939年に日本電気音響製の録音機を、全国7箇所の中央放送局に供給するという計画は頓挫してしまっていたことが分かる。

さらに「磁気録音機について云えば、その鋼帯は使用開始後一年有余にして国産品を使用し得るようになり（略）円盤録音機については、日本電音のオイルダンパーヘッドを採用することによって音質を改善し、資材輸入の途が絶えて一時困惑した録音盤も、国産の良品を手に入れ得ることとなって愁眉を開くことが出来た」[253]と記されている。1937年9月に施工された「輸出入品等臨時措置法」の施行によって、入手が困難となっていた各種消耗品の国産化もこの時期までには軌道に乗りつつあったものと思われる。

そして「なお現在拡充計画中のものには、フィルム録音機二台（内一台は録音自動車用）及び予備としてのマルコニ型一台がある」[254]と記されているように、東京中央放送局ではフィルム録音機と録音自動車の製作が進められていた。この新しいフィルム録音機については「三十五ミリ標準フィルムを半截しその中央に可編面積式無雑音録音をなしそのネガティブより直接再生し得るものである。／本装置は、録音室に収容する固定の録音再生装置と自動車に搭載する可搬用録音装置各一組

で、目下東宝映画株式会社の手によって設備中である」[255]と記されている。

1940年8月10日に岩淵東洋男は東京中央放送局の準職員となり、文芸部効果班へと配属された。岩淵は「当時の放送協会文化部は、文芸、演芸、邦楽、音楽と、四部門にわかれ、庶務を含めて三十余名放送業務を遂行していた（略）私たちの文芸部効果班分室には、四階の十五スタジオが与えられた。メンバーは木村一、安藤清、吉田貢、江口高男（当時菱刈）、岩尾英之助、荒川与志雄、岩淵東洋男（略）の七名（略）効果の技術はナマ音（効果音）が主流であったが、実際の音を収録して、その音を素材に電気的機械的に効果音を創造する方向へと、必然的にその流れを変えていった時代でもあった」[256]と述べている。すなわち、東京中央放送局における効果音の作成も、このころからは擬音から録音再生技術を援用する方向へと舵が切られるようになったことが分かる。

「ラジオ年鑑」の1942年版には、1940年8月末から「尠くとも一日一回、七時のニュースには必ず録音を入れることにして、音としてのニュース、談話などを求めた。この方針は、その後、録音の求められる範囲に於て必ず採用するという原則の下に引き継がれ」[257]ることになったと記されている。そして、1941年1月5日の読売新聞の記事には「ニュース録音はこれまでも適時挿入放送しているが、今年からは毎週日、木の両夜七時全国中継ニュースに引続き（大体七時二十分）AKローカルで放送することになり、その第一回を今夜飯田（註・次男）アナウンサーの解説で放送する」[258]と報じられている。こうして録音ニュースは次第に普及していくようになり、「放送」誌の1940年10月号の記事では「今月（註・1940年9月）から本格的にニュース録音が登場。／殊に二十三日、皇軍仏印進駐（註・1940年9月23日に日本軍はフランス領インドシナに進駐）の際の如き、当局発表文の外、軍報道部長との一問一答、外務省情報部長の談話と、多数の録音を採取、漸く真価を発揮した感あり」[259]と述べられている。

そして「新体制委員歴訪に始まって、この一ヶ月に挿入した録音凡そ五十。平均一日一ツ半宛。

毎日必ず一つ宛という、最初の希望はまず満足。然し、五十の中三分ノ二は『某氏語る』もの。／某氏語る処を紙に書いて、アナウンサーが読むという形式もまずいが、さりとて、一々録音するのも冗長。ニュースの中に小講演を押しこんだ感じが濃い。／録音は本来、専ら音によって、何等かの髣髴たる状景を、聴く人の耳に訴えるべきである。然し之も亦、挿入の技巧にも依る事乍ら、投書に依れば、雑音になる事も少くないそうである。／とまれ録音は、開拓したばかりの新境地。折角研究を重ねる考えである」[260]という主張が掲載されている。スタートしたばかりの録音によるニュースはインタビューによるものが多かったものの、理路整然とした談話を収録できないケースもしばしば見られたものと思われる。

1940年10月15日に星佶兵衛らは「残響の合成に関する研究（磁気録音機を使用する合成）」と題した原稿を脱稿している。これは日本放送協会技術研究所の報告書としての原稿であり、磁気録音を応用した残響発生装置について記されている。この装置は「無端鋼帯を使用し之を回転循環せしめ、一個の吹込素子及多数個の再生素子を用いて残響を合成せしめるものである。（略）中央の円盤は直径476㎜の回転子であってアルミニューム鋳物の比較的軽いものである。其の周囲に無端鋼体が捲き付けられている。録音素子1個、再生素子20個及抹消素子は回転円盤の周囲に」[261]配置されていたという。星らはこの残響発生装置について「持続時間の短い音に対しては好結果を得難く打楽器に対する残響効果が不自然である。然しスピーチ、独唱或は吹奏楽器等に対しては相当利用し得るものと思われる」[262]と述べている。しかし、この時期の放送において、磁気録音を応用して残響を付与した例を見つけることはできなかった。

| 紀元2600年と録音 |

1940年度は紀元2600年を奉祝するさまざまな催しが開催されることとなり、夏／秋／冬の3期にわたる「第11回 明治神宮国民体育大会」もその一つであった。1940年10月27日から11月3日にかけてはこの体育大会の秋季大会が開催されており、その模様は録音によっても放送されていた。そして、1940年11月10日には「紀元二千六百年式典」が開催されており、翌日の「紀元二千六百年奉祝会」の録音を含めた「祝え紀元二千六百年」という番組も放送されている。この番組について「ラジオ年鑑」の1942年版では「聖紀の祝典を謳う国民の歓喜と感激とを、いろいろな情景から広範囲に亘って拾いあげ、単なる羅列をやめて盛り上げて行くような焦点的な編輯法をとった、いわゆる仮構というものが顔を覗かせていたものであった」[263]と紹介されている。すなわち、こちらの番組では先に触れた「彷彿たる情景を耳に訴える」ための制作が行われていたものと考えられる。

1940年12月7／8日には歌舞伎座において、ドイツ／イタリア／フランス／ハンガリーの作曲家から寄せられた奉祝曲を発表する「紀元二千六百年奉祝楽曲演奏会」が開催されており、リヒャルト・シュトラウス「日本建国二千六百年祝典曲」やジャック・イベール「祝典序曲」などが演奏されていた。そして、1940年12月18／19日には全国に向けて放送会館の第1スタジオからこれらの奉祝曲が放送されている。

「ラジオ年鑑」の1942年版では、ラジオ放送で「従来使用していたレコードは各会社の自由企画の下に出来た市販のもののみであったが、本年度に於て放送の為に特に企画されたレコードを作製し得た事である。これは海外、放送用その他に於て、将来に持越す非常に大切な仕事である。一つは海ゆかば、他国民歌謡の放唱による吹込み、一つは二千六百年奉祝楽曲の放送とその同時録音である。両方とも、会館のスタジオより中継線にてコロムビアへひいて録音したのである。特に録音用として演奏した前者にくらべて、後者の録音は非常な苦心を要したが予期以上の効果を収め得て、このレコードは直ちに紀元二千六百年奉祝会の手によって献上の手続をとり、畏くも天聴に達したと承っている。なおこれはその後、同奉祝会へ原盤を貸与して一般に予約頒布され、日本で行われた最初の、最も大規模な録音として、我が楽壇の話題を賑した」[264]と記されており、ようやく放送そのものの記録がここに始まったわけである。

「ラジオ年鑑」の1941年版では録音による番組を「文化録音、風物録音、見学録音及び、ニュース録音、(時事録音を含む)」[265]へと大別しており、文化録音/風物録音/見学録音は「多数の素材を収録編輯し、構成に依る一つの『ネライ』を持たしめるもの」[266]であると説明されている。そして、ニュース録音/時事録音については「素朴な録音の機械性に依存し、時事的なトピックに浮ぶ、各層の人物の声を或は時事的催物を音で聞こうと試みられた『街の話題』『二分間対話』『録昔リポート』等である」[267]と記されている。

続いてこの文章には「その二、三の例を過去のプロに拾って見ると、『盛夏に鍛ふ』『涼味放送』『修養道場の朝』『秋』『幼年学校の一日』『小河村貯水池見学』『録音ハイキング』『子供の世界』『更生の傷痍軍人』『師走の俳味』『興亜歳末風景』『各月の出来事』『録音リポート第X輯』等が挙げることが出来る」[268]といった具体的な番組が挙げられている。おそらくこの時期の録音再生技術の使用は、硬軟織り交ぜた社会的なトピックを題材にして、「彷彿たる情景を耳に訴える」方向での番組制作をサポートするために用いられていたものと考えられる。

1925年3月22日から東京放送局が仮放送を開始したことを記念して、1941年3月22日から「放送開始記念特輯週間」が開催された。この記念放送の期間に「日本放送協会ではかねて研究中であつたフィルム式録音機が完成したので去る(註・1941年3月)二十四日歌舞伎座から有線中継によって『伽羅先代萩』(めいぼくせんだいはぎ)を録音した所、好成績だったので、二十六日午後八時からの全国中継放送から使用する/このフィルム式録音機は従来の円盤式又は鋼帯式に比して低音部から高音部は八千サイクルの音まで一様に再生出来るので音質がよくなり実際に近い音になり雑音も少くなるわけである」[269]と記されている。こうして東京中央放送局ではフィルム録音機の使用も始められるようになったわけである。

「ラジオ年鑑」の1942年版ではこのフィルム録音機について、「据置用と可搬用の二種であって、据置用は交流電源により、又可搬用は全装置が自動車に搭載されていて、蓄電池電源によって動作するようになっている。この可搬用は蓄電池の一回の充電で連続三時間使用し得られる。凹凸の道路でも時速三五キロメートルで疾走し乍ら録音を行う事が出来るようになっている。又使用フィルムは三五耗標準型を半截したもので、録音ネガティブフィルムが直ちに再生用フィルムになり、然も無雑音操作を施してある。何れの装置も三〇〇〇呎のフィルムに連続に録音し得られる。これを時間にして入ると毎分九〇呎又は六〇呎の速さで録音するようになっているから、九〇呎の場合は約三三分、六〇呎のときは五〇分の連続録音が可能のわけである」[270]と記されている。すなわち、東京中央放送局ではスクラッチ・ノイズなどのない状態での長時間録音およびその放送が可能となったことが分かる。

そして、1941年3月までに「円盤録音装置或は鋼線式磁気録音装置がAK及各中央放送局に設置され」[271]ることが決定して、東京/大阪/名古屋/広島/熊本/仙台/札幌の各中央放送局に少なくとも一台は録音機が配備されるようになったようである。しかし「昭和十六年(一九四一年)の後半は、既にラジオ・ドラマという言葉さえ、許されなくなった。純粋ラジオ芸術への意図も努力も、非常時という合言葉に黙殺されるような事態」[272]が到来することとなる。日本が開戦することがなければ、純粋ラジオ芸術を発展させるための手段の一つとして、録音再生技術を援用した作品の制作が活発に行われるようになっていたのかもしれない。

1941年11月17日に第77回帝国議会が招集された。「日本放送史」ではこの帝国議会について「放送開始以来、議会放送は熱望されていたにも拘わらず実現を見なかったのであるが(略)貴族院各派交渉会で議会放送を正式に決定(略)貴族院議場における東條首相の施政方針演説を録音し、同日午後のニュース冒頭に放送」[273]されることとなったと記されている。ここで東條英機内閣総理大臣は「常に平和を欲する帝国と致しましては隠忍自重、忍び難きを忍び、耐え難きを耐え、極力外交交渉に依りて危局を打開し、事態を平和的に解決せんことを期して参ったのでありますか、今尚其の目的を貫徹するに至らず、帝国が今や文字通

り、帝国百年の計を決すべき重大なる局面に立たざるべからざるに至ったのであります」[274]と述べており、こちらの初めての録音による議会放送は、アメリカに対する強硬姿勢の宣言が行われることとなったわけである。

「ラジオ年鑑」の1942年版では録音放送を「時事録音」と「主題録音」とに分別している。前者は録音ニュースのような番組であり、後者の「主題録音」については記録／紹介／解説／スケッチ／創作的／前線録音などへの細分化が試みられている。「時事録音」については「週一回、その週間の出来事を十分間に纏めて、項目的に配列し、時事録音としての特色を現わしていた。その上、本期（註・1941年1月から12月）は『二分間対話』と『時の話題』を新たに加えた。その為めに『録音レポート』の方は、著しく取材に柔軟味を帯びるように変り、週間ニュースと言うより、時事的なスケッチの色調をもつに至った。／『二分間対話』は録音手段の特徴を補えて企画したもので、アナウンサーが檜舞台に登場した新人物を訪ねて、二分という短時間に一問一答を交し、時の人物の一面をこの会話の中に浮びあがらせようと考えた。『時の話題』は、側面から加えた解説で、実況を点綴して行った。何れも月一回の放送であった」[275]とその詳細が解説されている。

そして「主題録音」における「記録」とは先に触れた「祝え紀元二千六百年」のような番組を指しており、「紹介」とは「社会見学、その他の見学放送から、地方の特殊な施設や生活風俗、行事などを紹介する」[276]番組であると記されている。また「解説」とは「ニュース録音のように、毎日の報道に追われることなく、一つの題材を捕えて、その持つ意味を生活と結びつけて考える」[277]番組であり、「スケッチ」とは各局で制作された「春ところどころ」のような情景描写による番組を示していたようである。

そして「創作的」な主題録音については「自然の風物や現実の生活面を、丹念に描写しようという態度から一歩出て、夫々の断片的な記録を創造的に用いようとしている（略）明確な意図があって、構成に関しても個々の記録を必ずしも自然の順序通りには配列せず、綜合が、別の新しい意味をもつように行われている」[278]と述べてお

り、例として「川」「牛乳」「竹」「炭」「働く脚」「宣伝」「六月の風物詩」「秋風の賦」といった番組名が挙げられている。さらに「前線録音」については、1939年5月に「浅沼（註・博）アナウンサーが襄東作戦に従軍して、漢口放送局から全国に向けて放送された録音放送は圧倒的な反響を呼んだ」[279]と回顧されている。

「ラジオ年鑑」の1942年版では、録音機についてのまとまった記述が掲載されている。まず、新設の録音機については「単に数の増加のみならず質に於ても放送内容を充実さすに役立つ方向に向って改善されている（略）円盤録音装置には据置と携帯用とあり、実質的には同一であるが構造が夫々目的に副うようになっている。携帯用は外見はテレフンケンＥｅａ四三型（註・ElaＣ44型の誤記か）に極めて類似しているから別に目新しい感じも受けないが、据置用は如何にも録音操作が容易であるように見える。見えるばかりでなく実際にも容易である」[280]と記されている。

そして「新設装置の改良されている諸点を列挙すると、二台の録音機による連続録音再生操作が容易且つ確実になった点、自動的に音質を補償している点、及毎糎当りの溝数を三六本から二八本迄を五段に別けて切換え使用し得られるようにした点等であって、この自動的に音質を補償するのは同一周波数の音でも録音盤の中心に近づく程録音された音の波長が短くなるため再生のとき損失が多くなるからこの損失を補償するものである」[281]と新しく導入された録音機の性能の向上についても述べられている。

さらに録音機の開発計画については「携帯用発条型、及直流電源電動機型がある。何れも交流電源のない山間僻地に於て完全なる録音を行うのを目的としたものである。又研究的製作の進行中のものにピックアップがある。これは軟質の録音盤を使用するときに重要になってくるもので、これの完成によって再生回数を増加し得られる他五〇〇〇サイクル以上の高音を容易に再生し得られる事になる。因に現今のニトロセルローズを主成分とした録音円盤はその性質が軟質であるから、市販の音盤に使用すれば充分その性能を発揮し得られる普通のピックアップもニトロセルローズ録音盤に対しては一般に重量の重過ぎる事と針

先からみた機械インピーダンスの過大のため適当なものでなくなる」[282]と記されている。ここに記されているように、放送局では前線録音などのためにさらに機動性が付与された携帯型の開発や、再生機の改良も求められていたわけである。

録音盤についても研究の余地は多く残されていたようで、「録音放送を音質的に優れたものにするのに重要な役割をもつ因子に録音盤がある。これは当協会研究所に於て基礎的に研究続行中であるが、諸製造所に於ても録音放送を満足ならしめる方向に向って研究、製造に従事している。この研究の主方向は、極力雑音の原因を除く事と硬質にする事であって、研究完成の暁には前述ピックアップに対する悩みも解消するし、又雑音が減少すれば振巾を縮小して溝の間隔を狭くし、録音時間を延長し得る利点を生ずる」[283]と記されている。こうして時局に応じたプロパガンダとしての放送を行うために、録音再生技術のクオリティを向上させていくことは日本放送協会にとって喫緊の課題の一つとなっていったものと思われる。

| 開戦 |

1941年12月7日に太平洋戦争が勃発した。東京中央放送局では「ハワイ空爆の大戦果発表を始め、その後相次いで行なわれた大本営発表を大本営に於て収録の上速報」[284]している。1941年12月8日には「(註・大政翼賛会) 中央協力会議の出席者も二重橋前に於て宮城を奉拝し米英撃滅の宣言を為し万歳を奉唱したが、その感激の実況を録音しその夜のニュース中に挿入放送」[285]されており、そして、昭和天皇は「米国及英国に対する宣戦の詔書」において「朕茲に米国及英国に対して戦を宣す」[286]と述べて、これを受けて東條英機は「大詔を拝し奉りて」と題した演説を電波に乗せることとなった。

この東條の演説はフィルム録音機によって記録されていたようである。しかし、フィルム録音機は「日本放送史」によると「特性良く、雑音低く、優秀な成績を示し、且つ長時間の録音ができる特長はあったが、あまり活躍しなかった。その理由は、経費が嵩み、時間的に急を要する場合は間に

合わず、編集も困難で、また時局柄フィルムの入手も次第に困難となって来たからであった。昭和十六年（一九四一年）十二月八日、宣戦の大詔の録音を最後として、利用されなくなった」[287]と記されている。すなわち、1941年3月に歌舞伎座でフィルム録音された「伽羅先代萩」が放送されてから、残念ながらわずか八ヶ月ほどでフィルム録音機は使用されなくなってしまった可能性のあることが分かる。

1941年12月14日には「戦利の記録」という番組の第1回目が放送されている。「ラジオ年鑑」の1943年版ではこの番組について「記録々音放送として特記すべきは十二月十四日に初めて送られた『勝利の記録』である。皇軍が諸戦に於て挙げた赫々たる戦果の報道、八日に放送された宣戦の大詔捧読、それにつづく東條首相の『大詔を拝し奉りて』と題する講演を始め、数々の歴史的事件が盛り込まれ、あの日あの時の感激がここに再現されて深い感銘を与えた。この録音放送は毎日曜に続けて行われ」[288]る予定であると記されている。

1941年9月に「中支に赴いた支那派遣第二録音班の一行は中支より南支に赴いて活動中の処、大東亜戦争勃発と共に勇躍香港攻略戦に従軍」[289]することとなる。そして、1941年12月25日の朝日新聞に掲載された記事によると「日本放送協会では二十四日午後九時十分から二十五分間、支那派遣第二録音班が収した香港攻略戦第一報を全国に放送したが、杉本(註・亀一)アナウンサーの解説によってまず大埔附近における皇軍の逞しい進撃振りが伝えられた／戦車の轟音、軍靴の響き、コンクリート道路を友軍砲兵の援護射撃で九龍の街を目指して猛進する将兵の姿が目に見えるよう／次いで九龍占領に際し我が軍の俘虜となったイギリス兵との対話があった(略)さらに軍使多田中佐の声や『降伏勧告は午後三時頑迷なる英国側によって拒否するところとなった』との軍発表も録音放送されたが、最後は九龍の街から観た香港総攻撃の実況放送──彼我砲弾の炸裂、わが荒鷲の爆撃／香港攻略戦は今正に酣（たけなわ）です／アナウンサーの声も震えていた」[290]と報じられている。そして、1941年12月25日の夜には「英国が百年の長きに亘って東亜侵略の牙城とたのんだ香港は遂に陥落

104

した。この日、夜半大本営発表を収録、翌二十六日の午前六時に、この感激が全国に伝えられ」291ることとなった。

1941年12月31日には「録音放送」として「昭和十六年を回顧して」という番組が放送されており、この番組は「大東亜戦争下記録録音の向かうべき道を示唆するものとして(略)単なる記録の羅列の世界から離脱して、明確なる意図の下に構成された点に於て大きな反響を呼んだ」292という。1942年1月8日にも「その朝の感激」という「録音放送」が電波に乗っており、「ラジオ年鑑」の1943年版には「第一回大詔奉戴日のこの日、『感激の録音集』第一部として、午前七時二〇分、幾度聞いても我々一億国民の血を沸き立たせずには置かない、あの十二月八日の開戦ニュースを送り、正午の時報に引続き、『君が代』『詔書捧読』更に東條首相の『大詔を拝し奉りて』の講演を送る(略)次に『感激の録音集』第二部として、開戦以来の我が赫々たる戦果を大本営発表を中心に編輯の上、午後六時三十分より放送して全国民の感激を新にした。／尚『感激の録音集第一部』はその後『その朝の感激』と改題、又「第二部」は過去一ヶ月間の大本営発表を中心に編輯して東京放送管絃楽団の伴奏を付して『大捷の譜』と改め各々大詔奉戴日に放送することとした」293と記されており、戦争の報道には録音メディアの機能性が極めて有益であったことが分かる。

| 現地録音 |

1942年2月15日にはシンガポールで連合軍が降伏し、1942年2月18日には「戦捷第一次祝賀式」が開催された。この祝賀式は「ラジオ年鑑」の1943年版において「録音係は残雪栄ゆる市内各所に出動、先ず午前十時日比谷公園に於てマレー方面に活躍のわが銀輪部隊を偲んで行われた自動車大行進の出発状況を捉え、続いて同十八分には歓喜に沸く銀座街頭の録音を開始、六千人に垂々とする大音楽行進、並に廻り来た自転車隊の市中行進を収録しつつ、更に宮城前広場へ赴いた。戦捷を寿ぐ赤子の群は朝来ひきもきらず感激の万才を奉唱したのであるが、午後二時畏くも天皇陛下には二重橋に出御遊ばされ、民草の声を限りと呼ぶ万才に御挙手の御答礼を賜った。この時全広場を埋めた日の丸の旗の中から壮重なる君が代が沸き起り、録音係は涙しつつこの感激の録音に成功し『歓喜に沸く帝都』と題して放送した」294と記されている。

1942年3月8日にはラングーンからの「現地録音」として「シッタン河よりラングーン入城まで」という番組が放送されており、1942年4月8日には「シンガポール攻略戦」という番組も放送された。読売新聞では後者について「台湾放送協会ではさきにシンガポール攻撃の情景をマイクに収めるべく原田アナウンサーを班長とする録音班を派遣、一行は凄壮な要塞戦の実況録音に成功したが、このほど録音盤が到着したので本日夜六時二十分AKから放送する／内容は二月八、九、十の三日間ジョホールバル王宮内高塔およびコースウェー橋直前で友軍の砲声を背にして収めたもの、十五日午後三時五十分ブキ・テマ南方二キロの地点で味方砲兵陣地の四百メートル前方で録音したものおよび同日夕六時五十分ブキ・テマのフォード工場で行われた山下総指揮官とパーシバル中将の会見など歴史的なものばかりである」295と解説されている。

1942年4月9日に日本軍はフィリピンのバターン半島を占領する。1942年4月14日発のバターン前線からの特電として、「壮烈なバタアンの攻略戦下に宣伝班の作家、カメラマン、放送人などもいずれも前線将兵と労苦を共にし時に弾道下に身を曝しながらつぶさに第一線生活を体験した。これは文化人部隊のバタアン従軍報告書だ。作家では尾崎士郎、石坂洋次郎、火野葦平、上田広、澤村勉、寺下辰夫の諸氏、画家では向井潤吉、田中佐一郎、鈴木栄二郎の三氏がいずれも各部隊に配属されコレヒドールの爆撃行には四十を越えた尾崎氏など爆撃機に乗り込み敵高射砲の弾中に爆撃行三時間、その他の作家は大半地上部隊に配属され対敵宣伝と前線生活のルポルタージュを『南十字星』(宣伝班機関誌)や内地に送った」296と報じられている。

そして、この記事は「ナチブ山の激戦当時には石坂洋次郎氏など、一晩中敵砲弾に射たれ、壕の中の籾を食べに来た馬の鼻に寧ろ胆をつぶしたと

いう戦線ユーモアがある、哲学者三木清氏はマニラで『南十字星』に『兵隊の勇気について』などという論文を書いているが、十一日には前線視察にバタアンに来て蜿蜒たる捕虜の行進を眺めて感慨深そうだった／放送では松内（註・則三）アナウンサーが来て、バタアン総攻撃の折など、轟轟たるわが砲撃爆撃の音を現地録音、説明を吹き込んで、音からみたバタアン攻略戦を祖国に贈るという。はりきっているのは映画班澤村勉氏ならびに映画界出身の菊池少尉らとともに記録映画『バタン半島』を完成しようとしている」[297]と現地録音の予定などについても紹介されている。

　このバターン半島における録音は1942年4月15日に「バタアン半島総攻撃実況」と題した「現地録音」として放送されており、1942年4月19日にも「兵士座談会 ラングーン入城部隊」という「現地録音」が放送されている。なお、1942年8月20日には録音ではないものの東京とバタヴィアを中継した対談番組が放送されており、バタヴィアからは活弁や映画評論の松井翠声／作曲家の飯田信夫／作家の阿部知二が出演し、そして、東京からは菊池寛／堀内敬三／劇作家の高田保らが参加している。

| 敗戦 |

　「ラジオ年鑑」の1943年版では「更に携帯用小型録音装置の必要性に鑑み之が研究調査を為し、東北帝大電気通信研究所と協力による磁気録音機の研究、ブロック盤材料の研究に必要なる軟化油の化学的処理加工等の研究を行った」[298]と記されている。

　さらに「日本放送史」でも「朗読に現地録音を加えて、新しい構成をねらった『朗読と録音』もこの時期に生まれている。すなわち、昭和十八年（註・1943年）にはいって、防空・増産・輸送など各方面の実際の活躍ぶりを紹介するために、作家を現地に派遣して、その見聞記を放送にとり上げることとされた。同年五月二十六日放送『少年飛行兵の一日』の例をとれば、これは寒川光太郎の土浦航空隊見学記であるが、臨場感を出すために爆音や少年らの雄叫びなどの録音を間に入れると

いう手法がとられた。つづいて鶴田知也作『田植の村』、山本和夫作『海に生きる人々』など一連の『朗読と録音』が放送されている」[299]と解説されている。これらの記述から、このころは戦地での「現地録音」の機動性の向上や、さまざまな場所に出向いて録音を行う「朗読と録音」のような番組のため、とくに携帯用の小型の録音機の開発が進められていたようである。

　1943年9月8日にイタリアが降伏する。「日本放送史」には「大本営発表のうち、とくに重要なものについては（略）臨時ニュースあるいは定時ニュースの時間にとり上げられ、戦争初期のころは、その録音回数も多かったが、昭和十八年（註・1943年）九月、盟邦イタリアがヨーロッパ戦線から脱落するに至ったころを境として、その回数は次第に減少している」[300]と記されている。

　そして「ラジオ年鑑」の1947年版にも「ニュース的録音放送としての大本営発表は戦局不利になると共に九月以降次第にその回数を減じた。（略）記録的なものの内『勝利の記録』も（註・1943年）九月遂に第百輯をもって中止したのも戦況に左右されたものである。この反面国内の戦意昂揚を目的とする録音放送は益々増加して行った」[301]と指摘されている。こうして大本営発表の録音や海外での戦闘を報じる番組は戦況の悪化から敬遠されるようになり、大本営による「戦利の記録」という番組も1943年10月30日に放送された第98回をもって終了してしまったようである。

　1944年3月10日の陸軍記念日には「陸軍落下傘部隊」という「国内の戦意高揚」を目的とした番組が放送されている。この番組には日本放送協会報道録音隊というクレジットがあり、読売新聞の記事には「陸軍落下傘部隊の猛訓練実況録音を今十日夜八時二十分から初放送する／この録音は同協会から派遣した浅沼（註・博）放送員以下報道録音隊が録音機を機上に積込んで苦心録音したもの。空の神兵降下開始前後の真剣な気合が約四十分に亘って録音された長篇である」[302]と紹介されている。

　「ラジオ年鑑」の1947年版には、1944年度に行われていた録音放送の特徴として「派遣録音隊

による現地からの録音報道、構成録音は益々活況を呈した。即ち北千島の最先端幌筵島、占守島方面派遣の録音隊による八回に亘る現地報告の録音、南海派遣録音隊による護送船団の実況を伝える海防艦からの四回に亘る録音、ビルマ派遣録音隊の録音は何れも万難を排し困苦に堪えての記録であった。文化的録音としては世田ヶ谷区赤堤町々会に於ける稔る隣組菜園の品評会を収録したもの、創作ものとしては陸軍航空整備学校の生活に取材した鶴田知也作『翼に祈る』茨城県那賀郡静村の食料増産に取材した同じ作家の『戦さの村』等は音楽伴奏を自由に駆使して叙詩的味を豊富に盛り明るい作品として録音放送に新生面を拓いた」[303]と記されている。

1944年7月7日にはサイパンが陥落する。1944年7月22日に公開された「日本ニュース」の第216号によると、海軍報道部長の栗原悦蔵は1944年7月18日の大本営発表として「サイパン島の我が部隊は、7月7日早暁より、全力を挙げて最後の攻撃を敢行。所在の敵を蹂躙し、その一部はタポーチョ山付近まで突進し、勇戦力闘、敵に多大の損害を与え、16日までに全員、壮烈なる戦死を遂げたるものと認む。同島の陸軍部隊指揮官は、陸軍中将齋藤義次。海軍部隊指揮官は海軍少将辻村武久にして、同方面の最高指揮官、海軍中将南雲忠一、また同島において戦死せり」と述べている。

東京中央放送局の報道部にいた石毛乾次はこの発表について、「或る日重大な発表が海軍報道部からある旨、局の報道部に内示が来た、朝九時頃私は命ぜられて録音課の者三名と共に海軍報道部の一室に入った。(略)待たされること数時間。急に室内が色めき立って、ニュースの照明が強く照らし出される中を、時の人海軍報道部の平出(註・英夫は一九四三年七月に軍令部へ異動)大佐が現われた。(略)重々しく開いた発表は例のサイパン失陥、南雲中将以下の玉砕を伝えるものであった。その間僅かに三分弱(略)然しこの三分の録音の発表内容が、初めて戦局の逆転を当時の軍が国民に発表した歴史的なもの」[304]であったと指摘している。

1945年の録音放送について「ラジオ年鑑」の1947年版では「戦況全く悪化してから録音の取材範囲も極度に制約され、活動を阻まれて居たけれども、その悪條件下に苦労して収録した国内基地派遣録音隊からの現地録音に『特攻隊出撃状況』『我れ敵空母に突入す』があった」[305]と記されている。石毛乾次も「サイパンを失った我方の不利は覆うべくもなく、サイパンを基地にしての空襲が本格的に行われる様になった。幾梯団にも別れたB29の編隊は我方の防空情報も、対空砲火もてんで物ともせずに連日の様に日本の何処かを空襲した。人々は我国の防空態勢の在り方に不満を持ち始めた、不信を持ち始めた。そこで我々は、この防空態勢の尖兵ともいうべき防空監視哨の活動を収録すべく、関東地方の某地へ出向いた」[306]と発言している。

石毛らは十万人が死亡し、百万人が負傷したとされる1945年3月10日の大空襲に遭遇したようである。石毛は「灯火管制中の真暗な監視哨本部の一室、全神経を耳に集中して活躍する本部員達の活動を、室の一隅にかすかな懐中電灯を時々明滅して録音を切ってゆく録音班、その数多く鳴る電話のどの辺が最もその状況をよく伝えることが出来るか、それはテストも何も出来ないとっさの現象を次々と捉える。勿論やり直しは許されない。見る見る中に切られた円盤が次々と重ねられてゆく。録音班は切られてゆく円盤を凝視し、レシーバーを通して聞えてくる音に全神経を尖らす。カッティングのサファイアの針がちょっとでもかければ、一瞬の音を録音不能とする。およそ外の激しい戦斗状態とは対照的な冷静な、かつ緊張の時間がどの位続いたか知れなかった」[307]と述べている。そして、大空襲後の混乱のなか、石毛らは焼け跡を歩くなどして局へと帰還し、1945年3月13日にはこの録音を用いた番組が放送されたようである。

東京中央放送局の現業部の副部長であった近藤泰吉は「昭和二十年(註・1945年)八月十四日の午前十一時頃、重要録音を宮内省にとりに行くから午後二時頃までに準備するようにと、荒川(註・大太郎)技術局長からのお話で早速技術者は私のほか、長友俊一、村上清吾、春名静人、玉虫一雄の各氏五名とし、録音装置一式を準備して二時三十分頃、大橋(註・八郎)会長、矢部(註・謙次郎)国内局長、荒川技術局長の車の後に続いて内幸町の

放送会館を出発した。(略)坂下門から宮内省に入った。(略)直ちに定められた部屋に機械とマイクロホンを設置し、五時頃までには技術的準備を完了した。(略)御政務室には縦型スタンドにベロシティマイクロホン一個を設置し、隣室拝謁の間には、円盤式録音器二組と音声増幅器、再生装置一組ずつを設置した。(略)無事録音も済んだので、最初の控え室へ機器を撤収したのが夜中の十二時三十分頃かと思う。(略)放送会館も同時刻に、別動反乱軍によって占拠され、放送を強いられ苦境に出会ったとのことであるが(略)朝七時頃将校が来て『皆さんご苦労様でした。どうぞお帰りください』と解放された。(略)会館へ到着したときは、会館の内外は正規軍によって厳重に警備されていた。御詔勅の録音放送は二階第八スタジオからと決まり、すべての技術的準備は午前十時頃には完了した」[308]という証言を残している。こうしていわゆる玉音放送という録音による放送によって、太平洋戦争は敗北による終結を迎えたことが国民へと伝えられたのであった。

| 大阪中央放送局 |

1938年4月ごろの大阪中央放送局では「レコード放送本格化」[309]が始まっていたという。たとえば1938年8月21日に放送された「日曜特輯ニュース演芸」では5つのニュースが報じられており、①「歓迎ヒトラー・ユーゲント」として「万歳ヒットラー・ユウゲント」[310]のレコード、そして、②「青年学校国防自転車行軍の出発」と、⑤「非常時下全国中等学校野球優勝戦」が録音によって放送されている。

さらに辻好雄はこうした放送局員の録音による番組だけでなく、「効果音レコードはBKでも使い始めていて、輸入盤の汽車、汽船、自動車、動物の鳴声など種類は少ないが、いづれも実音を収録して吹込まれているので、重宝がられて大切に扱われていた。また国産のレコードもあったが、その殆んどが擬音を吹込んだもので評判はよくなく、伴奏用の音楽以外はあまり使われていなかった」[311]という証言を残している。すなわち、ラジオ・ドラマなどにおいては、現実音の収録された

外国製の効果音レコードが使用されていたことが分かる。

さらに辻は「擬音の手法は一見すると、簡単で誰でも出来るように見えるが、それぞれに微妙なテクニックが必要とされた。(略)上手な擬声、擬音は録音盤に収録されてレコードとなり、効果音レコードの種類も徐々に増えてきていた。／当時、効果音レコードの吹込み、補充盤の作成は、京橋の川沿いにあった邦楽同好会の録音所で行われていた。川向うに造幣局が見える静かな所だった。(略)効果の仕事もドラマ番組の拡充によって、従来の擬音だけでは処理できなくなり、効果音レコード、劇伴のレコードが多く使用されるようになってきていた。したがってレコードの再生は効果マンにとって必須の技術となったのである。大きな電蓄をスタジオの中に持ち込んで、マイクの前で再生するのである」[312]と述べている。すなわち、このころの大阪中央放送局でも擬音からレコードへと効果音のありかたは変化しつつあったものと思われる。

吉田太郎によると「和田（註・精）さんから、従来のような仕事の在り方では、技術も身につかないし人も育たないので、局と契約をした専門家の効果グループを育成していきたい」[313]という打診があったという。こうして吉田と板垣重信の参加により「音研社」が発足することとなる。辻は音研社について「大阪で始めての効果グループ音研社が誕生したのであった。大阪中央放送局内に事務所を置き、代表者の板垣重信がBKと効果業務に就いて契約をした。(略)吉田太郎、寺山喜作、楠健、藤井勝三郎、木村守也、阪上都一、相馬英二郎、等の人達が専門家グループとして出発」[314]する流れになったと述べている。1940年9月26日には波島貞の作、榎本健一らの出演による「ラジオ小咄」が放送されており、「報国債権」「新婚旅行」「喧嘩友達」「ノビル」「うっかり喋舌るな」という5つの小咄が放送されたようである。大阪中央放送局の局史によると、この番組に「初めて、『効果・音研社』とある。事務所はBK内。おそらくその直前に音研社が結成されたと思われる」[315]と記されている。

さらに辻は1941年3月に「音研社としても局の要望もあり、思いきって新人の育成に方針を決め

（略）広く一般から若い研究生の募集を行うことになった。（略）そして試験の結果、田中利雄と辻好雄の2名が選ばれた」[316]という。そして「新人の2名も（註・1941年）5月から参加していたが、戦局が拡大するに従って兵役に服する人も出てきて、音研社は板垣重信、楠健、相馬英二郎、阪上都一、辻好雄、田中利雄、等で、ベテランの吉田太郎は官憲に追われる身となり、演劇の仕事から一時離れざるを得ない状況にあった。／この頃の、擬音の用具と用法に就いては、和田精の指導で研究されつくし、殆んど開発されていて『擬音で出来ない音は無い』と云う和田精は、その表現技術に関しては特に厳しく訓練を要求した。勉強会ではまずテーマが与えられると、その発音体を構成する音の分解から始まる、ひとつひとつ抜き出した音の成分の取捨選択が行われた後、各自その音の特性を活かした擬音を考えて、そして演技をする。それぞれの分解された擬音が出来上ると、これ等を合成して一つの発音体に仕上げる、という訓練が課せられた」[317]という証言を残している。この発言から効果音はレコードを利用する方向のみに移行したのではなく、和田による擬音の教育も活発に行われていたことが分かる。

　1943年6月13日に「傷病将士慰問の午後」という大阪陸軍病院からの中継を含む番組が放送されており、第1部の安西冬衛の作による「詩朗読」、第2部の軍歌の歌唱による「独唱」、そして、第3部の菊池寛の作／北村喜八の演出／大阪放送効果団の効果による「劇『海ゆかば』」から構成されていた。大阪中央放送局の局史によると、1943年5月に「音研社を発展的に解消して、大阪放送効果団を結成した。そのころは新劇は活動出来なくなっており、その関係者も数名参加している。（註・1943年）六月十三日に放送のドラマ『海ゆかば』で、初めて番組表に『効果・効果団二名』[318]のクレジットがあると記されている。
　辻も大阪放送効果団が結成される経緯について、「18年（註・1943年）5月、大阪放送効果団の誕生、専属放送出演団体の育成の方針に沿って、BKではすでに劇団が、和田精の指導で育ち放送に出演、スタジオ外の公演と活躍しているが、劇団に続いて効果団が、局員関係者の努力によって

遂に結成されたのである。和田精の多年の念願であり、入局以来、効果と演出の技術の開拓に努力を重ね、また、後継者の養成に音研社を指導し、そしてこれを母体として効果団に発展してきたのである。結成時に参加したのは、板垣重信、相馬英二郎、辻好雄の、僅か3人で、BKの効果の発展に努力をした吉田太郎の名が見られないのは惜しまれることであった。其の後、鎌田実（新劇）、吉川保次郎、堀場広三郎（新劇）、滝村哲夫（BK合唱団）、荒川秋夫、作本秀信（新劇）と入団し、この人達によってBKの効果の技術は継承されていった」[319]と述べている。

　なお、大阪中央放送局で和田精が仕事を開始した1930年1月以降、ラジオ・ドラマなどの効果として和田の名前がクレジットされている資料はあまり見当たらない。しかし、1943年5月の大阪放送効果団の結成時には板垣／相馬／辻の三人しか参加していなかったという証言にあるように、人手不足に陥っていたものと思しき大阪中央放送局では、それまで裏方に徹していた和田の名前がしばしば登場するようになる。1943年8月13日には白崎圭而の作／和田精の演出による短編劇「虹」、1943年12月1日には森本薫の作／和田精の演出による放送劇「ますらをの伴」、1944年2月13日には知切光才の作／和田精の演出による放送劇「波かげろう」、そして、1944年3月2日には吉川英治の作／菊田一夫の脚色／長谷川良夫の作曲指揮／和田精の演出／大阪放送管弦楽団の演奏による放送劇「三国志（大江の砦）」といった番組が放送されている。
　しかし、1944年3月ごろに和田は大阪中央放送局を解雇されることとなる。後年の新聞記事によると「昭和十九年といえば、まだ連合軍との本土決戦が叫ばれているときだが、春びよりの、桜の花のつぼみもこれでほころびるのではないか、と思われるようなある日、相変わらず暗いスタジオの中でマイクをいじっていた和田精氏のもとに、突然、放送部長から呼び出しがかかった。やっぱりきたか……そう思った和田氏は『放送部長、ということだけで、なんという人か名前も知らんのだがね。彼おれを連れてこいといったときどんな顔をしていた？　笑っていたかね、それともきつ

い顔だったかね』ときいた。が、呼びにきた少年は返事をしなかった」[320]という。

　続いてこの記事には「たぶんガダルカナル行きだろう……和田氏は廊下を歩きながら、こんどはそう自分にいいきかせた。ガダルカナル作戦に成功すれば、ついでオーストラリアに上陸し、と同時に、そこの放送施設を接収して、直ちに放送を始めるための特別要員に、すでに指定されていた。だから、放送部長に呼び出されてもあわてなかったし、あきらめも早かった。陸軍士官学校出身で、軍から派遣された放送部長は、伸びたツメをナイフで切り落とす作業をすることで、和田氏の現れるのを待っていた。／『君、すまんがきょう限りでやめてもらいたいんだ。時局がら、君にやってもらうような仕事はないしな』／放送部長からのその解雇通告は和田氏にとって意外だった。しかし、放送部長は解雇通告を終えるときびすを返してへやを出ていってしまった。会計で受け取った名目上の退職金は九千数百円。和田氏以外の七、八人も、やはり会計で退職金を受け取っていた。和田氏はその足でスタジオに戻り、やりかけの仕事をすますと、部下に解雇されたことを告げ、わずかな私物をかかえて、たったひとりで局を出た」[321]と記されている。こうして1925年8月の「炭坑の中」以来、ラジオにおける音響の開拓を推進してきた和田は、放送の仕事から一時的に離れてしまうこととなった。

| 仙台中央放送局／名古屋中央放送局 |

　1938年5月に日本放送出版協会から発行された「技術参考資料」には、長崎放送局の近藤重幸らによる「金属盤録音に就いて」という文章が掲載されている。近藤らは「当局では夙に録音を擬音の補助として利用して見度いとの極く消極的な要求から、現在最も手に入り易い市販の金属盤を使用する録音を行い相当の実用効果を挙げて居る。（略）現今我国で市販の録音盤は、ガルバー盤と称して、アルミニューム板へ或或種の焼附乾燥塗料を塗布したものと、アルマイト盤と称して、アルミニューム板の表面を酸化せしめたものとの2種類が挙げられる。（略）当局でも此の2種類の盤を

使用して居るのである」[322]と述べており、当時の長崎放送局では金属盤をメディアとして使用する円盤型録音機が使用されていたことが分かる。

　しかし、金属盤による録音は「収音量低く、再生時間も短い。又音質上では、周波数特性は幾分補償し得ても限度があり（略）録音放送の名目で放送の主体になすことは考えものである。就中音楽講演には殆ど使用不可能と見てよい。然し幾分でも噪音を伴う実況録音にならばどしどし使用することが出来る。当局での実用例を挙げると／出征駅頭風景、提灯行列、ペーロン競争（註・長崎で行われる船競漕）、精霊流し、凧上げ風景、野球放送、花見茶屋風景、チンドン屋行進、大売出し商店街、港風景、進水式、小学校の教室、各種祭礼催、お囃し／等である。（略）放送に使用しない目的、即ち、アナウンサーや出演者の練習用、或は記録保存用の為ならば、殆ど総ての場合に利用し得られ、実際に悦ばれつつある」[323]と記されている。この記述からこの時点での長崎放送局における金属盤での録音は、音楽や講演などに使用できるほどのスペックを持たなかったことが分かる。

　1938年8月16日には仙台中央放送局から「捕鯨実況」という番組が放送されている。放送当日の新聞記事では「金華山沖の捕鯨実況放送はHK（註・仙台放送局）多年の懸案であったが、先月十三日HK猪川放送部長は技術員と共に林兼商店捕鯨部の長門丸に乗船宮城県鮎川港を出発し下調査に出かけ十四日午前七時半鮎川港を距る百浬の洋上で二頭の鰹鯨を発見その一頭を射止めたが船員の活動、波涛に鯨を追う情景等十分効果的に録音し得る自信を得たので、去る十日改めて録音機を携え午前五時利丸に乗船鮎川港を出発、同日午後洋上に抹香鯨の大群を発見するや、僚船関丸と連絡をとりつつ見事数頭を射止めた、その情況を島野アナウンサーに依って録音したが、太平洋上激浪を切って逃げ惑う鯨群を追う情景や巨鯨の潮吹き、砲手のモリ発射の音響等瞼に浮ぶ洋上のスリルは暑熱をけし飛ばす万斛の涼味となるであろうし鯨代用品時代の叫ばれている折柄『時の話題』としても興味深いものがある」[324]と記されている。

　この録音には第4章でも触れた磁気録音機が使用されていたようであるが、「日本放送史」には

「鋼帯式磁気録音機についても、日本電気、安立電気等で国産化が計画され、また東北大学附属通信研究所でかなり熱心に研究が進められたが、放送用として充分使用に堪えるものは出来上らなかった。ただ（略）仙台での捕鯨の実況放送、その他に使われたことがある」[325]と記されており、こちらもさまざまな番組で使用できるほどのレベルに達することはなかったことが分かる。

1938年9月に発行された「技術参考資料」には、札幌中央放送局の技術局技術部の森延光による「残響附加装置に就て」という文章が掲載されている。森は「厚さ1.7 cm幅29 cm長さ360 cmの木板により、25.5 cm角の細長き木函を拵え、一端にRola PM 8型ダイナミック拡声器を置き、この拡声器より330 cm離れて協会MHマイクを」[326]設置して残響を付加する実験を行っている。森は実験の結果、「遅延装置として音響管を用うることは、相当大なる遅延時間を比較的簡単に得られ、又音響管自体の残響もあるので、この点に於て大なる利点もあるが、その周波数特性の良好なるものを得難」[327]かったと述べており、この問題を解決するには優れた磁気録音機の使用が必要であると指摘している。

名古屋中央放送局の酒井正宏は「昭和十五年（註・1940年）頃には、日本のメーカーでも（註・円盤型録音機を）製造しCK（註・名古屋中央放送局）にも配備されていた。私が入局した十八年（註・1943年）には、既に電音製の据置兼可搬型録音機一式があった。電源部、増幅部、ターンテーブル二台が一式で重量は一〇〇kgくらい回転数七十八回転、二十五センチ円盤で約二分三十秒間録音が出来た。（略）収録したものを、再生するときも涙なくしては語れない。片面約二分半の円盤は、長時間録音になると二十〜三十枚にもなる。これを決められた放送時間内枠に編集するのである。編集といっても現在の様に、ダビングしたり、切ったり張ったりすることは出来ず、一面の途中から三面へ、三面の表から五面の裏へと云った綱渡り作業である。／街頭録音、放送討論会などの録音構成と云った番組は、黄鉛筆で編集点を指示した円盤が机の上に山と積まれ、PD（註・プログラム・ディレクター）が順次手送りで再生していくのである。録音構成ものはこのほかにブリッジ音楽、効果音、ナレーターなどが入り、再生機の台数も二、三台、技術者も三、四名になることもあった。放送中は手に汗がにじみ全身冷や汗の連続で無事終了すると、PDも記述者も虚脱状態がひととき続いた」[328]という証言を残している。こちらの酒井の発言から、地方の放送局においても国産の録音機を使用した番組が急速に増えていったことを確認することができる。

111

1　後藤暢子『山田耕筰 作るのではなく生む』ミネルヴァ書房（2014年8月）364頁

2　註1、365頁

3　山田耕作「『ディスク芸術』と文化浪花節」『東京日日新聞』（1932年1月15日）5面

4　註3に同じ。

5　註3に同じ

6　註3に同じ

7　註3に同じ

8　伊福部昭『音楽入門』現代文化振興会（1985年5月）1頁

9　無記名「長唄と管絃楽が握手し新和洋合奏誕生す」『読売新聞』（1934年3月28日）15面

10　山田耕作「新しい日本音楽誕生の鍵」『読売新聞』（1934年3月28日）15面

11　山田耕筰「ディスク芸術・トーキー・その他」『月刊楽譜』21巻4号（1932年3月）5頁

12　日本放送協会編『日本放送協会史』日本放送出版協会（1939年5月）214頁

13　註12、225頁

14　山田耕筰「音楽家の新しき職場」『トオキイ音楽』1巻1号（1934年2月）7～8頁

15　長谷川良夫「音楽と機械に関する現場報告」『音楽研究』3号（1936年4月）16頁

16　註15、16～17頁

17　註15、18頁

18　註15に同じ。

19　日本放送協会編『ラジオ年鑑 昭和9年』日本放送出版協会（1934年6月）20頁

20　日本放送協会編『ラジオ年鑑 昭和10年』日本放送出版協会（1935年5月）145頁

21　註12、33頁

22　日本放送協会編『日本放送史』日本放送協会（1951年3月）641頁

23　註22、646～647頁

24　註22、654頁

25　無記名「三巨匠が三ヶ所で名曲『松竹梅』合奏」『読売新聞』（1934年8月25日）7面

26　註25に同じ。

27　註20、197頁

28　多賀久生「磁気録音装置に就て」『電気工学』23巻9号（1934年9月）5頁

29　註28、8～9頁

30　註28に同じ。

31　註20、192頁

32　日本放送協会編『ラジオ年鑑 昭和11年』日本放送出版協会（1936年6月）81頁

33　註32に同じ。

34　註32、79頁

35　小林徳二郎「ラジオドラマの演出と効果」『放送』6巻10号（1936年10月）51頁

36　註35、51～52頁

37　加藤幹郎『日本映画論 1933－2007 テクストとコンテクスト』岩波書店（2011年10月）330頁

38　蓮實重彦『映画の神話学』泰流社（1979年1月）266頁

39　関重広「欧米照明行脚 追記」『マツダ新報』23巻9号（1936年9月）38頁

40　註39、38～39頁

41　無記名「新楽器の紹介演奏 多種多様の音色を出す」『東京朝日新聞』（1935年2月26日）8面

42　註32、62～63頁

43　無記名「マグナオルガン 国産電気楽器の初演」『読売新聞』（1935年12月10日）15面

44　無記名「扉のマグナオルガンの解説」『無線と実験』22巻12号（1935年12月）47頁

45　小幡重一「機械音楽の将来」『音楽研究』3号（1936年4月）10～11頁

46　註45、11頁

47　無記名「ハモンドオルガン初放送 パーカー女史が独奏」『読売新聞』（1936年7月2日）10面

48　註20、16頁

49　註20、25頁

50　註20、25～26頁

51　註20、26頁

52　註32、64頁

53　註32、64頁

54　註32、65頁

55　無記名「擬音が今夜の主役 岡本一平作『いろは歌留多』を放送」『読売新聞』（1935年12月19日）15面

56　註55に同じ。

57　註55に同じ。

58　江口高男「黄綬褒章を受賞して」『響』2号（1961年11月）4頁

59　無記名「放送の研究会 AKに演出効果と擬音の」『読売新聞』（1936年2月9日）7面

60　註58に同じ。

61　無記名「慰安放送擬音研究会始まる」『放送』6巻5号（1936年5月）7頁

62　註61に同じ。

63　無記名「擬音の新手 空箱一つでラジオの戦争」『読売新聞 夕刊』（1936年8月7日）3面

64　日本放送協会編『ラジオ年鑑 昭和12年』日本放送出版協会（1937年5月）40頁

65　註64に同じ。

66　註64、41頁

67　註64、41～42頁

68　日本放送協会放送史編修室編『日本放送史 上巻』日本放送出版協会（1965年1月）440頁

69　註68、441頁

70　五十嵐悌二「東京オリンピック大会と磁気録音機」『ワット』9巻10号（1936年10月）45頁

71　上野七夫「テレフンケン放送機を輸入」『放送技術』3

巻3号（1950年3月）9頁

72　註22、960頁

73　註68、460頁

74　註68、460〜461頁

75　日本放送協会編『ラジオ年鑑 昭和15年』日本放送出版協会（1940年1月）204〜205頁

76　註75、205頁

77　オーディオ50年史特別編集委員会編『オーディオ50年史』日本オーディオ協会（1986年12月）445頁

78　註77、446頁

79　註77、448頁

80　並河亮『もうひとつの太平洋戦争』PHP研究所（1984年4月）40頁

81　註80、51頁

82　註80、55頁

83　註80、55〜56頁

84　註80、56〜57頁

85　北村喜八「実況放送演劇化の問題」『放送』6巻4号（1936年4月）51頁

86　註85、53頁

87　註85、55頁

88　註85、55頁

89　無記名「抒情歌劇『夢』本居長豫氏会心の作を指揮」『読売新聞』（1936年4月27日）10面

90　河上徹太郎、唐端勝、諸井三郎「ラジオ・オペラを語る会」『放送』6巻5号（1936年5月）42頁

91　註90、45頁

92　註90、45頁

93　註35、52頁

94　無記名「立体放送のオペレッタ 朝から晩まで」『読売新聞』（1937年4月9日）10面

95　註94に同じ。

96　柳橋歌丸、柳橋富勇／さくら音頭 c/w 赤坂小梅／さくら音頭／Japan／SP／コロムビア／27757／1934.04

97　小唄勝太郎、三島一声、徳山璉／さくら音頭／Japan／SP／日本ビクター／53003／1934.02

98　註94に同じ。

99　浅草〆香、新橋喜代三、玉野小花、東海林太郎／さくら音頭／Japan／SP／日本ポリドール／2050／1934.05

100　註94に同じ。

101　日本放送協会編『ラジオ年鑑 昭和13年』日本放送出版協会（1938年6月）117頁

102　註68、461頁

103　石井登志雄「長崎局の録音放送」『放送』7巻7号（1937年7月）44頁

104　註22、781頁

105　註68、461頁

106　註68、462頁

107　註68、462頁

108　註77、457頁

109　初見五郎「録音放送に就いて」『ラジオの日本』25巻4号（1937年10月）9頁

110　無記名「時局ラジオに反映！ 頽廃軟弱プロを排撃 演芸にも指導精神」『読売新聞』（1937年7月25日）10面

111　註110に同じ。

112　註110に同じ。

113　註110に同じ。

114　註22、831頁

115　読売新聞 昭和時代プロジェクト『昭和時代 戦前・戦中期』中央公論新社（2014年7月）350頁

116　南利明「泪のトレモロ 草創期の録音放送」『NHK文研月報』29巻8号（1979年8月）46頁

117　註68、345頁

118　註116に同じ。

119　註116に同じ。

120　技術局技術部現業課「我が録音放送の現状と将来」『放送』9巻2号（1939年2月）31頁

121　無記名「涼を呼ぶ特輯プロ 水十夜」『読売新聞』（1937年8月2日）10面

122　註121に同じ。

123　無記名「擬音入管絃楽『空襲』」『読売新聞』（1937年8月20日）10面

124　註123に同じ。

125　註123に同じ。

126　註123に同じ。

127　無記名「上海は陸戦隊活躍 天津は陣中餅搗、街頭風景」『読売新聞』（1937年12月30日）10面

128　独活山万司「録音放送の史的展望」『放送研究』2巻6号（1942年6月）38頁

129　註116、48頁

130　註128、35／37頁

131　奥屋熊郎「OBが語るBKのあゆみ」（1962年7月6日録音）

132　和田精「放送に於けるミクシング」『放送』6巻6号（1936年6月）19頁

133　註132、19〜20頁

134　註12、222頁

135　註132、20頁

136　註132、20〜21頁

137　註131に同じ。

138　辻好雄「BKの効果を探る ラジオドラマの進展と共に」NHK近畿本部芸能部編『BKドラマ年表 1期大正14年〜昭和20年』NHK近畿本部芸能部（1979年3月）150頁

139　註138に同じ。

140　無記名「ニュース演芸」『大阪朝日新聞』（1935年5月26日）11面

141　註116、43頁

142　無記名「BK文芸課編輯のニュース演芸」『読売新聞』（1935年7月7日）10面

143 註22、960頁

144 塩沢茂「人物でつづる放送史 13 ラジオ・ドラマと和田精氏 中」『東京新聞』(1965年2月25日)11面

145 註138に同じ。

146 註138に同じ。

147 大岡欽治「関西における戦前プロレタリア演劇の研究49」『演劇会議』62号(1986年4月)54頁

148 註147、58頁

149 田中文雄『神を放った男 映画製作者田中友幸とその時代』キネマ旬報社(1993年12月)18頁

150 無記名「マイクが描く歓楽街 ラジオ風景 新京極夜曲」『大阪朝日新聞』(1935年6月24日)14面

151 註132、21頁

152 註132、21頁

153 註132、21頁

154 註132、21頁

155 無記名「ショパンの名作を編む 愛の葬送曲」『大阪朝日新聞』(1935年10月17日)9面

156 註132、18頁

157 註11、3頁

158 宮川美子／遙かなるサンタルチア c/w ジプシーの唄 / Japan / SP / 日本コロムビア / 35335 / 1932.12

159 註11、3頁

160 註132、18頁

161 註132、18頁

162 Fyodor Chaliapin、近藤柏次郎訳『シャリアピン・自叙伝』春陽堂(1931年2月)

163 矢部謙次郎「御召艦上より光栄の放送を終って」『大阪朝日新聞』(1936年10月30日)7面

164 無記名「夜は録音放送 海陸夜の盛観実況と共に」『読売新聞』(1936年10月29日)10面

165 註68、461頁

166 註131に同じ。

167 註64、17頁

168 註22、680頁

169 註138、150〜151頁

170 註12、224頁

171 無記名「ギリシャ悲劇の復活 交響劇詩『ダビデ王』」『読売新聞』(1937年6月2日)14面

172 註12、224頁

173 註20、195頁

174 註20、199頁

175 註20、202頁

176 註22、967頁

177 齋藤基房「長崎放送局の録音装置」『放送』7巻9号(1937年9月)69頁

178 註116、45頁

179 註103、51頁

180 註103、51頁

181 註103、51頁

182 註103、51頁

183 註177に同じ。

184 註116に同じ。

185 註116に同じ。

186 註116に同じ。

187 新潟放送局「録音放送『夏まつり越路風景』」『放送』7巻9号(1937年9月)65頁

188 註187、66頁

189 仙台中央放送局技術部「磁気録音に就て」『技術参考資料』33号(1938年5月)131頁

190 無記名「針金に音を吹込む 永井健三博士のお話と実験」『読売新聞』(1937年12月10日)10面

191 註189、132頁

192 註189、132頁

193 無記名「戦争オーケストラ 二百五十人の大合唱隊で放送」『東京朝日新聞』(1938年2月5日)11面

194 無記名「交響曲『昭和讃頌』大掛りな戦画譜放送」『東京朝日新聞』(1938年2月11日)10面

195 無記名「音楽が描く戦争画譜 交響曲『昭和讃頌』」『読売新聞』(1938年2月11日)12面

196 無記名「ハモンドオルガン最初の独奏 杉井幸一」『東京朝日新聞』(1938年3月17日)10面

197 関重広「電気で音楽 電気楽器」『科学ペン』3巻5号(1938年5月)66、68頁

198 無記名「照明学校の新設備」『マツダ新報』23巻4号(1936年4月)32頁

199 註197、67〜68頁

200 「朕帝国議会の協賛を経たる輸出入品等に関する臨時措置に関する法律を裁可し並に之を公布せしむ」『官報』3208号(1937年9月10日)260頁

201 註12、227頁

202 無記名「国産録音放送に凱歌 両学徒のコンビで完成」『東京日日新聞』(1938年6月4日)11面

203 註101、7頁

204 註101、147頁

205 註68、471頁

206 無記名「諸行無常の響解剖 名鐘を録音・歴史的、科学的に説明」『読売新聞』(1938年8月12日)6面

207 日本放送協会技術研究所編『日本放送協会 放送研究所三十年史』日本放送協会(1961年8月)24頁

208 関重広「ラジオへの註文」『学士会月報』609号(1938年12月)35頁

209 無記名「『武漢三鎮攻略まで』戦況録音を編輯再放送」『読売新聞』(1938年11月2日)6面

210 註75、135頁

211 註75、135頁

212 深井史郎、今村太平、寺尾幸夫、道源勇、下永尚、時実象平、菅貞義「トーキー音楽と録音について」『映画と音楽』2巻6号(1938年8月)34頁

213 註212に同じ。

214 註212、40頁

215 註212、41頁

216 長門洋平『映画音響論 溝口健二映画を聴く』みすず書房（2014年1月）287頁

217 註216に同じ。

218 無記名「『激流』野心的なドラマ 演出は青山杉作氏に依嘱」『読売新聞』（1938年11月17日）6面

219 註75、162頁

220 真船豊「ラジオ・ドラマ『激流』の研究 作者として」『放送』9巻1号（1939年1月）65〜66頁

221 註220、66〜67頁

222 青山杉作「ラジオ・ドラマ『激流』の研究 演出者として」『放送』9巻1号（1939年1月）68頁

223 註222、69頁

224 註68、330頁

225 日本放送協会編『ラジオ年鑑 昭和16年』日本放送出版協会（1940年12月）220頁

226 技術局技術部現業課「我が録音放送の現状と将来」『放送』9巻2号（1939年2月）31頁

227 註68、462頁

228 註226、37頁

229 註226、34頁

230 註226、34頁

231 註226、33頁

232 註226、33頁

233 註226、33頁

234 註68、472頁

235 米馬貴士「放送音は良くなった、が？ 放送会館落成記念プロを聴いて」『読売新聞』（1939年5月17日）6面

236 註235に同じ。

237 無記名「AK第一スタジオでマイク三個を使用して放送」『読売新聞』（1939年5月17日）6面

238 註225、135頁

239 註22に同じ。

240 無記名「ラジオに時局色『第一』『第二』放送の名称も変へ」『読売新聞』（1939年11月17日）6面

241 註240に同じ。

242 無記名「『録音ニュース』新設 汪兆銘氏の演説や本社の陸上競技等」『読売新聞』（1939年10月8日）6面

243 註68、461頁

244 阿部美春「国産円盤録音機物語 その1 デンオンの誕生」『JAS Journal』43巻7号（2003年7月）39頁

245 註75、204頁

246 註75、201頁

247 註75、205頁

248 山口三郎「録音編輯再生の技術的問題 下」『放送』10巻3号（1940年3月）56〜57頁

249 無記名「録音と擬音競演 水の変態を描く『水づくし』」『読売新聞』（1940年5月17日）5面

250 無記名「奥武蔵高原の伊豆ヶ嶽 新趣向の『録音ハイキング』」『読売新聞』（1940年5月17日）5面

251 註225、222頁

252 註225、220〜222頁

253 註225、222〜223頁

254 註225、221頁

255 註225、223頁

256 岩淵東洋男『わたしの音響史 効果マンの記録』社会思想社（1981年2月）49頁

257 日本放送協会編『ラジオ年鑑 昭和17年』日本放送出版協会（1941年12月）86頁

258 無記名「ラジオ全国放送」『読売新聞』（1941年1月5日）5面

259 無記名「ニュース放送 9月 録音一ヶ月」『放送』10巻10号（1940年10月）32頁

260 註259に同じ。

261 星偵兵衛、上杉光雄、蓮池正「残響の合成に関する研究」『技術調査及研究報告』63号（1941年3月）12頁

262 註261、26頁

263 註257、103頁

264 註257、178〜179頁

265 註225、107頁

266 註225、107頁

267 註225、107頁

268 註225、107頁

269 無記名「放送に新録音機」『朝日新聞 夕刊』（1941年3月27日）2面

270 註257、234頁

271 註257、232頁

272 註22に同じ。

273 註22、783頁

274 東條英機「第七十七回帝国議会に於ける内閣総理大臣演説」『帝国議会関係雑件 議会ニ於ケル総理外務大臣ノ演説関係 第八巻』外務省（1941年11月）583頁

275 註257、102頁

276 註257、104頁

277 註257、105頁

278 註257、105頁

279 註257、106頁

280 註257、233頁

281 註257、233頁

282 註257、233頁

283 註257、233頁

284 日本放送協会編『ラジオ年鑑 昭和18年』日本放送出版協会（1943年1月）34頁

285 註284、35頁

286 昭和天皇「勅書」『官報 号外』（一九四一年十二月八日）1頁

287 註22、963〜964頁

288 註284に同じ。

289 註284に同じ。

290 無記名「電波に轟く爆撃 香港攻略の実況放送」『朝日新聞』（1941年12月25日）4面

291 註284、35頁

292 註284、36頁

293 註284、36頁

294 註284、36〜37頁

295 無記名「凄壮シンガポール 今夜要塞戦の実況録音放送」『読売新聞』(1942年4月8日)3面

296 無記名「文化部隊も進撃 比島第一線にズラリ作家群」『朝日新聞』(1942年4月15日)4面

297 註296に同じ。

298 註284、191頁

299 註68、549頁

300 註68、572頁

301 註284、58頁

302 無記名「『空の神兵』放送」『読売新聞』(1944年3月10日)3面

303 日本放送協会編『ラジオ年鑑 昭和22年』日本放送出版協会(1947年9月)58〜59頁

304 石毛乾次「録音放送 取材の思い出」『放送文化』9巻1号(1954年1月)44頁

305 註303、60頁

306 註304に同じ。

307 註304、44〜45頁

308 近藤泰吉「『終戦玉音放送』深夜録音の思い出」『我が放送人生 放送七十周年記念』NHK中部旧友会(1995年)4〜5頁

309 NHK近畿本部芸能部編『BKドラマ年表 1期 大正14年〜昭和20年』NHK近畿本部芸能部(1979年3月)97頁

310 藤原義江／万歳ヒットラー・ユウゲント / Japan / SP / 日本ビクター蓄音器 / J-54394 / 1938.09

311 註138、151頁

312 註138、152頁

313 註138、152頁

314 註138、153頁

315 NHK大阪放送局七十年史編集委員会編『こちらJOBK NHK大阪放送局七十年』日本放送協会大阪放送局(1995年5月)184頁

316 註138、153頁

317 註138、154頁

318 註315に同じ。

319 註138、156頁

320 塩沢茂「人物でつづる放送史 14 ラジオ・ドラマと和田精氏 下」『東京新聞』(1965年2月26日)11面

321 註320に同じ。

322 近藤重幸、齋藤基房「金属盤録音に就て」『技術参考資料』33号(1938年5月)132頁

323 註322、137頁

324 無記名「洋上のスリル満喫 金華山沖 捕鯨実況録音」『読売新聞』(1938年8月16日)6面

325 註22、963頁

326 森延光「残響附加装置に就て」『技術参考資料』36号(1938年9月)274頁

327 註326、275頁

328 酒井正宏「思いで話『円盤録音機』」『我が放送人生 放送七十周年記念』NHK中部旧友会(1995年)29〜30頁

Tolerance

tolerance/anonym

GALERIA ORICOS, FLORENCIA

tolerance/anonym
SIDE A
Two owls
I wanna be a homicide
osteo-tomy
JUIN-Irénée
anonym

SIDE B
laughin in the shadows
through the glass
tecno-room
Voyage au bout de la nuit

personnel
synthesizer with electronic echo unit,
piano & voice : junko tange
effective guiter : masami yoshikawa
dedicated to the quiet men from a tiny girl

Original 1979 reel-to-reel tapes transferred by
Any Sound Studio
Premastered by Soichiro Nakamura at Peace Music
Mastered by Stephan Mathieu
Cut by Josh Bonati

Printed and pressed by Gotta Groove
Layout by Dan Selzer

Under exclusive license from Tolerance/Studiowarp
℗ and © 2023 Mesh-Key Records
MKY033

Recorded & Mixed at studio <sounds creation> osaka April 1979
Engineered by Naoki Oku   Assistant Engineered by Yoshiteru Mimura
Cover Photo by Toshimi Kamiya

Produced by Yuzuru Agi

tolerance/anonym
SIDE A
Two owls
I wanna be a homicide
osteo-tomy
JUIN-Irénée
anonym

SIDE B
laughiñ in the shadows
through the glass
tecno-room
Voyage au bout de la nuit

personnel
synthesizer with electronic echo unit,
piano & voice : junko tange
effective guiter : masami yoshikawa
dedicated to the quiet men from a tiny girl

Original 1979 reel-to-reel tapes transferred by
Any Sound Studio
Premastered by Soichiro Nakamura at Peace Music
Mastered by Stephan Mathieu
Cut by Josh Bonati

Printed and pressed by Gotta Groove
Layout by Dan Selzer

Under exclusive license from Tolerance/Studiowarp
℗ and © 2023 Mesh-Key Records
MKY033

sid savanà

d i v i n □∧∧∧∧∧□

t o l è r a n c e

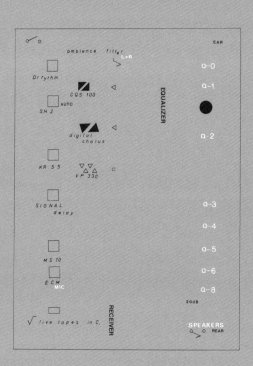

EAR

ambience   filter
L+R

Dr fythm   0–0

CQS 100   0–1

AUTO
SH 2

EQUALIZER

digital   0·2
chorus

KR 5 5
VP 330

SIGNAL   0–3
delay
                            0–4

MS 10   0–5

ECM   0–6
MIC
                            0–8

                            20dB

RECEIVER

√ live tapes in C.   SPEAKERS
                            REAR

ORIGINAL 1980 AND 1981 REEL-TO-REEL TAPES
TRANSFERRED BY AHV SOUND STUDIO
PREMASTERED BY SOICHIRO NAKAMURA
       MASTERED BY STEPHAN MATHIEU
         CUT BY JOSH BONATI
PRESSED BY GOTTA GROOVE
PRINTED BY STOUGHTON
       **LAYOUT BY DAN SELZER

UNDER EXCLUSIVE LICENSE
FROM TOLERANCE/STUDIOWARP

P AND C 2023 MESH-KEY RECORDS _____
                              MKW032

```
      TITLE        LYRICS                    OPERATER

   PULSE STATIC
   *TRANQILLIA                              M

   1/F°15#°                                 M

   MISA****
   **GIG'S TAPES IN"C" _____


   SOUND ROUND      ICE IS O█O
                    DICE IS *°*               J
                    NICE PERFUM
                    VOICE PRESERVE
                             GATE TO THE RAY
                    SOUND ROUND SURROUND  +++-


   BOKW WA ZURUI ROBOT
   *STOLEN FROM KAD°
                                            J

                    WITH HIS SKILLFUL HANDS
                    IT LOSE °° CONTROL

   SACRIFICE        ■□■■■°□□□□°□□□□°□□□°□□□  °°°°°°

   MOTOR FAN        =█==°°°°°█=██°°°°°==█===_=_=_____

   TIEZ REKCUZ

                    MIT IHN * TRA°°UMEN ***°°°*°
                             TRA°°UMEN ** *
                                            F


       REC°ED 30/12 '80
             2,5,6/1 '81
       MIX°ED 8,9,12/1


             MIXER:CIMEI-BUSHMAN19VLAM
             LUMINAL:J-TANGE
             INPUT:M-YOSHIKAWA
                   ,HYPERSP+
             COVER CONCEPTS:FUSIFIX.GEKKO-U4
   PRODUCED:MR°AGI.,R.M
```

ORIGINAL 1980 AND 1981 REEL-TO-REEL TAPES
TRANSFERRED BY ANY SOUND STUDIO
PREMASTERED BY SOICHIRO NAKAMURA
        MASTERED BY STEPHAN MATHIEU
        CUT BY JOSH BONATI
PRESSED BY GOTTA GROOVE
PRINTED BY STOUGHTON
        **LAYOUT BY DAN SELZER

UNDER EXCLUSIVE LICENSE
FROM TOLERANCE/STUDIOWARP

Fragments of recollection:TOLERANCE

佐藤 薫

トレランス／TOLERANCE

トレランスという音楽ユニットの名を聞いたとき、まだ音を聴く前、レコードのジャケットを見る前のことだったはずだ。とても好いネーミングのセンスを感じた。丹下順子が医学方面の人物と聞いていたことや自身の興味もあり、「Tolerance」を薬学的シンボルと一方的に決めつけてしまった。つまり「耐性」という少々パンキッシュな想像を抱いた。おそらく欧米人なら、多くがどのような"出実"であるかを問う前に宗教的なイメージを想念するだろう。その大きな課題である「寛容」の旗を掲げた音楽と……。耐性（我慢力）の強化は依存への入口であり、振り返って寛容（許容力）の強化は不寛容からの侵略～植民化を避けられない。トレランスのパラドクス。

丹下順子 ○○｜

丹下順子と最初に会ったとき、すでに『Anonym』を聴いていたに違いない。トレランスという名にもっと、とても複雑な意味を感じとることになる。聖なるファーマコロジー？ 事実上そのプロジェクトが彼女ひとりによるものであることは了解できた。そして互いにある種の部族的共有感を確認できたことを記憶する。ただそのネーミングについて話題にすることなく、手前勝手な混乱を増大させていた。ある人物とある音楽プロジェクトの名、その音について──その存在論的安否。あえてこう表現するが、丹下順子は「取扱注意」人物として認定された。ここには幾人かの別の人物も関わり、むしろイントレランスな追想に、際限のない妄想をひろげるだけなのだが……。

ギタリスト

トレランスをギターでサポートした吉川マサミ（仮表記：クレジットは Masami Yoshikawa）は女性／男性どちらかという問い合わせがあった。時節柄、そのどちらでもないしどちらでもあると応えたかったが、男性だとしか考えていなかったので、そのように返した……。けれども確認したいという。言われてみればなぜ男性と思っているのか自信がなくなって記憶をたどり、思い至った連絡先に確認を求める。するといくつかの断片から「彼」の面影が──曖昧な「彼」──。東京にあった歴史的短命レーベル YLEM の事務所に併設された小さなスタジオ（ほぼ宅録スタジオ）で「彼」はひとりでギターを弾いていた。きっと'80 年のことだ。ほんの数分様子をのぞいただけで、居合わせたスタッフの一人から『Anonym』にギターで参加した吉川マサミであると紹介されていたこと……。その印象は、もの静かでどこにでもいる「ワレモノ」の引きこもり音楽少年、その程度のもの。だとしても、そのギターが丹下順子にとって不可欠であったことに疑いはない。「彼」の生物学的、心理学的、また文化人類学的な性別を誰も知らない。

トレレート・グルーヴ

アルバム『Divin』の 12 インチ 45 回転×ヴァイナル 2 枚組の特装ダブルアルバムが届いた。なぜ『Divin』だけ……？ という疑問はさておいて。アナログ・レコードを入手するとまず決まって、盤面とその溝（Groove）を誉めるように眺める。スクラッチやマトリクスなど盤のチェックはもちろん、グルグルと溝を追っていくと、そこに押された空気を振動させるための塩梅や旨味をまず感じることができるから。そんなわけで『Anonym』は、好みの、ある一種の"おいしさ"があると一目でわかった。展開が極端に少ない、ハイトーンのピアノやギターの出入り以外には、トラックの進行によるサビやブレイクなどが一切存在しないことも……。つまり、磨り減ったラッカー盤のように平坦化した音溝。そして『Divin』の盤面風景には前作とはっきりした違いが、展開が見える。ただしそれは、ワンコーラス／ツーコーラスといった展開ではない。いくつかのトラックの音溝は幾何学的に構成され、後のテクノ・アンビエント的まとまりを提示していた。

動物の乳や草木の汁などをしぼりとること

不全状態の機能がもたらすある種の利潤行動は、さらに主体そのものの無秩序を生産する。ちいさなちいさな野心は多くの苦悩によって成就していた。つまり、主体の機能がある状況の下部構造となっていることに気づかず、権勢を保持す

ることを目的に無意味な制度的要求を強いる活動が間欠的に続くことで、一部の部族社会を消滅させた。この時代的エートス（精神構造）は、高密度な現在のネットワーク社会では理解し難い現象――というより近代を代表するような単純人格障害――なのだが、いまこうして振り返ると、壮大な、いやややり、ちいさなちいさな社会実験だったのではと夢想される。言っておかなければならない、トレランス的でミメーシス的であったモノの記憶。アレルギー？ 否、不耐性だ。再度念押して記しておこう。不寛容であることの野心は「寛容」の持続的な苦悩によって成就する。

丹下順子 ○｜○

二度目。それが最後になってしまったが、丹下順子は吉川マサミに替わるプロジェクトのサポートメンバーを求めていた（のだと思う）。ある人物の名を挙げたので、それは非常に面白いことが起こるだろうと返した（もしかするとその人物もその場にいた？）。同時に、機会をみてテープのやりとりでコラボレーション作品を試作してみないかと提言。具体的なやり方を考えましょう……と、快く同意を得た。さらに、トレランスのプロジェクトにサポート参加してみたいという気持ちも追って伝えた（はずだ）。それについての返事はあったのか、なかったのか。その後なぜ連絡が途絶えたのか……うろ覚えの日々。そしてナゾとされる『Divin』以降の消息――そこにはいくつか跡絶えへの具体的イメージがある。なぜ――についてもかなり具体的エヴィデンスがあったのだが。いまとなっては正確な情報であったか心もとない。

映画的随感

それは単に映像を喚起させるという意味合いからではなく、ある具象のサウンドトラックを想起させるという意味でもない。シネマトグラフィーキュ。演劇のようなライヴ表現でなく、時空をジャンプできる総合芸術として……。音そのものが映画的であるということ。記録メディアの表現であるということ。音が「音」それ以外の要素で構成されていると感じる幻術感。いつか起きた映像的未来の記憶。ここで想起されるのは、目的と思われるひとつの思想スタイルについてだろう。情況に溶解せず、それを内省的に具現化（ここではイマージュか？）するような、霊気を放つような、眩暈をもよおすような、生（ナマ）でありながら帯電した、自由や開放を核とするスタイル。これはトレランスのもつ冗長性に関わる記憶だ。それをこれまでトレランスのイデアとして見てきたように、同じように、観賞の対象となる日もやってくるかもしれない。

不羈奔放

現実的なイメージ、それを透過して展開する理性的活動は、作品として抽象化された表現と比べれば第三者には伝えにくいものだ。しかし、作品の、物理的商品の、アブストラクトな水平線上の活動が、安易に伝わったと感じることがあるとしたら、それはきっと貧弱な独りよがりでもある。伝わること……それが「理解」とは如何に乖離したことか？ 同様に現実イメージもまた、理性的であったとしても、つねに独りよがりに傾くことに気づくだろう。この相互作用……分裂作用は、ある規範が差異化する過程で必ず生成されるものだ。生成され、累積する。悪い予感。だったら「とっととフケちまう」ことだ。積極的逃走 ＝ 闘争。その後「逃げろ！」は声高に叫ばれることになったが、確かに、逃げ遅れの玉砕より「おいてけぼり」を喰らわすことだ。トレランスは置き去りにする――心底、本当にそれでよかった。

Toleranceについて
〜パンク以後、屹立、モノクロームからなる断想〜　　　　　　よろすず

2枚のアルバム、ジャケット（ライナー）からうかがい知れるわずかながらの情報（メンバーの名前と楽器編成）、そして後年になって発掘／リリースされた数少ないデモ[1]……Tolerance が残したものは、そこからドキュメントを編むにはあまりにも少ない。また、その音楽的な内容や批評的な位置付けについても、リリース元となった Vanity Records の流れや Nurse With Wound List に掲載されたという逸話に関連付くものを除いてしまうと、発表から 40 年以上という月日に比して語られたものは僅かだ。もちろんこの現状には Tolerance の主導者である丹下順子、サポートメンバーであった吉川マサミ両名が、『Divin』(1981) の発表後表立った音楽活動を一切行わず、2023 年現在まで消息すら掴めない状態であることも大いに関係しているだろう。参照できる確定的な情報が極端に乏しい彼女らの音楽について、夢想的な手紙以上のものを書くのは難しい。本稿は彼女らの残した作品を、主に若いリスナーの持つヴィジョンに接続することを念頭に、いくつかの側面から検討し、現在の音楽として発見される可能性を探るものであるが、この企ても大いに夢想的であることは言うまでもない。しかしながら、KYOU RECORDS による CD での再発、そして MESH-KEY によるアナログ／ハイレゾでのリイシューによって日本だけでなく海外にも広くその音源が然るべきクオリティー[2]で届く環境となった今ほど、そのようなものを必然性をもって届けられる機会もないだろう[3]。したためられたいくつものボトルメールは、いまだ揺れる影のような『Anonym』のサウンドの様相そのままといえる Tolerance の評価に、確定的な像を見出す手掛かりとなるかもしれない。そう、平山悠が ''『ロック・マガジン』の全部はこれから[4]''と記したように、Vanity Records のすべてもまたこれから、であるのだ。

〈パンク以後〉

Tolerance のサウンドは未だ新たな位置付けを見出す余地、すなわち謎を多く秘めたものであるが、2nd アルバム『Divin』についてはエレクトロニクスによるリピテーションが楽曲の主な骨組みとなっていることからプレ・テクノとして評価できる部分は多く[5]、またこれ以降の Vanity Records の方向性（INDUSTRIAL MYSTERY MUSIC ＝工業神秘主義音楽）を予告するものでもあることから、然るべき評価の方向性は比較的定めやすいと思われる。一方『Anonym』は次作ほどの確信的な方向性には収束されておらず、言うなれば粗削りな状態ではあるものの、それ故に「パンク以降」でこそ生まれ得る様々なサウンドの可能性が、揺らぐ時代の影として折り重なっている。では『Divin』をそのような折り重なった影の内の一つの像に過ぎないと捉えてみるなら（つまり『Anonym』から『Divin』に引き継がれなかった要素から想像を膨らませてみるなら）、そこにはどのようなサウンドが立ち表れるだろうか。例えば「anonym」における影のあるモチーフを巧みに生み出す丹下のピアニズムは、Robert Haigh、更には Vanessa Amara や Lisa Larkenfeld などの寂びれたロマンティシズムを持ったミニマル・アンビエントの地平へと続いてはいないだろうか[6]。「osteo-tomy」の痙攣的なギターとリーディングの協奏には Soic Youth や Rip Rig + Panic など数多のバンドが連なっていくノー・ウェイヴ以降の方法論が、うろつくようなベースの旋律とざわめきのようなピアノと SE で描かれる「laughiñ in the shadows」にはデイヴィッド・リンチ『ツイン・ピークス』などの奇妙な映画／ドラマ作品への親和性が、潜在してはいないだろうか。本作から朧げに浮かび上がるこのような可能性の数々は、私に Tolerance がこの後（もしくは『Divin』の先）に進み得た道筋を夢想させずにおかない。匿名（Anonym）と冠されたこのアルバムは、おそらくその確信性の欠如によって、このように起こらなかった／起こったかもしれない物事への想像を常に刺激する。故にそのサウンドは今もってくたびれず、アクチュアルに響くのだ。

Robert Haigh『Black Sarabande』
(Unseen Worlds, 2020)

Vanessa Amara『Like All Morning』
(Posh Isolation, 2017)

Lisa Larkenfeld『A Liquor Of Daisies』
(Shelter Press, 2020)

〈屹立〉

『Divin』において Tolerance は、エレクトロニクスを中心的に用いることで前作からそのサウンドを大きく様変わりさせた。楽器と電子音による朧げな演奏がまるで彷徨いながら彼岸へ向かうような不安定性を生み出していた『Anonym』に対し、『Divin』はダブ的な処理で抽象性を保持しながらも電子音に絞られた音色の統一性（これによって本作は丹下と吉川の二名によって制作されたという事実をサウンドから推定することが非常に難しい）やリズムマシンによるシーケンスの多用によって、彷徨の果てに独り屹立するようなペシミスティックな境地を感じさせる[7]。そのような音楽性の変異の結果、本作ににおいては前作で多く聴くことができた要素、例えばピアノやギターのサウンドはほぼ姿を消しているわけだが、そんな中で引き続き用いられた要素が丹下による「声」である[8]。エレクトロニクスによってサウンドを組み上げながら、そこに声を絡めていく、こういったスタイル自体は『Divin』以前にも以後にも、常に一定数のアーティストが試みてきた[9]が、偶然か必然か 2023 年現在、その流れには刺激的な新鋭が数多く登場してきている。Felicia Atkinson、Flora Yin Wong、Lucy Liyou、Debit、Kelly Lee Owens、Adela Mede、Laila Sakini、Caterina Barbieri……2023 年の作品に絞っても Susu Laroche『Closer to the Thing That Fled』、Cruel Diagonals『Fractured Whole』、Grand River『All Above』、Sara Persico『Boundary』と、作家やその優れた作品が次々に思い浮かんでくるほどだ。これらのアーティストに Tolerance が直接的に影響を与えた可能性は限りなく低いだろう。制作スタイルやサウンド構成などの共通項からロールモデルだと見做すのも誇大であるかもしれない。しかし彼女らの作品と並んで、現在の音楽として発見されることには一種の必然を確信できる、『Divin』はそれほどの力を秘めている作品に思えるのである。

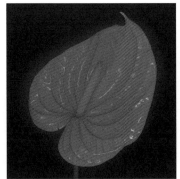

Flora Yin Wong『Holy Palm』
(Modern Love, 2020)

Kelly Lee Owens『LP.8』
(Smalltown Supersound, 2022)

Grand River『All Above』
(Editions Mego, 2023)

〈モノクローム〉

Tolerance の作品において、音に引けを取らぬほどに魅力的なのがそのモノクロームのジャケットデザインである。『anonym』では神谷俊美の写真が用いられ、『Divin』では COVER CONCEPTS として FUSIFIX、GEKKÖ-V4 との謎めいたクレジット [10] があるこの 2 作、デザインのフィニッシュはいずれも Vanity Records のプロデューサーである阿木譲によってなされている。椹木野衣は阿木の資質を「野性のスタイリスト」と評している [11] が、これらのデザインは Tolerance の「匿名」との題が今もって相応しく思える不安定さを持ったサウンドにスタイルを与える（＝なんらかのイメージに統合／収束させる）、正にスタイリスト阿木譲の真骨頂といえる仕事だろう。妖しさ、歪み、マシニックさ、Tolerance のサウンドが表出する様々な表情のどれもが、アートワークを通すことで美しい音楽として統合的に知覚される、その効果の鮮やかさは同じく阿木が手掛けた他の Vanity Records 作品に比しても一段と際立ったものに思えるし、これがなければこのサウンドがここまで美しく響くこともなかっただろうと確信できるほどだ。しかしながら阿木のこれ以降、特に晩年の活動を知る者にとっては、ここに表れたモノクロームなスタイルは更に、一層特別な意味を持って目に映ることだろう。なにせ阿木が晩年熱心に紹介し、ブリコラージュなどでも盛んに用いた音源の数々には、モノクロームかつ美しいアートワークの作品が、そこを最優先に選んでいるのではないかと思えるほどに多いのである。Modern Love、Posh Isolation[12]、Stroboscopic Artefacts、Downwards、Second Sleep、そして Stephan Mathieu による Schwebung、同時代の音楽動向からこれらをピックアップしたその審美眼の底流には、Tolerance のデザインが放つ静けさと官能性のマリアージュの感覚が常に息づいていたように思えてならない。阿木自身が Vanity Records 作品のフェイヴァリットに『Divin』を挙げていたことは、その効果の鮮やかさを鑑みれば頷ける話だ。しかしそれだけでなく、Tolerance 作品のデザインは阿木にとって、晩年まで通じるモノクロームへの偏愛が初めて結晶化された仕事として、特別な位置を占めていたのではないだろうか。

The Stranger『Watching Dead Empires In Decay』(Modern Love, 2013)

Millie & Andrea『Drop The Vowels』(Modern Love, 2014)

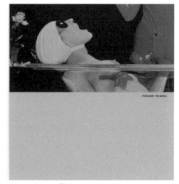

Puce Mary『The Spiral』(Posh Isolation, 2016)

Kerridge『Fatal Light Attraction』(Downwards, 2016)

Hvide Sejl, Varg, F. Valentin『Brazil』(Posh Isolation, 2017)

Stephan Mathieu『Radiance』(Schwebung, 2018)

注釈

----

1   『Dose』と『Demos』(ともに KYOU RECORDS-remodel)

2   MESH-KEY からの再発は Stephan Mathieu がオリジナルのアナログ・テープから新たにマスターを作成した新装版となっており、よりクリアかつエッジーなサウンドで Tolerance の音楽が収められている。特に電子音がメインとなった『Divin』はチープな環境で再生してもそのクオリティの飛躍が実感できる。

3   MESH-KEY からの再発によって、既に Pitchfork に Philip Sherburne によるレビューが、boomkat にはプロダクト・レビューが掲載されている。

    https://pitchfork.com/reviews/albums/tolerance-anonym-divin/

    https://boomkat.com/products/anonym-0c9c04ef-3f4f-4cfb-9031-1b137c125b63

    https://boomkat.com/products/divin

4   中村泰之 監修『AGI』(きょう RECORDS, 2022) 掲載

5   Pitchfork 掲載の Philip Sherburne によるレビューでは Thomas Brinkmann などによるミニマル・テクノや、ダブ・テクノが引き合いに出されているが、Tolerance のプレ・テクノな音楽性は以降のダンス・ミュージックの文脈には完全にはまりきらず、近年のポスト・インターネットな感性によるクラブ・ミュージックのリファレンスにもなり得ないものという印象がある。個人的にはロサンゼルスのレーベル Peak Oil などがリリースしているそれらの文脈に回収され切らないストレンジな作品群が感触としては近いのではないかと感じるところだ。

6   『Dose』の 5 曲目や 7 曲目に表れるストリングス系やくぐもったシンセのサウンド、『Demos』に含まれるイーノの『Ambient 1: Music for Airports』を思わせるクワイアもこの妄想を加速させる。

7   『Anonym』から『Divin』へかけての作風の変化には様々な要因があったと思われるが、『Divin』の最終曲「Tiez Rekcuz」が Cluster の 1974 年のアルバム『Zuckerzeit』のアナグラムとなっていることから、彼らの音楽性は小さからぬ参照点だったのではないかと思われる。

8   Tolerance の「声」の扱いについては『Anonym』と『Divin』の間の時期である 1980 年頃に制作されたと思われる『Dose』と『Demos』の存在も興味深い。特に『Demos』には Brian Eno『Ambient 1: Music for Airports』を想起させるクワイア・アンビエントなパートが含まれており、同時代のイーノの動向やそのサウンドも(彼と共演したクラスターに並んで)Tolerance の参照点だったのではと思わせる。

9   そういった実験の一つの金字塔である Robert Ashley『Automatic Writing』は、奇しくも『Anonym』と同じ 1979 年にリリースされている。シンセやオルガンによる「フリーフォームな演奏」の側面とそれを含んだ様々な音響素材を用いた「テープ操作によって成される音楽」としての側面を持つ本作は、『Anonym』と『Divin』と並べて聴くとその間の繋ぐサウンドのように聴こえなくもない。

10 FUSIFIX は複雑骨折した時に入れるチタンボルトを指す語である。『Divin』のジャケットは最初に『Faust』(1971) に倣うかたちでレントゲン写真を用いたスケルトンデザイン(丹下は歯科関係の仕事に従事していたためレントゲン写真を入手することが可能だった)が検討されたが、費用の面で断念せざる負えず、最終的には Faust の他作品(『So Far』や『IV』など)も参考にいくつかのイメージを統合することで制作されたという経緯があるため、この語は制作段階で話題に上がり遊び心で記載されたのかもしれない。GEKKÖ はチベット仏教用語に同じ単語があるようだが、アルバムとの関係性は不明。

11 中村泰之 監修『AGI』(きょう RECORDS, 2022) 掲載

12 ポスト・パンク～インダストリアルの意匠を異様に洗練されたデザインで届けるコペンハーゲンの Posh Isolation は、妖しさ、歪み、マシニック性、そしてロマン性などがアンバランスにせめぎ合い、時としてネガティブなエモーションや暴力性として表出するサウンドを美しく統合された音楽として知覚させるという機能において、ここに挙げた中でも Tolerance 作品との共振をより強く感じられるレーベルだ。付け加えて、Posh Isolation の登場後、その影響を受けつつ音楽性の焦点を絞りデザインのミニマル性を強調しスピーディーにリリースを展開したカセットレーベル群(Janushoved、Vienna Press、Weight Of Ages、Caprice & Necessity、Autumn Archives など)が多発する流れも、Vanity Records が『Divin』を最後にレコードの発行を停止し方向性を「工業神秘主義音楽」へと定め、デザインの統一されたカセット作品の制作へと移る流れと奇妙な相似を成している。

The two albums, the limited information that can be gleaned from the covers (members' names and instrumentation), and the few demos that have been discovered and released in later years[1]... The traces of Tolerance's activities are too few to compose a comprehensive document. Also, in terms of critical reception, if one excludes the anecdotal references to the legendary Vanity Records label from which it was released and its inclusion on the Nurse With Wound List, there have been few opportunities to discuss it in the 40-plus years since its release. Of course, the fact that Junko Tange, the leader of Tolerance, and Masami Yoshikawa, a supporting member of Tolerance, have not been active in music since the release of 'Divin' (1981), and have not been heard from since until 2023, may have had a lot to do with this situation. It is difficult to write anything more than a delusional letter about their music, as there is very little definitive information to reference. This article examines their works from several aspects, mainly with an eye to bringing them into the sights of younger listeners, and exploring the possibility of their discovery as music of the present, although it is needless to say that the project is also delusional too. However, now that the albums are widely available not only in Japan but also overseas in high-quality formats through the CD reissue by KYOU RECORDS and the analog/hi-res reissue by MESH-KEY[2], I find it inevitable to write about them[3]. The numerous bottled mails received may serve as clues to discern a clearer image amidst the still uncertain and elusive evaluation of Tolerance. As Yu Hirayama wrote, 'Everything in 'Rock Magazine' is just beginning[4].' Similarly, everything in Vanity Records is also just beginning.

〈post-punk〉

The sound of Tolerance still leaves much room for new criticism, as it continues to encompass many mysteries. However, the second album 'Divin' can be evaluated as having pre-techno elements in many aspects, as the main musical framework revolves around electronic repetition[5]. It also foreshadows the direction of Vanity Records following this release (=INDUSTRIAL MYSTERY MUSIC), making it relatively easier to determine the appropriate evaluation. On the other hand, 'Anonym' is not as cohesive as the subsequent album, but it is precisely this lack of unity that allows the various possibilities of sound that emerged 'after punk' to be perceived as shadows of an unstable era woven into the music. If we consider 'Divin' as merely one image among countless shadows (that is, if we imagine the elements that were not carried over from 'Anonym' to 'Divin'), what kind of sound will emerge? For example, Tange's pianism, which skillfully created shadowy motifs in 'anonym,' may lead to a minimal ambient horizon with the desolate romanticism of Robert Haigh, Vanessa Amara, Lisa Larkenfeld, and so on[6]. The spasmodic guitar and poetry reading concerto 'osteo-tomy' seems to be a floating missing link between No Wave and subsequent bands like Sonic Youth and Rip Rig + Panic. And the 'laughing in the shadows,' depicted with a wandering bass melody and a rustling piano accompanied by sound effects, bears a latent affinity to David Lynch's 'Twin Peaks' and other peculiar films/dramas. These possibilities that vaguely emerge from this work cannot help but make me dream of the path that Tolerance might have taken after this (or beyond 'Divin'). The album, entitled 'Anonym,' perhaps due to its lack of certainty, constantly stimulates the imagination of things that did not happen or could have happened in different ways. The sound is therefore still captivating and relevant.

Robert Haigh 『Black Sarabande』
(Unseen Worlds, 2020)

Vanessa Amara 『Like All Morning』
(Posh Isolation, 2017)

Lisa Larkenfeld 『A Liquor Of Daisies』
(Shelter Press, 2020)

〈soaring〉

In 'Divin,' Tolerance's sound has undergone a drastic change from their previous work, with a pronounced emphasis on electronics[7]. In contrast to 'Anonym,' where the nebulous performance of instruments and electronic sounds created a sense of instability, as if wandering toward the abyss, 'Divin' maintains abstraction through dub processing, but the unity of the electronic sounds and the extensive use of rhythm machine sequences give it a pessimistic edge, as if soaring alone at the end of a wandering journey. As a result of this musical mutation, the elements that could be heard in the previous album, such as piano and guitar sounds, have almost disappeared. However, only Tange's voice continued to be used[8]. The style of building up sounds with electronics and intertwining voices with them has always been attempted by a certain number of artists, both before and after "Divin"[9]. However, coincidentally or inevitably, as of 2023, there are many exciting newcomers to the lineage that are noteworthy. The booming scene includes Felicia Atkinson, Flora Yin Wong, Lucy Liyou, Debit, Kelly Lee Owens, Adela Mede, Laila Sakini, Caterina Barbieri etc...In 2023 alone, I will see the likes of Susu Laroche's Closer to the Thing That Fled, Cruel Diagonals' Fractured Whole, Grand River's All Above, Sara Persico's Boundary, and the list of artists and their excellent works goes on and on. It is highly unlikely that Tolerance had any direct influence on these artists. It would be overstating things to consider them role models because of their shared production style, sound, and other similarities. But I can assure you that along with the works of the artists mentioned above, it is inevitable that "Divin" will be discovered as music of the present. This work has that much power in it.

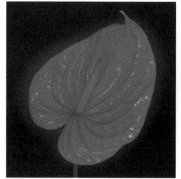

Flora Yin Wong 『Holy Palm』
(Modern Love, 2020)

Kelly Lee Owens 『LP.8』
(Smalltown Supersound, 2022)

Grand River 『All Above』
(Editions Mego, 2023)

〈monochrome〉

The monochrome jacket design of Tolerance's works is as appealing as the sound.

Anonym," featuring a photograph by Toshimi Kamiya, and "Divin," mysteriously credited to FUSIFIX and GEKKÖ-V4 as COVER CONCEPTS[10], were both directed by Vanity Records producer Yuzuru Agi, who provided the final design. Noi Sawaragi describes Agi's qualities as a "wild stylist[11]," and these designs give Tolerance's unstable sound an image that serves as a compass for the listener. This is truly the quintessential work of Yuzuru Agi as a stylist. Bewitching, distorted, machinic—any of the various expressions that Tolerance's sound unveils—can be fully perceived as beautiful music through the artwork. The impact of the design is so vivid that it surpasses even other works designed by Yuzuru Agi in the Vanity Records catalog. I am convinced that without this design, the sound would not have sounded as beautiful as it does. However, for those who are familiar with Agi's later work, especially in his later years, the monochromatic style of this work takes on an even more special significance. In fact, the abundance of monochrome and aesthetically pleasing artwork in the works he passionately introduced during his later years and actively used in his DJ performances (which he referred to as bricolage) suggests that selecting such designs may have been his top priority. Modern Love, Posh Isolation[12], Stroboscopic Artefacts, Downwards, Second Sleep, and Schwebung by Stephan Mathieu, to name just a few, all showcase the marriage of serenity and sensuality in their designs. It appears that this sense has always been at the core of Agi's aesthetic sensibility, as exemplified by Tolerance's artwork. It is no wonder that Agi himself listed "Divin" as his favorite Vanity Records work, given the vividness of its directional effects. But not only, the design of Tolerance may have occupied a special position for him as the first work that crystallized his love of monochrome, a love that continued into his later years.

The Stranger 『Watching Dead Empires In Decay』(Modern Love, 2013)

Millie & Andrea 『Drop The Vowels』 (Modern Love, 2014)

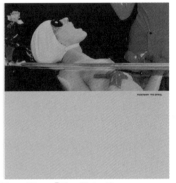
Puce Mary 『The Spiral』 (Posh Isolation, 2016)

Kerridge 『Fatal Light Attraction』 (Downwards, 2016)

Hvide Sejl, Varg, F. Valentin 『Brazil』 (Posh Isolation, 2017)

Stephan Mathieu 『Radiance』 (Schwebung, 2018)

注釈

----

1   "Dose" and "Demos"(KYOU RECORDS-remodel)

2   The reissue on MESH-KEY is a newly remastered edition by Stephan Mathieu, sourced from the original analog tapes. The sound has been enhanced, resulting in greater clarity and edginess. Specifically, "Divin," with its predominant electronic sounds, demonstrates a noticeable improvement in quality, even when played on modest audio equipment.

3   A review by Philip Sherburne on Pitchfork and a product review on boomkat have already appeared about the MESH-KEY reissue.

https://pitchfork.com/reviews/albums/tolerance-anonym-divin/

https://boomkat.com/products/anonym-0c9c04ef-3f4f-4cfb-9031-1b137c125b63

https://boomkat.com/products/divin

4   From the book "AGI" (Kyo RECORDS, 2022), supervised by Yasuyuki Nakamura.

5   A review by Philip Sherburne in Pitchfork references minimal techno and dub techno artists like Thomas Brinkmann and others. Personally, I find that Tolerance's pre-techno music shares a similar vibe with the uniquely eclectic releases on the Los Angeles-based label Peak Oil.

6   The string-like tones and muffled synth sounds that emerge on tracks 5 and 7 of "Dose," along with a choir that evokes memories of Eno's Ambient 1: Music for Airports in "Demos," further fuel my delusion.

7   While not widely recognized, it is worth noting that the last track, "Tiez Rekcuz," on "Divin" is actually an anagram of Cluster's 1974 album "Zuckerzeit." While multiple factors could have influenced the shift in style from "Anonym" to "Divin," this fact suggests that Cluster served as a significant reference point for Tolerance.

8   Of interest with regard to Tolerance's use of voice are "Dose" and "Demos," both of which seem to have been produced around 1980. In particular, "Demos" contains a choir-ambient part that recalls Brian Eno's "Ambient 1: Music for Airports. Perhaps Eno's contemporaries and their sound (as well as cluster that played with him) were also important references for Tolerance.

9   Robert Ashley's "Automatic Writing," considered a benchmark for such experimental works, was released in 1979, coincidentally the same year as "Anonym." This composition, which incorporates elements of "free-form performance" through the use of synthesizers and organs, as well as "music created through tape manipulation" utilizing diverse acoustic materials, seems to bridge the gap between "Anonym" and "Divin" when listened to in juxtaposition.

10   FUSIFIX is a term that refers to a titanium bolt used in the treatment of complex fractures. Initially, the cover design for "Divin" was envisioned to feature a skeletal design with radiographs, following the style of "Faust" (1971). However, due to cost constraints, this concept had to be abandoned, and instead, several images were integrated, drawing inspiration from other works by Faust such as "So Far" and "IV." Therefore, the term FUSIFIX was playfully brought up during the production stage and may have been included as a playful reference. As for GEKKÖ, it appears to be a word in Tibetan Buddhist terminology, but its specific relationship to the album is unclear.

11   From the book "AGI" (Kyo RECORDS, 2022), supervised by Yasuyuki Nakamura.

12   Posh Isolation, based in Copenhagen, is known for delivering post-punk and industrial sounds accompanied by exceptionally sophisticated design. The captivating blend of bewitching, distorted, machinistic, and romantic elements in their music may at times evoke negative emotions or violence, yet it is perceived as a beautifully integrated experience. In this regard, the design aesthetics of Posh

Isolation resonate strongly with Tolerance's work compared to the other mentioned labels. Furthermore, following the emergence of Posh Isolation, a wave of cassette labels such as Janushoved, Vienna Press, Weight Of Ages, Caprice & Necessity, Autumn Archives, and others appeared on the scene, exhibiting a similar trend. This trend is similar to how Vanity Records ceased publishing records after "Divin" and shifted its direction to "INDUSTRIAL MYSTERY MUSIC" and a uniform design for its cassette works.

Tolerance / Anonym / Divin

REVIEWS By PHILIP SHERBURNE 2023年5月6日

Toleranceとは何者か？短命に終わった日本のエクスペリメンタル・アクトの謎は、2つの新たなリイシューによって再燃する。

Nurse With Woundによる1979年のデビューアルバム『Chance Meeting on a Dissecting Table of a Sewing Machine and an Umbrella』には、「Nurse With Wound List」と呼ばれる実験音楽のインデックスがプリントされています。
計236項目（その後291項目に増加）に及ぶそのリストからは、イギリスの即興演奏グループAMM、ジャーマン・ロックのノイ！やカン、アモン・デュールをはじめ、ミュージック・コンクレートのパイオニアであるピエール・アンリやリュック・フェラーリ、更にジョン・ケージ、イアニス・クセナキス、カールハインツ・シュトックハウゼンなどの第二次世界大戦後の作曲家、そして歴史的に重要であるがあまり日の目を見ていない存在、例えばHorrific Child、Ovary Lodge、Sphinx Tushなど、外れものから象徴主義者まで、様々な名を見つけることができます。

このリストはNWWのスティーブン・ステイプルトンが後に語るに、"自分たちが興味を持っている音楽に興味を持っている、同じ志を持った人たちとコンタクトを取るための試み" だったそうです。インターネットのない当時、それは大変なことだったのです。アンダーグラウンド・ミュージックの国際的な流通は不安定で、無名のレコードは入手が困難であり、一度廃盤になるとそれは神話に近い領域へと消えていく。アンダーグラウンド・ミュージックに関する書籍は存在せず、歴史はまだ書かれていない状態でした。それ故「Nurse With Wound List」は、カウンターカルチャーの地図帳として機能し、フリーク仲間たちをそれなしでは知り得なかった裏道や脇道へと誘いました。

しかし、AmoebaやOther Music、NapsterやSoulseekなどのP2Pプラットフォーム、MP3ブログやYouTubeなど、次々と登場するコンテンツによってリスナーのウィッシュリストが補完されてきた今日、このリストは全く異なる時代の遺物となっています。かつては無名だった名前のほとんどが、既に多くのリスナーに親しまれているのです。しかし一つだけ、謎に包まれたままとなっている名前があります。1979年の『Anonym』と1981年の『Divin』、2枚のアルバムを残し、その後姿を消した日本人アーティスト、Tolerance。

その存在が世に知られるようになったのは、大阪のVanity Recordsの功績です。この短命のレーベルは、1976年に『ロック・マガジン』を創刊した音楽評論家／音楽プロデューサーの阿木譲が運営し、1978年から1981年にかけて、11枚のフルアルバムといくつかのフレキシーディスクやカセットテープで、日本のアヴァン・ロックの臨界点を示してみせました。Dadaのクラウト風プログレ、SABのコスミッシュ・ニューエイジ、実験生命体のPhew率いるAunt Sallyのいびつなポストパンク、あがた森魚のシンセに浸ったロックンロール……そのような捉え難いレーベルのカタログの中にありながら、Toleranceの特異性は際立っていました。同業者たちは認識できる枠組みの中で活動していましたが、Toleranceのサウンドは銀河の彼方からの電波を受信しているようなものだったのです。

『Anonym』のオープニングは、まるで洞窟の穴から現れた奇妙な生き物のように、ひっそりと耳に入ります。ヒスノイズが幻影的に脈打ち、スライドギターの頼りない響きが、しだれ柳の枝のように垂れている。その下で、ローズ・ピアノが2つのコードの間を物憂げに揺れ動く。この曲は、歌というよりも、水浸しのメトロノームが腐った沼から汲み上げられるような、時間を刻むための不定形の、ゼラチン質の試みです。

続く「I wanna be a homicide」は、より偏執的で、しかし濁りのない曲です。拳で打たれるローズと、寂しげに一本ずつ鳴らされ

る弦。途切れることのない静止画の振動が焦点を混濁させる。長い不協和音の支配を抜け、突然ローズとギターがI、2小節の間だけ時間とキーを合わせたかと思えば、再び別々の次元の衝突に流れ込む。

アルバム全体はこのように、デチューンされた靄の中を暫定的に進んでいくような演奏になっています。モータリックな「osteo-tomy」では、解読不能なスポークン・ワードと痙攣的なギターが3、4年後のSonic Youthの登場を予感させ、タイトル曲では乾いたクリック音による規則性を、ジョン・ケージの「Etudes Australes」を思わせる無調のピアノが、まるでナイフが引きずられるかのように横切っていく。そしてアルバムは、ストゥージズやヴェルヴェット・アンダーグラウンドを思わせる「Voyage au bout de la nuit」で締めくくられます。この曲は16分音符で脈打つ不協和な持続音に覆われており、ピアノのオスティナートがなければ、私はこれを電気ウナギが放った高電圧を変換／ループ化したものと誤解したかもしれません。

Toleranceとは何者か？乏しいライナーノーツには、丹下順子（日常は歯学部生、歯科看護師など様々な表現がある）がシンセサイザー、エフェクト、ピアノ、声を担当し、吉川マサミが "effective guitar" であると記されています。しかし、今回の再発を手がけたMesh-Keyレーベルのジャスティン・サイモンによれば、Vanity Recordsの元社員は"Toleranceは実質的には丹下のソロ・プロジェクトであり、レーベルと連絡をとっていたのも彼女だけで、吉川はサポートメンバーだった"と話しているそうです。レコードのインナー・スリーブにある「to the quiet men from a tiny girl」という献辞が、それを裏付けているように思えます。(Nurse With Woundは、1980年の2ndアルバムのタイトルにこのフレーズを借用しています)。しかし、この陰鬱な雰囲気は丹下一人のアイデアなのでしょうか？ギターのトゲトゲしたランダムさは彼女が提案したものなのか、それとも吉川の演奏の自然な一面なのか…？1979年当時、このようなサウンドの音楽を作っているアーティストはほとんどおらず、Toleranceの存在は孤高であったといえるでしょう。

スリーブの記名がなければ、『Divin』は全く別のアーティストの作品だと思われるかもしれません（今作のクレジットは "LUMINAL: J-TANGE / INPUT: M-YOSHIKAWA." より暗号的な表現になっています）。『Anonym』がポストパンクの棘のある不協和のビジョンを提示したとするなら、『Divin』は煙たいプロト・テクノを提案しており、振り返ってみると、それは驚くほど時代の先端を行くものでした。
冒頭の「Pulse Static (Tranqillia)」は、湿ったダンボール箱の中で幽霊が奏でるかのようにドラムマシンが鳴り響き、ミュートされた音がアナログ・ディレイの螺旋を誘発します。ゴツゴツとした、機械的で、冷酷なほど無感覚なこのサウンドは、20年後にトーマス・ブリンクマンなどのアーティストが取り上げることになるミニマル・テクノを思わせ、その様相は連続体のグリッチ、固体回路でできたワームホールのようです。

加えてドラムマシンだけにとどまらない様々なテクノ的ニュアンスが、このアルバムの魅力的な曲の多くを特徴づけています。「Sacrifice」のベースラインは、1985年に生み出される「Sleng Teng」リディムの前兆のように聴こえますし、「Sound Round」はESGのテープが酸化して粉々になったようなメタリックなアクセントの明滅が、後のダブ・テクノを思わせます。しかし、丹下のエレクトロニクスは、クリーンでも精密で工学的でもありません。乱雑で、誤りやすく、危険なまでに制御不能なのです。「Bokw Wa Zurui Robot (Stolen From Kad)」では、ドラムマシンの高速シーケンスが、汚れたシンセのベッドを横切り、丹下はスウェットソックスを巻いたマイクのような音質でリズミカルなチャントを試みます。時折、やや大きすぎるハイハットのパターンが入るのですが、そのタイミングは他のドラムとまったく同期しておらず、長く演奏すればするほど更に狂いが生じます（これはおそらく丹下がパターンを手打ちしたためでしょう）。

ToleranceはVanity Recordsから複数のアルバムをリリースした唯一のアーティストでしたが、レーベル閉鎖後も活動を続けた他のアーティストに対し、彼らが作品を発表することは二度とありませんでした。丹下は、7年前にYouTubeで公開された1986年の未発表音源にクレジットされていますが、それ以外の情報は全くありません。この音源の権利を持つ日本のレーベルは、彼女の消息が判明した場合に備え、その印税を保管しているそうです。吉川の消息も知れません。当時のVanity Recordsのスタッフは、グループが活動していた頃にこのギタリストに会ったかどうかすら定かではないといいます。吉川は、あの妖しいギターの旋律と同じように、幽霊のような存在になってしまったのです。

丹下と吉川の不在は、「Nurse With Wound List」の存在が後世に残すべきアーティストの地位を確立したという、逸話の形成に繋がるでしょう。また、彼らの不在は、レコードのミステリアスさを補完するものでもあります。Toleranceの音楽は本質的に謎めいていて、いまだ答えのない問いばかりを提示するものです。彼らは何を聴いていたのだろう？なぜ彼らのドラムはトースターをバスタブに放り込んだような音なのか？『Divin』の3曲目はなぜ逆再生なのか？私たちが知らないことを、彼らは知っていたのでしょうか？

そして最大の謎はもちろん、なぜ彼女（彼ら）は音楽を作ることをやめたのか？ということです。Toleranceは、望むものをすべて表現してしまったのでしょうか？この2枚のレコードは、少なくともその可能性を感じさせる自発性と純粋さを有しています。丹下と吉川は2つのスタジオに入り、2つの全く異なるセットアップで、2度雷に打たれたのです。それ以上のものが必要でしょうか？

「音楽家Stephan Mathieuの活動終了に寄せて
—A Young Person 's Guide To Stephan Mathieu—」

よろすず

　2022年9月2日、ドイツはボンを拠点に音楽家／マスタリング・エンジニアなどとして活動しているStephan Mathieuの音楽家としての活動の終了が彼のレーベルSchwebungからのメッセージによって発表された[1]。彼は2018年には既に音楽制作をストップしマスタリング・エンジニアとしての仕事に専念していたが、この8月に新しいスタジオを設立し、それに合わせて正式に音楽制作の終了を発表した、という経緯のようだ。また、彼は「音楽が消えてしまう」という考えを好んでおり、そのスタンスに基づき自身のレーベルSchwebungでの作品販売を後日終了することも合わせて発表。本稿執筆時の2022年9月末の段階で、それらの彼の主要作はbandcamp上から削除こそされていないものの、試聴や購入は一部の作品を除き不可となっている（過去に購入歴があるアカウント上には視聴やダウンロードが可能な状態で残っているようだ）。しかしながら彼が音楽家として発表した幾多の作品やその足跡は、筆者にとっては忘れ難いものであり、多くの実験的な電子音楽やアンビエント、ドローンなどに関心のあるリスナーにとってもそうであろうし、これから彼の存在を知る未来のリスナーにとってもそうなり得る可能性を大いに秘めていると確信できる。そこで今回は、彼の音楽家としてのキャリアを主要な作品を取り上げながら辿ることで、その音楽が消えない（忘れられない）ための至極ささやかな抵抗を試みたい。前述した通り彼の作品のうちSchwebungからリリースされたものは既にbandcampでの試聴や購入が不可となっているが、現時点ではBoomkatなどの他のデジタル音源販売サイトで引き続き販売が行われており、またSchwebung以外のレーベルから発表された作品などについては各レーベルから入手が可能なため、本稿で初めて彼の存在を知る方も気後れすることなくその作品に触れてみていただきたい。

【生い立ち、ドラム奏者として】

　Stephan Mathieuは1967年、ドイツのザールブリュッケンに生まれた。レコード店に勤務していたという母、そして熱心なレコード・コレクターでありフォークやブルースハープの演奏家／シンガーでもあった父の影響の下、幼い頃からポップミュージックに親しんだ彼は、10才の頃にドラムを始め、1988年にはPaul LovensとMilford Gravesという伝説的なドラマーを知ったことをきっかけにインプロヴィゼーションに興味を向ける。そして1990年にベルリンに引っ越すと、Axel Dörner、Andrea Neumann、中村としまるなど、当時のベルリン・シーンで活動していた演奏家を中心に多くの音楽家と共演の機会を持つ。この時期の彼のドラマーとしての演奏は録音作品としてはギタリストのOlaf RuppとのユニットStolとして残した2作『Semi Prima Vista』(Algen, 1996)と『Stol』(Kitty-Yo, 1998)、更にButch Morrisがベルリンの演奏家からなる楽団Berlin Skyscraperをコンダクションしたアルバム『Butch Morris Conducts Berlin Skyscraper』(FMP, 1998)で聴くことができる。

【コンピューターとの出会い】

　即興の分野でのドラマーとしての活動は1998年頃までは行われていたようだが、その最中の95年、とあるスタジオで録音を行った際に、そのスタジオに搭載されていたPro Toolsで作業を行ったことがコンピューターでの制作に踏み出すきっかけとなる。そして1997年、自身のコンピューターを用いての初めての作品となる「11.55.330」を制作。フロアタムを一発叩いただけのサウンドを素材に、Pro Toolsでの様々なエディットによって作成されたこの楽曲は、2000年にOrthlorng MusorkからFull Swing名義でリリースされた『Full Swing EP』のA面に収録され、2019年にはSchwebungのbandcampにて単独で公開された[2]。1998年には自身によるピアノ演奏をエディットしたグリッチーな電子音響作品『Wurmloch Variationen』を制作。これが2000年に彼のデビューアルバムとしてRitornellよりリリース

され、電子音楽家としてのStephan Mathieuの名が世に広く知られることとなる。また『Wurmloch Variationen』の制作と同時期に、彼はフランスのメスの伝統的な電子音楽スタジオCERM（Centre européen de recherche musicale）でエンジニア兼講師として働き始め、ARP、Crumar、EMS、Moog、New England Digital、Rolandなどのヴィンテージ機材と、最新のPro Toolsを備えたスタジオを構築する機会に恵まれる。これによって自宅の小さなスタジオ環境で組み立てていた素材をそこに持ち込み作品として仕上げることも可能となり、Kid Clayton、Ekkehard Ehlers、Monolakeなどの楽曲をエディットしたFull Swing名義での作品集『Edits』(Orthlorng Musork, 2001)もこの工程で制作された。そして2000年11月から2001年3月にかけて、パブリックドメインの楽曲をエディットすることによってアルバム『FrequencyLib』(Ritornell, 2001)を制作。ここでは放牧的な印象のフリー楽曲の断片をループ化し、グリッチによる音響やリズムのたわみを織り交ぜていく手法が多用され、ループ自体の持つ色彩や小気味よさと、スキットが連なっていくような各トラックの時間構成によって、ほのかにヒップホップ的なノリもまとったポップで小春日和な雰囲気のエレクトロニカが生み出されている。また本作で興味を引くのが「Processed with Soundhack, Argeïphontes Lyre, Max/Msp and Protools Free」という使用ツールの記載だ。後述するが、これらのプラグインや音響プログラミング環境の組み合わせはこれ以降も彼の作品を根本で支える重要なツールとなっていく。

【エディットからプロセスへ】
　2002年リリースの『Die Entdeckung Des Wetters』(Lucky Kitchen)には、ベルリン市庁舎で行われたガラスの展覧会のためにザールブリュッケンの美術デザイン大学HBKザールから依頼された「Touch」と、19世紀末に設立された鉄工所の文化遺産「Völklinger Hütte」のために作曲されたタイトルトラック「Die Entdeckung Des Wetters」が含まれている。本作の制作時期にStephanは、前作でも使用されていたSoundhack、Argeïphontes Lyre、Max/Mspをベースとして、エントロピック・プロセスやコンボリューションといった技術を応用したサウンド・プロセッシングのためのシステムを開発しており、『Die Entdeckung Des Wetters』にはそれを用いた最初の成果が含まれている。また、ここに収められたサウンドはこれまでの作品に比べて柔らかいトーンで揺れるように変化するドローンの比重が格段に増しており、作風としても変化を感じさせる。これ以降、彼はこの時点で開発されたシステムを継続的に用い、それによってプロセッシングされる音響ソースのみを変化させる、いわばヴァリエーション的な制作へと活動の方向性を定め、独自のアンビエント／ドローンな作風を日夜深化させていくことになる。そのため『Die Entdeckung Des Wetters』は制作工程とそれによって生み出される作品の性質の両面で、重要な転換が起こった一作と捉えられるだろう。

『Die Entdeckung Des Wetters』(Lucky Kitchen)

ここで彼がこれ以降も制作において中心的に用いていくエントロピックやコンボリューションといった技術について簡単に説明しておきたい。Stephan Mathieuが制作に用い、インタビューなどでも度々言及や紹介をしているエントロピック・プロセス(Entropic Process)とエントロピック・システム(Entropic System)は、おそらく広く一般化された名称ではなく彼独自の表現と思われる。エントロピック・プロセスは「スピーカーから音声を再生→マイクで拾って録音→それを再度スピーカーから再生→マイクで拾って録音…」と繰り返す、Alvin Lucierの『I Am Sitting In A Room』で用いられていることでも有名なアナログ・プロセスのことのようで、彼がPCを制作に導入して最初に行ったことも自身の11分間のピアノ演奏を自室でこのプロセスに26回かけることであったそうだ(ちなみにこの時の音声はインスタレーションに使用され、元となったピアノ演奏は別のエディットを経て彼の初アルバム『Wurmloch Variationen』として作品化される)。このプロセスにかけられた音声は、部屋の形状やマイクの位置、そしてマイク等の録音機材そのものが持つ特徴によって生まれる音響特性を録音の度に獲得していくことで徐々に変容していくことになる。「entropy」は拡散化や衰退、そして物理や情報理論の専門的な用語としての意味も持つ語のようだが、Stephanはこの録音過程によって獲得／蓄積されていく何らかの複雑性をこの語を用いて表しているのだろう。

　もう一方のエントロピック・システムはおそらくこのアナログのエントロピック・プロセスに着想を得てStephanが独自に設計したソフトウェア・システムを指していると思われる。そしてそのソフトウェア・システムにおいて重要な役割を担っているのがコンボリューション(convolution)だ。コンボリューションは2つの関数を掛け合わせる数学的な演算の事であり、日本語では「畳み込み」と表現される。音声処理や音楽制作の場面ではこの技術はある音声(便宜上「入力」と表現する)を、もう一方の音声(こちらは「処理側」とする)で畳み込むことによって、入力が処理側の音響特性を経た状態で出力される、一種の合成的な処理としてリバーブやフィルターなどに応用されている。過程を省いてしまい申し訳ないが、このプロセスの特徴として、処理側に「ホワイトノイズなど広くかつ均質な周波数を持った音声の短い発音とそれに対する空間の残響を含んだ音声(インパルス・レスポンス=IRと呼ばれる)」を用いれば、入力側の概形が保たれたまま音響特性が変化する高品質なリバーブ的効果が得られるため、例えばこの処理を自室の音響を用いて重ね重ね行えば、それはアナログのエントロピック・プロセスのシミュレーションといえる効果を生むだろう。Stephanが自身のシステムにコンボリューションを応用するのも正にこのためであり、"Soundhackのコンボリューション・アルゴリズム[3]が、私が以前から魅了されていたアナログのエントロピック・プロセスに似ていることから興味を持ちました[4]"と発言している。そのためSoundhack、Argeïphontes Lyre、Max/Mspをベースとした彼のシステムでは、コンボリューションをエントロピック・プロセスのシミュレーション、更には複雑な応用として用いていると思われる。ここからは筆者の推測だが、彼はおそらく処理側に整ったIRだけでなく、楽器の持続音やフレーズの演奏など均質ではない音響も用いることで、コンボリューションを入力の概形が素直に出力に表れない予想のし難い変質を導くフィルターとして多く使用しているのではないだろうか。

SoundHackのConvolution

　また、このようなコンボリューションへの傾倒には、エントロピック・プロセスが彼の元来の関心であったことに加え、『Wurmloch Variationen』から『FrequencyLib』までの制作でプラグインをエフェクトとして使い細かなエディッ

トをすることへ飽きが生じたという背景もあったそうだ。自分の理想となるサウンドを目指し細かなエディットを繰り返すことから、予想のし難い特定のプロセスのみを用いその結果を受け入れることへの軸足の移行は、ロマンチックな捉え方をするならコンピューターに対する態度が指示的なものから対話的なものへ変化したと形容できるかもしれない。そのような態度は2003年にリリースされた『Kapotte Muziek by Stephan Mathieu』(Korm Plastics)[5]からも伺える。『Kapotte Muziek』は、オランダ(2004年以降はドイツ)のレーベルStaalplaatが1996年にベルリンで行った「the Staalplaat Sonderangebot Festival」の音源[6]を、様々なサウンド・アーティストに依頼しエディットしてもらうという一種のリミックス・シリーズである。Stephanはこの作品に取り組んでいる最中に制作環境の変更(ラップトップの交換とOSのアップデート)を行ったのだが、その過程でマシンにクラッシュが起こりバッファから作業していた音声が変形されて吐き出された。そこでStephanは吐き出された音声を"私の素材をメドレーにして、コンピュータ自身が仕上げたもの[7]"と捉え、またそこにシリーズのタイトル「Kapotte Muziek」(壊れた音楽)との皮肉な縁を感じ、クラッシュ音声をそのまま作品として収録することにしたという。この事例は正にコンピューターから発された声を受け入れる彼の新たなスタンスを象徴するものといえるだろう。

【入力の変遷】

　2004年にリリースされた『The Sad Mac』(Headz)は実に10名以上の音楽家による多種の楽器演奏を、『Die Entdeckung Des Wetters』の時期に確立されたシステムで処理した音響作品で、コンボリューション処理による一聴してアコースティックともデジタルとも判別のつかないような輝かしいドローン・サウンドは今もって瑞々しい。本作は彼が3年に渡って見舞われた度重なるPCトラブルに捧げられ、また複雑なDSP処理への別れの意味合いも込められており、前章で述べた終わりなきエディットに対する別れが新たなプロセスが生む音響によって高らかに歌い上げられる、正しく新境地の一作と位置付けられる。手法としては『Die Entdeckung Des Wetters』にて確立されたものの延長線上にありながら、そこにハープシコード、ヴィオラ・ダ・ガンバ、リュートなどの古楽器、更にラジオやワックスシリンダーなど、これ以降も度々作品に表出されるルネサンス期の文化や忘れかけられているオールド・メディアへの深い関心が入力されることで、サウンド自体のクオリティに各段な向上が感じられ、魔術的なトーンのアンビエント/ドローン作家としてのStephan Mathieuがこの時点で完全に確立された印象だ。

　続いて2008年リリースの『Radioland』(Die Schachtel)ではシステムに入力される音源として短波ラジオを選択。"ソフトウェア・システムとランダムなラジオストリームの相互作用に魅了された[8]"と自ら語るように、ここにはリアルタイム・プロセスによって得られた(マルチトラックではない)一本のストリーム音声とは信じがたいほど蠱惑的な色彩の移り変わりを持ったサウンドが収められている。本作の制作は2005年から2006年にかけて行われているが、その後も彼はこの短波ラジオのリアルタイム・プロセスの手法でライブ演奏などを多く行っており、その作用に深く魅了されていたことが窺い知れる。2012年にLINEからリリースされた『Radioland (Panorámica)』は短波ラジオのストリームとCaro MikalefによるE-bowを用いたツィターの演奏をコンボリューション処理で相互に変換した2011年3月11日のライブ演奏を収めたもので、正にそういった継続的な演奏活動の成果といえる作品だ。

　2011年2月1日には12kとLINEより『A Static Place』と『Remain』という2作のアルバムが同時リリースされる。筆者がStephan Mathieuの作品を初めて耳にしたのがこれらのリリース時だったのだが、特に前者『A Static Place』は再生するなり流れ込んでくるサウンドが、曇り硝子に当たる光のような、もしくはオーロラを連想させるような、魅惑的なグラデーションのジャケットと相似を成すゆらめきを以って、私の身体を包み込むように感じられ、忘れ難い経験となっている。それはさながらMy Bloody Valentineの「to here knows when」を初めて聴いた時に感じた幽玄さを想起させ、音が楽曲という固定的な像を結ばず、肌触りのみが知覚され続けるような、柔らかい衝撃であった。『A Static Place』ではStephanは自身の78回転のレコード(いわゆるSP盤)のコレクションの中から1928年から1932年にかけて録音された後期ゴシック、ルネサンス、バロック時代の音楽を選び出し、2つの蓄音機で再生し、それぞれをマイクで拾ってシステムに入力している。Stephanは短波ラジオを用いた『Radioland』のプロジェクトがひと段落した2007年からこういったSP盤を本格的に集め始め[9]、それらは同年夏から2008年冬にかけて制作されたTaylor Deupreeとのコラボレーション作『Transcriptions』(Spekk, 2009)において既に入力として用いられているが、彼単独の作品としては『A

Static Place』において初めてこの手法の成果が結晶化されている。また2012年に12kからリリースされた『Coda (For W.K.)』も同様の手法で、入力に1927年にリリースされたWilhelm Kempffによるベートーヴェンのピアノソナタ第26番第一楽章のレコードを用いており、この作品自体がタイトルで示されているように『A Static Place』のコーダという位置付けとなっている。同時リリースされた2作のもう一方、『Remain』はStephanとコラボレーション作品『Hidden Name』(Crónica, 2006)もリリースしているアーティストJanek Schaeferのインスタレーション作品であり録音作品『Extended Play』(LINE, 2008)の音源を入力に使用した作品である。『Extended Play』は会場内の9台のターンテーブルからポーランド民謡を基にしたフレーズをチェロ／ピアノ／ヴァイオリンでそれぞれソロ演奏したEPがさまざまな回転数で継続的に流れるという作品であるため、ターンテーブルから再生された音をマイクで拾って使用するという点で『Remain』は『A Static Place』と共通性を有している。

　そして、フロベールの小説をもとにした音楽劇のために2010年に制作され、2013年にBaskaruよりリリースされた『Un Coeur Simple』では入力音源としてツイッター、ヴィオラ・ダ・ガンバ、ターンテーブル、シンセサイザー(ARP 2600)とこれまでに試みられたものを抱合的に動員する、ある種総決算的な態勢に至っている。

　このように、『Die Entdeckung Des Wetters』の時期にシステムを確立して以降のStephan Mathieuの作品は、新たなテクノロジーを取り入れるのではなく、確立されたシステムに古い楽器やワックスシリンダー、短波ラジオ、SP盤と蓄音機など、忘れかけられているオールド・メディアを接続する一連の試みと捉えることができるだろう。

『A Static Place』(12k)

【Schwebung】

　2012年、Stephan Matieuは自身が運営するレーベルSchwebungを設立し、Sylvain ChauveauとのコラボレーションによってSmog(Bill Callahan)の楽曲／詩／サウンドを再構成した作品『Palimpsest』をリリースする。これ以降彼の作品は音楽家としての活動を停止するまで、一部の例外(『Un Coeur Simple』や、他者とのコラボレーション作品)を除いてこのSchwebungからリリースされていくこととなる。列挙すると『Palimpsest』(2012)、『The Falling Rocket』(2013)、『Sacred Ground』(2014)、『Nachtstücke』(2015)、『Before Nostromo』(2015)、そして『Radiance I～XII』(2016～2017)と『Trace (Recordings Of Entropic Systems 1998−2018)』(2018)がそれにあたる。

　このうち『Palimpsest』、『The Falling Rocket』、『Sacred Ground』、『Nachtstücke』、『Before Nostromo』の5作は後の2018年にボックス作品〈Folio〉としてまとめられている(ただし『Palimpsest』はSylvain Chauveauによるヴォーカルを除いたインストバージョンをボックスのタイトルでもある『Folio』と改題して収録)。これらの作品は元々はコラボレーションであったり、映画のための音楽、委託を受けて制作された多チャンネル用の作品であったりと背景は異なっ

ているものの、試みとしてはこれまでに磨き上げられたシステムに、（忘れられかけている楽器やメディアという方向性を保ちつつ）より自由に様々なサウンドを接続していくという面で共通している。『Un Coeur Simple』が制作された2010年頃からこの抱合的に入力音源を選択していく態勢は始まっていると思われるが、ここで注目したいのが、このような態勢となってからの彼の作品では（例えば『The Sad Mac』の頃には多くの演奏家の参加に支えられていた）アコースティック楽器の演奏も基本的にStephan自身が行っている点である。既に10年以上継続的に用いられてきたエントロピー／コンボリューションのサウンド・プロセスに対し、Stephanは古楽器、ラジオなどはもちろん、フォノハープやファルフィッサ・オルガン、ホーナー・エレクトロニウムなど逐次新しく入手された楽器なども入力することで、それらの持つ文化的な背景や文脈の接続を企てるが、異なる技術が必要となる多種の楽器演奏までも自身で行うという姿勢は、同時にそれらを愛を持って収集する「コレクター」としての、そして楽器の歴史や特性を踏まえながらシステムとの対話へと向かう特殊な「演奏家」としてのStephanの存在を意識させずにおかない。〈Folio〉の長大なサウンド・ストリームからは、そのようなStephan個人の存在が遊泳する影のように時折、そこかしこから浮かび上がるように感じられるのである。この点を以てボックス作品〈Folio〉はこれまでの作品、そして（ボックスとしてまとめられる以前に）収録作に個別に接した際の印象に比して、棚の奥に丁寧にしまわれた本のような、至極パーソナルな嗜好品としての色合いを帯びているように思える。

　『Radiance I~XII』は2016年から2017年にかけて個別に1つずつ発表された一種の連作のような作品群で、2018年にCD12枚組のボックスセット〈Radiance〉[10]としてもリリースされている。12の作品は楽器製作者アーノルド・ドルメッチや天文学者ヨハネス・ケプラー、作曲家アルヴィン・ルシエなどに捧げられたものや、映画のための音楽、ライブ録音など異なるコンセプトや背景を持ち、制作もStephan単独のものとコラボレーションが入り混じり、録音時期も古くは2004年の素材が用いられてたりと、様々な面で広がりを持っており、音楽家としての活動終了が発表された現在の時点から振り返るとキャリアをまとめにかかっている印象も色濃い。しかしながらここに収められている音源は彼の築いてきた制作法や音楽をはじめ諸文化（特にルネサンス期）への関心、そしてサウンドの集大成というよりは、これまでのキャリアでアルバム作品としては発表できていなかった自身の活動を補足する傾向が強いように感じられる。〈Folio〉を彼の正典的な集成と捉えるなら〈Radiance〉はさながら外典的な集成といったところだろうか。

〈Folio〉

〈Radiance〉

　そして2018年にはそれらの2つのボックスに加えて、初アルバム『Wurmloch Variationen』の制作が行われた1998年から彼が音楽活動を実質的に停止するまでのレア・トラック（主にコンピレーションへの提供曲）と未発表曲を集めた2CDアルバム『Trace. Recordings of Entropic Systems 1998-2018』がリリースされる。タイトルからもおわかりのように、彼が電子音楽の分野に足を踏み入れてすぐに魅了され、キャリアを通じて用いられ続けたエントロピック・システムのアンソロジーである本作は、ここまで記してきた変遷を音で辿る非常に親切なビギナーズ・ガイドとなってくれるだろう。

また、SchwebungではStephanの新作の発表以外に、廃盤などの理由で入手の難しくなっていた過去の作品のリイシューも行われている。具体的には『Wurmloch Variationen』が2020年にレコード／デジタルで再発(レコードはWEEDINGから)、『The Sad Mac』が2013年にデジタルで再発、『Radioland』が2020年にボーナストラック(2005年の50分に及ぶライブ演奏)を加えてCD／デジタルで再発、『A Static Place』と『Remain』が2作を抱き合わせた新たな作品『A Static Place /Remain – 2020 Edition』として2020年にCD／デジタルで再発されている。これらの作品はSchwebungの全ての作品のアートワークを手がけるCaro Mikalefによる新たなジャケットとなっている点も趣深い。これらの再発作のデジタル音源はCD以上の音質のいわゆるハイレゾ形式となっており、Stephanが「2018年には既に音楽活動を停止していた」と発表していることを鑑みると、それ以降に再発されたものについては自らの過去の作品に純粋にエンジニアとして向き合った成果として聴くこともできるだろう。それぞれに愛聴してきた作品の入念にブラッシュアップされた鮮やかなサウンドに、筆者も改めて深く感動した次第だ。

　以上、駆け足ではあるが、Stephan Mathieuの音楽家としてのキャリアを振り返ってきた。本稿では複数のインタビューなどを参考にしながら、彼の主要な作品を時系列に沿って紹介し、そこで用いられたサウンド・プロセスを軸に音楽家としての特徴を探り出すことを念頭に置いている。しかしながら文字数や時間の都合上、多くのコラボレーションや、音楽と並行して数多く制作されてきたインスタレーション作品についてはほとんど触れられなかったこと、そして2012年以降Schwebungから発表された作品群についてはボックス作としての位置付けを示すに留まり、個々の収録作について踏み込めなかったことをお詫びしたい。これらについては別の機会に紹介できればと考えている。

　最後に筆者のごく個人的なものではあるが、彼の音楽に見出せる一つの位置付けと魅力を言葉にしておきたい。Stephan Mathieuは自らの音楽を「アンビエント」とは捉えていない節があるが[11]、仮に彼の音楽をそう捉えようとするならば(筆者は少なからずそう捉え愛好してきた)、アンビエントの根源的な定義の一つといえる「特定の空間／場所を眼差した音楽」というフレームは有効だろう。そのフレームから眺めれば、特定の空間に潜んでいる音響特性を音声の再生と録音の過程によって炙り出すアナログなエントロピック・プロセスに端を発した制作手法から生まれる彼の作品は、複雑に抽象化された、しかしたしかに何らかの「空間性」をこそ、その本質とした音楽と位置付けられるのではないだろうか。彼の部屋か、楽器の内部か、ラジオノイズの波の中か、レコードの溝か、はたまたそれらが複雑に溶け合ったものか、そこにある「空間性」は、おそらくStephan Mathieu自身の外には知りえないが、しかしそれ故に音に還元された謎として、深く私を魅了するのである。

注釈

1　https://schwebung.bandcamp.com/community?sid=900506&st=sm

2　https://schwebung.bandcamp.com/album/1155330 にて現在も試聴可能

3　SoundHack の Convolution についてはこちらのページにて処理の実例音声付きで解説されている。https://www.sfu.ca/~gotfrit/ZAP_Sept.3_99/c/convolution.html

4　https://mockfuneral.github.io/2021/02/15/stephanmathieuinterview より

5　この作品は Schwebung の bandcamp に『A Microsound Fairytale』としてアップされている。https://schwebung.bandcamp.com/album/a-microsound-fairytale

6　このフェスティバルの音源は現在こちらで聴くことができる。https://staalplaat.bandcamp.com/album/sonderangebot

7　http://kormplastics.nl/kmbysm.html

8　https://headphonecommute.com/2013/03/13/interview-with-stephan-mathieu/

9   http://www.spekk.net/catalog/transcriptions.html

10   この〈Radiance〉と『Trace. Recordings of Entropic Systems 1998-2018』は、阿木譲の最後の投稿 (https://
     twitter.com/AgiYuzuru/status/1040090338537304064) にて、" さよなら先端音楽！" という言葉とともに
     ピックアップされた作品としても筆者の記憶に残っている。

11   https://www.chaindlk.com/interviews/stephan-mathieu/ より " アンビエントの文脈の中で自分のものを見
     ているわけではありません。"

本稿では他にも以下のインタビューなどを参考にした
・http://www.rarefrequency.com/2008/12/stephan_mathieu.html
・https://www.fluid-radio.co.uk/2016/07/stephan-mathieu-the-radiance-interview/
・『The Sad Mac』(Headz, 2004) ライナーノーツ

—A Young Person's Guide to Stephan Mathieu—

yorosz (aka Shuta Hiraki)

On September 2, 2022, Stephan Mathieu, a Bonn, Germany-based musician and mastering engineer, announced via a message from his label Schwebung that he is ending his music career[1]. He had already stopped making music in 2018 to focus on his work as a mastering engineer, but it seems that he has decided to set up a new studio in August 2022, and in conjunction with this, he has officially announced the end of his music production. In addition, he also announced that he likes the idea of "music disappearing," and based on this stance, he will end sales of his works on his own label, Schwebung, at a later date. At the time of this writing, at the end of September 2022, his major works have not been removed from bandcamp, but they are no longer available for listening or purchase, with the exception of a few works (they are still available for viewing and downloading on accounts that have purchased them in the past). However, the many works he has released as a musician and his footprints are unforgettable to me (as they will be to many listeners interested in experimental electronic music, ambient, drone, etc.). I am convinced that these works can become so for future listeners who will come to know him. Therefore, in this article, I would like to trace his career as a musician by taking up his major works, and attempt to make a very modest resistance so that his music will not disappear (or be forgotten). As mentioned above, his works released on Schwebung are no longer available for listening or purchase on bandcamp, but they continue to be available on other digital music retailers such as Boomkat, and his works released on labels other than Schwebung are still available on their respective labels. If this is the first time you have heard of him, please do not be discouraged.

【Upbringing, as a drummer】
Stephan Mathieu was born in 1967 in Saarbrücken, Germany. He was introduced to pop music at an early age by his mother, who worked in a record store, and his father, an avid record collector and folk and blues harp player/singer. He started playing drums at the age of 10 and became interested in improvisation in 1988 when he discovered the legendary drummers Paul Lovens and Milford Graves. In 1990, he moved to Berlin, where he played with Axel Dörner, Andrea Neumann, Toshimaru Nakamura, and various other musicians and performers active in the Berlin scene at the time. His performances as a drummer during this period included two recordings as Stol with guitarist Olaf Rupp ("Semi Prima Vista" and "Stol"), as well as the album "Butch Morris Conducts Berlin Skyscraper" (FMP, 1998).

【Encounter with Computers】
He was active as a drummer in the field of improvisation until around 1998, when in 1995, while recording at a studio, he began working with Pro Tools, which was installed in the studio, and this was the beginning of his foray into computer-based production. In 1997, he produced "11.55.330," his first computer-based work. Created from a single hit of a floor tom and various edits in Pro Tools, the song appeared on the

A-side of the Full Swing EP, released in 2000 on Orthlorng Musork under the name Full Swing, and in 2019, it was released on the It was released independently on Schwebung's bandcamp[2]. He continued in 1998 with "Wurmloch Variationen," a glitchy electroacoustic piece edited with piano performances by himself. This was released on Ritornell in 2000 as his debut album, and made Stephan Mathieu's name widely known as an electronic musician. Around the same time, he was working on "Wurmloch Variationen," he began working as an engineer and lecturer at CERM (Centre européen de recherche musicale), a traditional electronic music studio in Metz, France. There he built a studio equipped with vintage equipment such as ARP, Crumar, EMS, Moog, New England Digital, and Roland, as well as the latest Pro Tools. This allowed him to take material he had been assembling in his small home studio environment and bring it into a full-fledged studio for productions. Edits" (Orthlorng Musork, 2001), a collection of edits of his friend's songs (Kid Clayton, Ekkehard Ehlers, Monolake, and others), was produced using this process. From November 2000 to March 2001, he produced the album "FrequencyLib (Ritornell, 2001)" by editing songs in the public domain. The work often uses loops of fragments of pastoral free compositions and glitches to create sonic and rhythmic flexures. The color and nimble nature of the loops themselves and the time structure of each track, which is like a series of skits, create an electronica with a pop and breezy atmosphere that has a faintly lo-fi hip-hop feel to it. Also of interest is the description of the tools used: "Processed with Soundhack, Argeïphontes Lyre, Max/Msp and Protools Free. As will be discussed later, the combination of these plug-ins and sound programming language became an important tool that fundamentally supported his work from this point onward.

【Rejecting Edit and Establishing Process】

The 2002 release "Die Entdeckung Des Wetters" (Lucky Kitchen) includes "Touch," commissioned by the HBK Saal, the University of Art and Design in Saarbrücken, for a glass exhibition at the Berlin City Hall, and the track "Die Entdeckung Des Wetters" was composed for the cultural heritage site of the late 19th century ironworks "Völklinger Hütte". During the production period of this work, Stephan developed a system for sound processing based on Soundhack, Argeïphontes Lyre, and Max/Msp, which were also used in the previous work, applying techniques such as entropic processing and convolution Argeïphontes Lyre. Die Entdeckung Des Wetters" contains the first results using these techniques. The sound on "Die Entdeckung Des Wetters" also shows a change in style, with a much greater emphasis on soft-toned, shimmering drones than on his previous works. From this point onward, he continued to use the system developed at this point and shifted the direction of his activities to a variation style of production, changing only the sound source processed by the system, and deepening his own drone/ambient style day and night. Therefore, "Die Entdeckung Des Wetters" can be seen as a work in which an important shift occurred, both in terms of the production process and the nature of the work produced by it.

STEPHAN MATHIEU. DIE ENTDECKUNG DES WETTERS

『Die Entdeckung Des Wetters』(Lucky Kitchen)

Here, I would like to briefly explain the entropic and convolution techniques that Stephan Mathieu continues to use as the core of his work. The terms "Entropic Process" and "Entropic System," which Stephan Mathieu uses in his work and often mentions in interviews, are probably not widely accepted names, but rather his own expressions. The entropic process seems to be an analog process of "play audio through speakers, pick it up with a microphone and record it, play it through the speakers again, pick it up with a microphone and record it, and repeat..." This method is used in Alvin Lucier's "I Am Sitting In A Room". He was so interested in this process that one of the first things he did after introducing the PC to his production was to play his 11-minute piano performance 26 times in his room (the sound was used in the installation, by the way. And the original piano performance went through another editing process and was made into his first album, "Wurmloch Variationen"). The sound subjected to this process was gradually transformed by acquiring acoustic characteristics each time it was recorded, which were created by the shape of the room, the position of the microphones, and the characteristics of the microphones and other recording equipment itself. The word "entropy" seems to have the meaning of diffusion and decay, as well as a technical term in physics and information theory, and Stephan may be using it to describe some complexity that is acquired/accumulated through this recording process.

"Entropic System" probably refers to a software system that Stephan designed himself, inspired by this analog entropic process. Convolution plays an important role in this software system. Convolution is a mathematical operation that multiplies two functions.

In the field of sound processing and music production, this technique is applied to reverbs and filters as a kind of synthetic processing, in which one audio source (for convenience, let us say "input") is convolved with the other audio (let us say "processor"), and the input is output with the acoustic characteristics of the processor (Supplemental but the audio used for the processing side in this method is called IR). One of the characteristics of this process is that if you use "audio containing short pronunciations with wide and homogeneous frequencies such as white noise with its spatial reverberations" for the IR, you can obtain a high-quality reverb-like effect in which the acoustic characteristics change while the general shape of the input side is preserved. So, for example, if this process is performed over and over using the acoustics of one's own room, it would produce an effect that could be considered a simulation of an analog entropic process. This is precisely why Stephan applies convolution to his system, as he states, "Soundhack[3] it was the convolution algorithms that interested me since they seemed familiar to the analog entropic processes I was fascinated with since a while[4]. Therefore, his system, based on Soundhack, Argeïphontes Lyre, and Max/Msp, seems to use convolution as a simulation of entropic processes, and even as a complex application. My guess is that he is using convolution as a filter that leads to unpredictable transformations, perhaps by using not only IR-aligned reverberations, but also frequency-unhomogeneous sounds such as instrumental sustains or phrase performances.

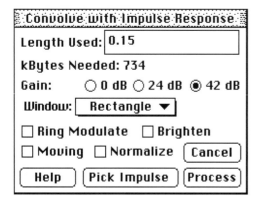

SoundHack Convolution

He also says that this focus on convolution is due in part to the fact that he became tired of using plug-ins as effects and making detailed edits in the production of "Wurmloch Variationen" and "FrequencyLib". The change from repeatedly making detailed edits to achieve his ideal sound to using only certain processes and accepting the results, which are difficult to predict, can be romanticized as a change in attitude toward computers from directive to interactive. Such an attitude can be seen in "Kapotte Muziek by Stephan Mathieu" (Korm Plastics)[5], released in 2003. Kapotte Muziek" is a remix and edit of the sound sources from the Staalplaat Sonderangebot Festival[6] held in Berlin in 1996, by various sound artists. While Stephan was working on this project, he changed his production environment (replaced his laptop and updated his operating system), and in the process, his machine crashed and the audio he was working on was transformed and spit out from the buffer. Stephan felt an ironic connection between this spit-out audio and the title of the series, "Kapotte Muziek," so he decided to present the work as it was, seeing it as "a medley of my Kapotte Muziek material, finished by the computer itself[7]. This example truly symbolizes his new stance of embracing the voice emanating from the computer.

【Input Transition】

The Sad Mac" (Headz), released in 2004, is a sonic work that features a variety of instrumental performances by more than 10 musicians, processed with a system that was established during the period of "Die Entdeckung Des Wetters. The brilliant drone sound of the convolution processing is still fresh and indistinguishable at first listen from acoustic or digital sounds. This work is dedicated to his repeated PC troubles over the past three years, and is also a farewell to the complex DSP processing. The farewell to the endless edits mentioned in the previous section seems to be sung in high spirits by the new sounds created by the new process, and it is a work that is truly a new world. In terms of technique, this work is an extension of the method established in "Die Entdeckung Des Wetters". However, it is important to note that it also incorporates elements of Renaissance culture and almost forgotten old media, such as the harpsichord, viola da gamba, lute, and other ancient instruments, as well as radio and wax cylinders. Stephan's interest in these things was ongoing and was frequently reflected in his work after this. The activity of these new inputs made "The Sad Mac" much more complex and richer in sound than it had been before, and the magical tone of the drone was fully established as a major element of his work.

Next, he used shortwave radio as the sound source input into the system for his 2008 release Radioland (Die Schachtel). As he says himself, "The results fascinated me, especially the interaction between my software patch and the random radio streams[8]," and the result is a sound with such fascinating color shifts that it is hard to believe that it is a single stream of audio obtained through a real-time process. Although this work was produced between 2005 and 2006, he has continued to perform many live performances using real-time processing on shortwave radio, and it is clear that he has continued to be deeply fascinated by its setting. Radioland (Panorámica)," released on LINE in 2012, is a live performance (March 11, 2011) of a shortwave radio stream and a zither performance by Caro Mikalef using E-bow, converted into each other through convolution processing. It is the result of continuous performance activities.

On February 1, 2011, two albums, "A Static Place" and "Remain" were released simultaneously on 12k and LINE. These albums were the first time I heard Stephan Mathieu's work. I will never forget the first time I heard "A Static Place". As soon as I played it, the sound flowed into me like light hitting frosted glass (or aurora borealis), a shimmering effect that was akin to the enchanting gradation of the album's cover. It reminded me of the ethereal feeling I had when I first heard My Bloody Valentine's "to here knows when". It was a soft and deep shock, as if the sound did not form a fixed perception of "music," but only the texture of the music was continuously perceived. For A Static Place, Stephan selected music from his collection of 78 rpm records from the late Gothic, Renaissance, and Baroque periods, recorded between 1928 and 1932, and played them on two phonographs, each of which was picked up with a microphone and fed into the system. Stephan began collecting these SP recordings in 2007, after the "Radioland" project was completed, and they were used as input to the system for "Transcriptions," a collaboration with Taylor Deupree produced from the summer of 2007 through the winter of 2008[9]. A Static Place is a beautiful crystalline work that concentrates on that method. Coda (For W.K.), released on 12k in 2012, was created in a similar method. It uses a 1927 recording of Beethoven's Piano Sonata No. 26, 1st movement, by Wilhelm Kempff as input to the system. As the title suggests, this piece is the coda to A Static Place. For "Remain", the other of the two releases, Stephan used sounds from Janek Schaefer's installation "Extended Play (LINE, 2008)" as input to the system. "Extended Play" is an installation in which an Vinyl EP (solo cello/piano/violin) of phrases based on Polish folk songs is played continuously at various RPMs from nine turntables in the venue. By using this as material, "Remain" shares similarities with "A Static Place" in the presence of turntables and microphones.

"Un Coeur Simple" released on Baskaru in 2013, was created in 2010 for a music theater based on Flaubert's novel. For this work, Stephan used a combination of zithers, viola da gamba, turntables, synthesizers (ARP 2600) and previously attempted inputs to the system. So this work can be seen as a culmination of all the work that has been done so far.

Thus, his work since establishing the software system during the period of "Die Entdeckung Des Wetters" can be seen as a continuous attempt to input almost forgotten old media (old instruments, wax cylinders, shortwave radios SP recordings and phonographs, etc.) into the software system.

『A Static Place』(12k)

【Schwebung】

In 2012, Stephan Mathieu founded his own label, Schwebung, and released "Palimpsest," a collaboration with Sylvain Chauveau. From then on, his works were released on Schwebung with a few exceptions ("Un Coeur Simple" and collaborations with others) until he stopped working as a musician. To name a few, "Palimpsest" (2012), "The Falling Rocket" (2013), "Sacred Ground" (2014), "Nachtstücke" (2015), "Before Nostromo" (2015), and "Radiance I~XII (2016~2017) and Trace (Recordings Of Entropic Systems 1998-2018) (2018) are those works.

Five of these works, "Palimpsest," "The Falling Rocket," "Sacred Ground," "Nachtstücke," and "Before Nostromo," were compiled into a boxed set "Folio" in 2018 (although "Palimpsest was re-titled Folio and contains an instrumental version without Sylvain Chauveau's vocals). The backgrounds of these works vary: they were originally collaborations, music for films, commissioned multi-channel productions, and so on. However, they all share a common attempt to input a variety of sounds more freely (while maintaining the direction of almost forgotten instruments and media) into a well-honed software system. This style of comprehensively selecting inputs seems to have begun around 2010, when "Un Coeur Simple" was produced, and It is noteworthy here that Stephan basically plays himself the acoustic instruments in his works after he took this style. In the Folio works, he has taken the entropic/convolution sound process that he has used continuously for more than a decade, and added old instruments, radios, and newly acquired instruments (phonoharp, Farfisa organ, Hohner electronium, etc.) to the mix, thereby creating a new sound that is more culturally relevant. The cultural backgrounds and contexts of these instruments are reflected in the work. But his willingness to play the various instruments himself, which require different skills, also reflects in the work, the existence of Stephan Mathieu as a "collector" who collects them with love (and as a particular "performer" who interacts with the software system). I can feel Stephan Mathieu's presence emerging from the long sound stream of "Folio" like a shadow that occasionally swims by. Compared to his previous works, the boxed Folio seems more like a book carefully tucked away in the back of a shelf, a highly personal object of taste.

Radiance I~XII" is a kind of series of works, released individually one by one between 2016 and 2017, and also released in 2018 as a 12 CD box set <Radiance>[10]. The 12 pieces have different concepts and backgrounds, including pieces dedicated to instrument maker Arnold Dolmetsch, astronomer Johannes Kepler, composer Alvin Lucier, and others, music for film, and live recordings. The recordings are diverse, with a mix of Stephan's own work and collaborations, and some of the material dates back to as far as 2004. One gets the impression that this is a collection of works that reflect on Stephan's career as a musician. However, rather than being a compilation of his production methods, his interest in various cultures (especially during the Renaissance), and his sound, the works here seem more like complements to his interests that he has not been able to complete in the form of albums during his career. If "Folio" is his canonical collection, "Radiance" is more of an extra-canonical one.

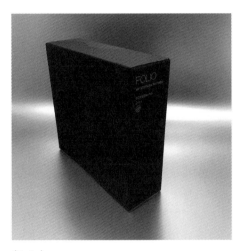

⟨Folio⟩

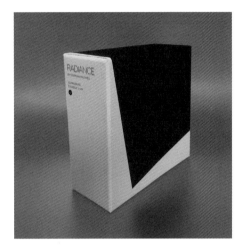

⟨Radiance⟩

And in 2018, in addition to those two boxes, a 2CD album, "Trace. Recordings of Entropic Systems 1998-2018", was released. This album is a collection of rare and unreleased tracks from his 1998 until he essentially stopped his musical career. As you can tell from the title, this is an anthology of entropic systems, which has always fascinated him since he first stepped into the field of electronic music. So this album will serve as a very kind beginner's guide to sound trace the transition I have described so far. In addition to the release of Stephan's new work, Schwebung has also reissued some of his past works that had become difficult to obtain for reasons such as being out of print. Specifically, "Wurmloch Variationen" was reissued digitally and on vinyl in 2020 (on WEEDING), "The Sad Mac" was reissued digitally in 2013, and "Radioland" was reissued in 2020 with bonus tracks on CD/digital, and "A Static Place" and "Remain" were reissued on CD/digital in 2020 as a new work that embraces the two albums, "A Static Place /Remain - 2020 Edition". These albums featured new covers by Caro Mikalef, who has done the artwork for all of Schwebung's works. Also, the digital albums on the reissue boards are high-resolution files, so the sound quality is even higher. Given that he announced that he had "I stopped making music in 2018 to focus entirely on mastering,"the reissues since then may be the result of a purely engineering approach to his own past work. I was again deeply moved by the carefully brushed up and vivid sound of the works that I have loved listening to.

The above is a brief review of Stephan Mathieu's career as a musician. This article is intended to introduce Stephan Mathieu's major works in chronological order, drawing on multiple interviews and other sources, and to explore his characteristics as a musician based on the sound processes used in his works. However, due to the number of words and time constraints, I could hardly mention his many collaborations or the numerous installation works he has created in parallel with his music. I am also sorry that I could not delve into the individual works included in this collection, as I could only give an evaluation of the works published by Schwebung since 2012 as boxed works. I hope to be able to introduce them at another time.

Finally, I would like to put into words, in my very personal opinion, the appreciation and attraction that I find in his music. Stephan Mathieu does not seem to see his music as "ambient,"[11] but if one were to try to see his music as such (and I have seen and loved it as such), one of the fundamental definitions of ambient, "music that looks at a specific space/place," would be valid. His music is played by a unique system inspired by an analog entropic process that reveals the acoustic properties latent in a particular space through the process of sound reproduction and recording. In other words, his music is the essence of "spatiality," which is abstracted (but real) in a complex convolution process. The "spatiality" hidden in the sound may be in his room, inside his instruments, in the radio streams, in the grooves of a record, or in a complex fusion of these······ perhaps no one but Stephan Mathieu can know. But that is why its spatiality, as a mystery reduced to sound, fascinates me so deeply.

注釈

----

1   https://schwebung.bandcamp.com/community?sid=900506&st=sm

2   Still available for listening at https://schwebung.bandcamp.com/album/1155330

3   SoundHack's Convolution is explained with audio examples of the process on this page.
     https://www.sfu.ca/~gotfrit/ZAP_Sept.3_99/c/convolution.html

4   https://mockfuneral.github.io/2021/02/15/stephanmathieuinterview

5   This work is up on Schwebung's bandcamp as "A Microsound Fairytale".
     https://schwebung.bandcamp.com/album/a-microsound-fairytale

6   https://staalplaat.bandcamp.com/album/sonderangebot

7   http://kormplastics.nl/kmbysm.html

8   https://headphonecommute.com/2013/03/13/interview-with-stephan-mathieu/

9   http://www.spekk.net/catalog/transcriptions.html

10   I remember that this "Radiance" and "Trace: Recordings of Entropic Systems 1998-2018" were picked up with the words "Farewell to cutting-edge music!" in last posted by Yuzuru Agi (https://twitter.com/AgiYuzuru/status/1040090338537304064).

11   "I don't see my things in the context of ambient, quiet the opposite."
     https://www.chaindlk.com/interviews/stephan-mathieu/

This article also draws on other interviews, including the following

· http://www.rarefrequency.com/2008/12/stephan_mathieu.html
· https://www.fluid-radio.co.uk/2016/07/stephan-mathieu-the-radiance-interview/
· 『The Sad Mac』 (Headz, 2004) liner notes

tolerance/anonym

TOLERANCE『Anonym』
Vanity 0004 LP Vanity Records APR 1979

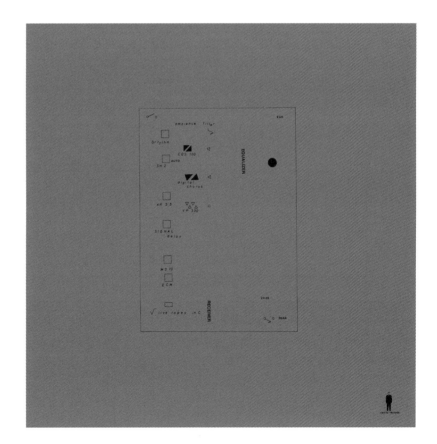

```
         TITLE        LYRICS           OPERATER
    PULSE STATIC
    *TRANQILLIA                             M

    1/F*15*                                 M

    MISA****
    **GIG'S TAPES IN"C"  _____


    SOUND ROUND     ICE IS D*D
                    DICE IS *"*                   J
                      NICE PERFUM
                      VOICE PRESERVE
                          GATE TO THE RAY
                    SOUND ROUND SURROUND   *++-

    BOKW WA ZURUI ROBOT
    *STOLEN FROM KAD*
                                             J

                    WITH HIS SKILLFUL HANDS
                    IT LOSE ** CONTROL

    SACRIFICE
                    ****'****'*****'****'*** '*''''

    MOTOR FAN     =*==*'*''*'*=*#*'*'*==*===_=_=_____

    TIEI REKCUZ
                    MIT IHN * TRA**UMEN ***"""*"
                        TRA**UMEN ** *
                                             F


    REC*ED 30/12 '80
       2.5.6/1 '81
    MIX*ED 8.9.12/1


        MIXER:CIMEI-BUSHMAN!9VLAM
        LUMINAL:J-TANGE
        INPUT:M-YOSHIKAWA
             .HYPERSP*
        COVER CONCEPTS:FUSIFIX.GEKKO-U4
    PRODUCED:MR*AGI..R.M
```

TOLERANCE 『Divin』
Vanity 0012 LP Vanity Records 1981

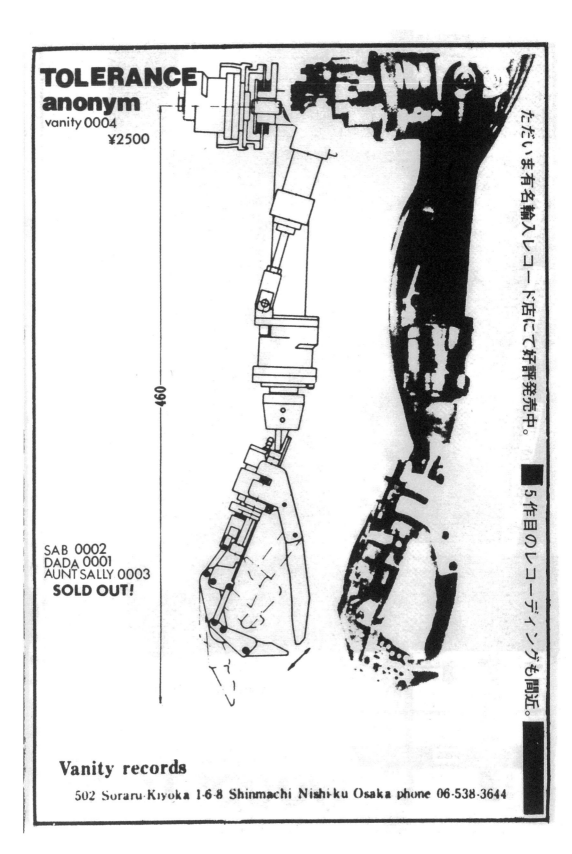

TOLERANCE
anonym
vanity 0004
¥2500

490

SAB 0002
DADA 0001
AUNT SALLY 0003
SOLD OUT!

ただいま有名輸入レコード店にて好評発売中。

■5作目のレコーディングも間近。

Vanity records

502 Soraru·Kiyoka 1·6·8 Shinmachi Nishi·ku Osaka phone 06·538·3644

TOLERANCE 『TOLERANCE』

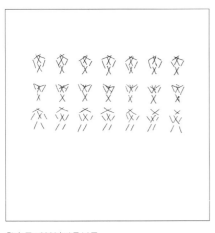

発売日：2020年4月14日
定価：¥7,000（-税別）
品番：remodel 22
仕様：□ポスター2種
　　　□ヴァニティ ロゴステッカー（大判）
　　　□オリジナルボックス（135×135×22mm）
　　　□CD5枚組（紙ジャケット）BOX Set
　　　□CD-1,2はオリジナルマスターテープよりデジタルリマスタリング,オリジナルレコードジャケットを再現
　　　□CD-3,4はカセットテープよりデジタルリマスタリング
　　　□CD-5はソノシート（flexi disc）よりデジタルリマスタリング

ポスター2種

ヴァニティ ロゴステッカー（大判）
—————

tolerance
TOLERANCE

CD-1 Anonym（79年）remodel 23

CD-2 Divin（81年）remodel 24

CD-3 Dose（80年）remodel 25　　　　　…未発表 初CD化

CD-4 Demos（不明／80年頃）remodel 26　…未発表 初CD化

CD-5 Today's Thrill（80年）remodel 27　　…初CD化

CD-1 Anonym

丹下が奏でるエレクトリック・ピアノ、シンセサイザー、簡素なエレクトロニクス、かぼそく呟くような朗読に加えて、吉川マサミのノイジーなスライド・ギターがゆっくりと渦巻きながら渾然一体となり、モノ・トーンで抽象音化されたアニムスが立ち現われるデビュー・アルバム。

CD-2 Divin

セカンド・アルバム。タイトルはフランス語で「神」の意味。前作で聞けたギターは後退、ドラム・マシーンの躍動感とエレクトロニクスの律動が強調され、無機的で曇った空間にほのかな色彩感が加わり、不思議な音響が創出される。T-5では角谷美知夫（腐っていくテレパシーズ）の「ぼくはズルいロボット」の詩を流用。

CD-3 Dose（未発表）

阿木譲の所蔵品から発見されたカセット・テープをデジタル・リマスタリング。「Dose」とのみ記されており、各曲名は不明。「Anonym」（79年）と「Divin」（81年）の中間に位置付けられる音楽性を持ち、一枚のアルバムとしてほぼ完成している。

CD-4 Demo（未発表）

CD-3と同様、発掘カセット・テープからの音源。荒涼としつつ、どこか安らぎのある風景が走馬灯のように浮かんでは消える、音のラフ・スケッチ。

CD-5 Today's Thrill（初CD化）

『ロック・マガジン』誌1980年32号付録ソノシート（Vanity2005）として発表されたアルバム未収録曲。ソノシートから宇都宮泰がリマスタリング。

————————

CD-1　TOLERANCE – Anonym（remodel 23）

tolerance/anonym

1979年10月にVanity Recordsのカタログナンバー4番としてオリジナルがリリースされた、東京の丹下順子によるプロジェクトTOLERANCEの1stアルバム。ジャケットは写真集『東京綺譚』を刊行した神谷俊美。パンク以降の価値観で活動する新たなバンドや、バンド活動を経た音楽家のオルタナティブなアプローチなど、同時代の先鋭的な音楽動向をいくつかの側面から捉えてみせたVanity Recordsのカタログの中でも、本作はアーティスト自身の音楽的出自から実際のサウンドの立ち位置まで、明確な判断の難しい抽象的な存在の一作といえるだろう。

丹下によるエレクトリック・ピアノ、シンセサイザー、そして声は、不穏さとエレガンスを同時に纏い、吉川マサミのエフェクティブなサウンドを発するスライド・ギターは、パンク以降の痙攣するような衝動的演奏の残り香を感じさせる

ものの、もはやそれはおぼろげで、彼岸ともいうべき遠い地点から響く呻きと化している。時に秒針や心拍を思わせる渇いたエレクトロニクス・サウンドも用いられるが、それは作品全体に無機的なニュアンスを効果的に付すものの、中心的といえるほどは重力を持っていない。

クラシックやパンクを経過したフリー・フォームな楽器演奏と、時代の先端たるエレクトロニクスが、どれが中心ともいえない塩梅で拮抗し、情緒や空間が漂白されたようなデッドな質感でのみ存在する本作の音楽性は、正に"匿名"を意味するアルバム・タイトルに相応しく、故にいまだアクチュアルであり、美しい。

「ナース・ウィズ・ウーンドのNWWリスト」に選出されるなど、同時代の作家に影響を及ぼすだけでなく、Posh Isolationなど現代のエクスペリメンタルに続くサウンド・ヴィジョンも大いに見出せる。傑作であり、重要作だ。

CD-2　TOLERANCE – Divin (remodel 24)

1981年3月、Vanity Records最後のLP作品(カタログ番号：12番)としてオリジナルがリリースされたTOLERANCEの2ndアルバム。

1978年に設立され、パンク以降の価値観で活動する新たなバンドやバンド活動を経た音楽家のオルタナティブなアプローチなど、同時代の先鋭的な音楽動向をいくつかの側面から捉えてみせたVanity Recordsであるが、1981年からのリリースではINDUSTRIAL MYSTERY MUSIC＝工業神秘主義音楽という方向性が強く打ち出される(これに合わせて、近い時期に『ロック・マガジン』の編集体制も新しくなっている)。この方向性を宣言したのが1980年12月リリースの2枚組LP『MUSIC』VANITY0010-11 であり、単独の作品としてそのヴィジョンを示してみせたのが1981年3月リリースの本作『Divin』といえるだろう。以降Vanity Recordsはこの方向性を伝える手段として、スピードを重視するためカセットでのリリースを選択し、結果的に本作がレーベル最後のLP作品となった。

前作『Anonym』で見られたピアノやギターなどを用いたフリーフォームな楽器演奏の側面は後退し、リズム・マシンとシンセサイザーをメインとした電子音楽へと大きく歩を進めた作風。無機的なリズムの反復が骨格となった音楽性ではあるが、それがまとう音響は時に虚ろな、また時には鮮やかな色合いを持ち、前作での楽器演奏において感じられた和声感覚が受け継がれていることを感じさせる。声の扱いも、フィルターや変調を通すことでより抽象的なものとなっている。前作においてはまだおぼろげな存在であった反復的な要素がくっきりと映し出される一方で、他の要素も(意図的に、靄がかけられたような状態ではあるが)存在しており、故に表面的な音楽的装いを変えていながら、TOLERANCEの音楽としてのエレガンスや強度は失われていない。

CD-3　TOLERANCE – Dose (remodel 25)

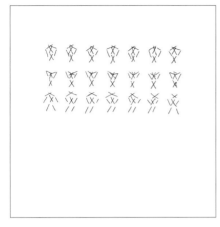

1　Dose 01

2　Dose 02

3　Dose 03

4　Dose 04

5　Dose 05

6　Dose 06

—————-

Vanity Recordsより二枚のLPと一枚のソノシートをリリース、レーベル主宰者である阿木譲がVanity作品のフェイヴァリットに挙げ、「NWWリスト」に選出されるなど、同時代の作家への影響力も持っていた丹下順子によるプロジェクトTOLERANCEの未発表音源が初の単独CD化。

収録内容は、阿木譲の所蔵品から発見されたカセット・テープをデジタル・リマスタリングしたものであり、「Dose」とのみ記されていたために各曲名は不明となっている。

制作は1980年で、これは1stアルバム『Anonym』と2ndアルバム『Divin』の中間の時期にあたる。

1stアルバムの時点では、随所で用いられるものの、まだ音楽の中心といえるほどには重力を持っていなかった無機的なエレクトロニクス・サウンドが、本作では複数のトラックにおいて明確に前景化しているが、一方でエレクトリック・ピアノやギターと思われる楽器演奏もまだ用いられており、音楽性の上でも正に1stと2ndの中間地点といえるだろう。2つのオリジナル・アルバムの間での音楽性の変化が、段階的な思考錯誤を経て成し遂げられたことを伺わせる興味深い内容だ。

また本作において耳を引くのが、カセット・マスターであることによるザラつき靄がかかったような音質とそれがもたらす効果だ。

音のくすみや揺れは、電子音、楽器音の境界を曖昧にし、丹下順子のリーディングはノイズにまみれることにより、匿名的なものへと還元されていく。

Vanity Recordsは81年からのリリースで"INDUSTRIAL MYSTERY MUSIC＝工業神秘主義音楽"という方向性を打ち出すことになるが、本作におけるメディアの特性と音楽性の相互作用の中から生まれてくるアトモスフィアは、すでに以降のレーベルのヴィジョンをありありと映し出している。

CD-4　TOLERANCE – Demos (remodel 26)

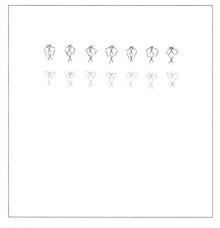

l　Demos

——————–

TOLERANCEの発掘カセット音源による初の単独CD化。

制作時期は正確には判明していないが、TOLERANCEの活動時期を鑑みると1980年前後と思われる。音源は発掘されたカセットテープからのデジタル・リマスタリング。

いくつもの曲の断片が切れ目なく繋がれたミックステープのような収録内容となっているが、この状態は完成形ではなく、あくまでデモ音源故にとられた形態であった可能性も伺える。

しかしながら、左右にフラフラ揺れながらいくつものサウンドが浮かんでは消えるといった構成は、TOLERANCEの音楽が常に含んでいた霞のようなサウンドの扱い、アトモスフェリックな魅力をより際立たせている。2ndアルバム『Divin』で、完成を見るような反復するノイズやリズム・マシンのサウンドも用いられてはいるが、この音源ではそれらの要素は楽曲の重心を安定させる方向へは機能せず、終始ボトムが抜け落ちたような浮遊感のある音楽性となっている。

冒頭では、声を溶かし込んだようなサウンドによって安らぎへ誘われ、さまざまな音風景を潜り抜けた先に、ぶつ切りの停止とその後が待ち受ける様相は、走馬灯や黄泉といった言葉を連想させずにはおかない。

——————–

CD-5　TOLERANCE – Today's Thrill (remodel 27)

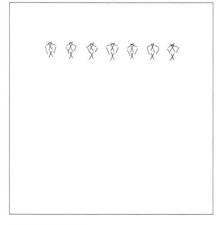

l　Today's Thrill

―――――――

この音源は『ロック・マガジン 32号』(1980／07)付属のソノシート(vanity 2005)に収録されていたものであり、TOLERANCEが2枚のLP以外で唯一世に出した音源となっていた。CD化にあたり、オリジナル・マスターテープから宇都宮泰がリマスタリングしている。

制作はおそらく、二枚のLPの間の時期にあたる1980年。内容は、静謐かつ無機的に打たれ続けるビートと、囁くような声によって生み出される緊張感が聴きどころとなっている。

しっかりと輪郭を保った丹下によるエレクトリック・ピアノの演奏など、1stアルバム『Anonym』の延長線的に響く要素も抱えているが、演奏の方向性はフレーズの反復に徹した機械的な指向が強まっており、"INDUSTRIAL MYSTERY MUSIC＝工業神秘主義音楽"へと確実に歩を進めていることが嗅ぎとれる。

静の様相の強いサウンドに突発的な動を差し込むように用いられた、テープ・コラージュの技法も印象的だ。

（よろすず）

tolerance   anonym

mesh-key 033-A
℗ mesh-key records

© 2023

Two owls (3:31)
I wanna be a homicide (2:44)
osteo-tomy (3:47)
JUIN-Irénée (4:35)
anonym (5:26)

tolerance   anonym

© 2023

mesh-key 033-B
℗ mesh-key records

laughiñ in the shadows (4:58)
through the glass (5:11)
tecno-room (2:52)
Voyage au bout de la nuit (6:58)

HIP HOP Ⅲ

荘子itインタビュー　～ダイナミズムを獲得するために～

インタビュアー　久世

－ Dos Monos さんは僕が思うに日本で一番鑑賞者側の能動性を喚起させるような、もっと言えば世の中を動かしうるような活動をされているラップグループだと思っていて、今回は大きくそういったテーマでお話をお伺いできればと思います。よろしくお願いいたします。

荘子it: はい、よろしくお願いします。

－まず僕が普段熱心に聴いているのは NY アンダーグラウンドのヒップホップで、Dos Monos さんはある程度ナンセンスでペダンティック、鑑賞者が考えていかないと意味が取れないような形、例えばビリーウッズ、もしくは二木信さんや吉田雅史さんが名前を出してらっしゃったエル P のような面白さがあると思っているんですが、向こうの人達はそうやってアンチモダン、アンチイズムな形を取りつつもテーマは結構明確なんですよね。アプローチの仕方はポストモダンだけど、作品としては割と小綺麗に、美学的にいうところの合理、モダニズム的に結晶していると思っています。
だからそこから色々なこと読み取ることができるんですが、Dos Monos さんは「王墓」のリリック中にもあったようにそういったアプローチの究極にあってより難しいと感じています。その点でこちら側の語りが追いついてないなとも思います。そういった認識についてはどうお考えでしょうか？

荘子it: はい、非常に面白い分析だと思いましたし、僕もビリーウッズとかアールスウェットシャツとかエル P は音楽としてもすごい好きですし、リリックは久世さんがおっしゃったように言葉遊びと引用に満ちているけど意外と言ってることは一貫してるみたいなところがアメリカのラッパーの形だとは思います。
ただそれをモダンとするかどうか、モダン、アンチモダン、あるいはポストモダンという分け方をするかどうかというのは難しいところで、僕なりの考え方だとモダニズムは進歩とか時間の経過がちゃんと考えられていて、ポストモダニズムはもっと進歩とかじゃない水平の時間の中で記号のタームになっていくことなのかなと思っています。
そういう意味ではエル P はラン・ザ・ジュエルズの活動もあるし結構直接社会的な訴えかけをするところもあったりもして、その濃度がアールとかビリーウッズは薄いとかそういった細かい違いはあるにせよ、それぞれ一本筋が通っているというのは進歩史観と言うよりはもっとストリートとか人種的なバックグラウンドとかの理由があるのかなと思いますね。

だから彼ら以上に Dos Monos が先鋭的にポストモダンだというような評価をして頂けるのはありがたいといえばありがたいですが、そのポストモダン的な言葉遊びでも結局その裏側の背景とかストリートの事情とかが出てくるというのはポストモダン後の最近の色々な文化の傾向だと個人的には思うんですよね。
例えばまさに「Dos City」とかは得体が知れなすぎるかもしれないんですが、僕たちとしては東京という土地に生まれ育って東京という場所から出てきた音楽で、東京とは似て非なるオルタナティブなもう一つの町として「Dos City」というものがある。
だからある種「Dos City ポップ」というか、当時シティポップと言われてたけど、俺たちが思う東京シティの音楽はそうじゃない、俺らなりのリアルが入っているという意味では意外と「Dos City」も一本筋通っていると言えば通っているんですよね。
すごくシンプルに言うとラッパー的なセルフボースティングというか、俺たちは俺たちのこういうあり方が卑屈でもなんでもなく一番かっこいいと思っていて、これが普通だと思っているというスタンスを示しているんです。基本的なスタンスはそこなんですよね。

ただそこが社会的なところに密接にメッセージとして繋がっているかというとあえてそうしてないってところもある
し、特定の人種や文化を背景とした具体的な繋がりがあまりないというところがさっき言ったラッパーたちとの違いな
のかなと思いますね。

そういう意味では最近の Dos Monos のモードとしては、Dos Monos が持っていたすごく抽象的な、どこに接続する
のか未だ不明な世界観がどう繋がるのかというところを、さっきおっしゃっていただいたように読み手が積極的に関わっ
てきて欲しいというのが願いではあるんですけど、そういうものを求めると同時に自分達からもそういう接続する機会
とかチャンスとか仕掛けとかを生み出していかないといけないなということが僕たちが思っているところですね。

－なるほど。だから音楽以外にも本当に広く活動されていますもんね。

荘子it： そうそう。だから Dos Monos の作品を読み解くんだという姿勢よりは、その作品が描いている抽象的な世界観
というものを実際のものに応用していけるような仕掛けを考えたいなという感じですね。

－以前「一人称の文化」というヒップホップ理解を巡って韻踏み夫さんにお話を伺ったんですが、そうではない能動性の
喚起の仕方、公共空間が生まれうる仕方として Dos Monos さんの名前が出ました。やはりそういうキャラクターの中
に実存が、作品から芸術家が生まれるような倒錯がある形は日本語ラップでは珍しいと思います。

荘子it： そうですね。そういう一般的な一人称が出てくるというよりは、作品全体を通して一貫するなにかがある種の人
格として浮かび上がってくるタイプの一人称ですよね。
例えば、私小説とかエッセイではない、純粋なフィクション小説をいっぱい書いている小説家の作品の中に浮かび上
がってくる作家像がその人の一人称らしきものになっていくみたいな、最初から俺とか私を前提としている感じではな
いですね。それもヒップホップの先駆者たちがそういう語りをしてきて、その延長線上に Dos Monos もいると思って
ますね。

－それでいうと「Dos City」の中で「アガルタ」は急に普通の一人称的な語りが始まって卑近で温かい感じの楽曲ですよ
ね。

荘子it： 確かにそうですね。自分たちの生まれ育った東京という街の音楽を Dos City と名指したアルバムだけど、おっ
しゃっていただいたように「アガルタ」だけは“東京という村”というリリックから始まるから、リアリティラインが一気
に現実に近くなるし、唯一メロウでチルっぽい曲ですよね。ファン層でない人たちからはアルバムの中であれだけ印象
に残ってるとか言われてたりもしたので、ちょっと独特な位置付けの曲ですね。没が入ってないのもあるし。

－グループでやっているというのも一つあると思うんですが、大枠のテーマやビジョンがありつつも皆それぞれが思う
ようにやっていて、またインタビューではサンプリングも新しい発見をしながらやっているとおっしゃっていて、そう[1]
いう即興性の中にもある種捉え難さみたいなものが出てくるなとも思うんですが、その辺りはいかがでしょうか？

荘子it： 即興性と言うと一般的にはフリースタイルラップとかを想起させると思うんですけど、Dos Monos はそういう
ことはしないのに何が即興なんだというのを一応読者の人への解説のつもりで言うと、例えばジャズとかが持っていた
即興性と言うのはゲーム性みたいな言葉に言い換えられると思うんですよね。
作品としての音楽というものは元になる作曲されたオリジナルのメロディーとかコード進行とかテーマが核の構造と
してあるんだけど、テイクごとに形を変える、生成変化する過程と結果みたいなもの、作品とパフォーマンスの境界があ
る種グズグズになった形をそのまま受容するというあり方がジャズや即興演奏の特徴ですよね。
もちろんクラシックも指揮者によってテイクが違うとかはありますけど、それは明確な作品のテイク違い、バージョン

違いみたいなものなんですけど、ジャズの即興性というのはそれを超えて作品そのものの構造が変わっってると言って
いいような換骨奪胎の妙を競ってるところがあると思うんですよ。この考え方の元はリミックスとかの文化に馴染み深
い自分の感覚ですが、ここではあえて20世紀前半のジャズをその起源として語ります。

例えば最近で言うとChatGPTのテキストを入力してそこから何パターンもロードするたびに解答が提示される快楽が
それに近いなと思っていて、その変換の過程の面白さ、ルールだけ決めるとサッカーの試合とか野球の試合とかも常に
違う結果が違う過程をたどって現れる。究極サッカーというゲームを発明した時点で悦に入って、それを人々が称賛す
れば終わりなんだけど、そのゲームをプレイしたり鑑賞し続けたりするということはある種ポストモダン的な態度と思
うんですけど、そういう作品ともパフォーマンスとも切り分けがたい間の魅力みたいなものを録音物として量産し続け
ているというのがジャズの魅力で、何が言いたかったかというと、ヒップホップが受け継いでいるのはそういう意味で
の即興性でもあるんですよね。その場でフリースタイルしますよっていうことではなくて、創作過程でもテーマだけを
設定してメンバーたちが自由に、まさにゲーム的に作品を作るというアウトプットであるということを理解してないと、
よくDos Monosも歌詞は全部俺が作って他の人にラップさせてるんでしょみたいに聞かれることがあるけど、基本的
にラッパーというのはそれぞれが責任をもって自由に遊んでいいということを意外と知らない人も多い。
それだけクラシック的な、あるいはロック的な作品のあり様が広く浸透してるから、未だに多くの層にとってはそうい
う作品の作り方、受容の仕方は奇抜だし、Dos Monosがやっている即興性というのはジャズとか黒人音楽から受け継ぐ
ものなのかなと思います。

ーなるほど。その録音物を制作する過程の即興性についてよく分かりました。
また例えばバンドだったらライブがライブ盤としてリリースされるように、ライブがパフォーマンス・アートとして、作
品概念として引き受けられる可能性があると思うんですが、ラッパーのライブについてはどうお考えですか？

荘子it: ラッパーのライブもすごく変ですよね。最近先鋭化してきて面白いと思うのが、昔はヒップホップのライブって
カラオケじゃん、音源流して歌ってるだけじゃんみたいなことを言われていたんですが、最近はもはやカラオケですら
ないじゃんみたいな（笑）。トラックに本人の録音の声自体が入ってて、本人が登場してみんなで騒いでるだけみたいな
感じなんですよね。
それは僕らとしてもすごく面白いなと思っていて、Dos Monosも初期はオーセンティックにカラオケスタイルというう
か、ボーカル抜いたトラックだけの音源に生で声を重ねるっていうライブをやってたんですけど、最近はちょっと別の
やり方をやってみるのも面白いなと思ってます。
それはまさにゲーム性の一番極限の形というか、元ネタを提示してそれをその場で別のものにするんだというデュシャ
ンの美術館に便器を置いたら作品になるみたいなことに限りなく近いというか、Spotifyでいつでも聴ける音源を本人
と一緒に流してるということに
パフォーマンスさせるものを付与していくようなライブの見せ方は極北の形で面白いなと思っているんです。それこそ
ゼロから全部生演奏でバンドにしますよという凄さがロバートグラスパー以降一度盛り上がって、ヒップホップのト
ラックも生演奏でやるのがすげーっていう2010年代の流れがあって、でもその裏ではやっぱりトラップ勢が完全に
ボーカルを流すライブをやってたんですね。そういう流れの中テン年代の末に出てきたDos Monosのライブはどっち
つかずだったんですが、一度二年前LIQUIDROOMでバンド編成のライブを大井一彌っていうドラマーとか、松丸契と
かSMTKのメンバーと一緒にやったんです。
でも自分のトラックというのはある種そういうコンテンポラリーな感覚で作ってるから、オーセンティックにバンドで
再現みたいなことをしたいわけじゃないんだみたいな自意識的なこだわりのせいで抵抗が結構あったんですが、やって
みると当然みんな素晴らしいミュージシャンなので、スタジオ入って合わせたら内容が素晴らしかったからライブでや
りたいなと。そのライブはライブ盤として今度リリースしようと思っていて、なんならこれからはDos Monosの既存
曲はこれで聴いてくださいっていうくらい今までの曲を基本的に全部演奏してるベスト盤に近いような形でライブ盤
を7月ぐらいに出したいなと計画はしてますね。もう音源は完成してるので。

それでスタジオ音源には出せなかった生々しさとかを表現できたので、次に行く地点としては本当に極北的な領域というか、ボーカルすらその場でやらないような優雅なヒップホップのスタイルに Dos Monos がどう解答できるかというところをちょっとやってみたいなと思ってます。

－なるほど。例えば Rolling Loud のプレイボーイ・カルティみたいなものをヒップホップの文脈として捉えた時にあれは健全なのかなというところも個人的には少し考えてしまったりもしたんですが…

荘子 it： 自分もそういうあまりにも即物的で享楽的な感じに正直に乗れないところがあって、やっぱりビリーウッズとかアールスウェットシャツみたいなラッパーにシンパシーを感じていたところはありますね。ビリーウッズは僕らがヨーロッパツアーに行った時にちょうど同じオランダのフェスに出てたんでライブをたまたま見れて楽屋でも話せたんですが、彼のライブのやり方は水曜日のカンパネラ方式というか、ジェイペグマフィアとかもそうですけど、パソコンの再生ボタンをポチッと押してライブするような感じ、さらに言うとジェイペグマフィアは分かりやすく身体を使ってパフォーマンスをするけど、ビリーウッズはその場に立ってライブするだけだから友達の家で新曲をちょっと聴かせてもらった位の感じのライブなんですよね(笑)。
でもあのミニマルな感じもやっぱり意図的なのかなと思っていて、さっき言ったパフォーマンスの極北的な視点で見るとビリーウッズのラップ自体にバリューがあるからそこだけ生で見せるんだみたいな、トラックは DJ もいないからエフェクトやカットすらしない、見せるところを明確にするんだというコンセプトがあるライブのスタイルだなと思ったんですよね。だから僕の感覚からするとそういう形もある意味現代的だなと思ったんですよね。
プレイボーイ・カルティとかの声も全部流して後は踊るだけみたいなのも逆にトラップとかレイジのビートの、例えばギターの一部分だけを生演奏で聴かせるような、音楽的に言えば意識をトラックの方に行かせる、音源とフォーカスする位置を変れてみせるみたいな一発ネタの仕掛けなんだと思ってますね。
デュシャンの例を何回も出しちゃうけど、やっぱりそのもの自体、オブジェクトが持ったポテンシャリーな価値にフォーカスを当てる部分を設定することによって全く違う印象を与えるということ自体がライブの本質なのかなと思ったりもしました。全部がオーセンティックに生演奏できめ細かに整理されてますよというのがライブでもあるんだけど、別の見方をするとものすごく切り詰めてどこに目線とか聴きどころを置くのかということをその場で示してその場で初めて発見があるというあり方がライブの醍醐味なので。90 年代にノイズと即興演奏の大友良英さんがある時期からターンテーブルを使うようになったこととかもそういう発想だと思います。
音楽ももちろんだけど、自分は映画を繰り返し見るんですが、やっぱり 1 回目の衝撃というものはあるんですよ。好きな映画監督でスタイルがある程度あるとしても、やっぱりその作品の狙いとかコンセプト、その都度の仕掛けを楽しみにしていくわけじゃないですか。その驚きを得るという体験は基本的には 1 回目で、もちろんシネフィル的に、趣味的に 2 回目、3 回目は楽しめるけど、作品というものに出会う感覚は 1 回目のものだと思います。そういう意味では映画もフィルムに刻まれている既製品をその場で上映してるだけだから、基本的にはライブの場、観客が立ち会う場では何も起きてないんだけど、でもそれが大きな感動を起こすということが自分にとって音楽以上の体験の核にあるので、そういう意味では音源を流すだけでも感動は設計とか企み次第でいくらでもできるんだなと思うんですよね。そういう意味でカルティにも面白いなと思う部分があるし、Dos Monos なりにそういう何か面白いもの出していきたいなというモードに今はなってますね。

－なるほど。そういうフォーカスする場所の設定に対してカルティのスタイルにちょっと意地悪な言い方をすると、結局黎明期の逆戻りみたいな、DJ が主体で MC が盛り上げてみたいな仕方にも似てますよね(笑)。

荘子 it： それはプレイボーイカルティにとって意地悪なのか、逆に棚ぼた的に俺こそがヒップホップの原点なんだみたいな価値転倒すら起こりそうな気もしますが(笑)。
例えばリルヨッティがトライブ・コールド・クエストを聴いたことがないみたいなことを言っていて、でも彼の新譜は素晴らしかったですし、結構そういうヒップホップに詳しい人がオーセンティックだと思ってるものには一つの価値がも

ちろんあるんだけど、そういうところと全く無関係に出てくる本質的なもの、みたいなところからヒップホップの歴史がつながっているところもあると思いますね。リルヨッティも発想自体はヒップホップ的だと思いますし。

そういう意味で Dos Monos は割とどちらの要素もあるなと思っていて、そういうヒップホップ的にちゃんと分かっている人、イルな感じのあるビリーウッズとかアールとかそういうものがすごく好きなんだけど、それと同時に Dos Monos は日本のヒップホップシーンに属してないというか、ラッパーのクルーとか全然できなくて知り合いもバンドマンの方が多いみたいな、すごく外様なんですよね。

日本のヒップホップの中の人からするとなんだあいつら、インタビューとかでなんか偉そうなこと言ってるけど誰の後輩でもないじゃんみたいな感じだと思うんですよね。実際そういう風当たりをなんとなく感じることもありますし。そういう意味で日本のヒップホップにおいて僕らはリルヨッティみたいな存在かもしれない。例えば俺はキングギドラとか全然聴いたことないし、キングギドラって言えば MF DOOM の方の King Geedorah なら分かるけど…みたいな(笑)。僕らはそんなヒストリーを踏まえてない新参者で、外様な部分もあるんですよね。その両極をメタに捉えた音楽みたいなものをやりたいなというのはありますね。

本当はそれだけじゃないオーセンティック…という言葉が二重の意味になってるからアールとかビリーウッズとか固有名詞を出すと分かりやすいですが、趣味としてはそういう人たちの音楽が好きな人が惹かれる音楽をやりたいと思うけど、自分たちのリアルな実存はそこことはまたちょっと違うところにある。そこを上手く面白がってもらえるように設定できてないなというのは最近思っていて、どっちつかずであることが弱みでもありつつ、そこをもっと突き詰めたらもっと大きい存在になれる、面白くなると思っていますね。

−はい、どこかのインタビューでもおっしゃっていましたが、そういう外様な存在であること、ある種二重にオリジナルであることを認知、志向しつつも、文化の流動性のために比較対象を求めている、コンペティション性もちゃんと獲得しようという意識もあるのが流石だなというか、徹底してるなと思いました。

荘子it: それは多分「Dos Siki」のリミックス企画をやった時のインタビューだと思います。やっぱり「Dos City」や「Dos Siki」は自分のこだわりを表現した音楽であって、誰にも何にも似てないことを志向してたんだけど、それだけで何が不満かって言えば、聴く人にとってもそれを読み解くという作業になっちゃって、さっき言ったゲーム性が作品の中にしかない、閉じたゲームになっちゃうなと思います。それよりも本当に色々なものとの比較とか、ヒップホップの持っているコンペティション性、フリースタイルとかは自分たちはやらないけど、その要素を別の形で実現出来ないかなと思ってああいう企画をやったんですよね。

だから聴いている方にも何か素晴らしい本物の音楽を聴いているみたいな陶酔感みたいなものを持ってほしいというよりは、やっぱりもっとそれぞれが働きかけて、俺だったらこうできるとかそういうふうな考え方を、別に音楽じゃなくてもその人の社会活動の中でそういうクリエイティビティを発揮できるようなものにしたいなと。思想を伝えることも大事だけど、もっと本当に動物的にそういうアフォーダンスでもって人に働きかける活動がしたいなというのが 2020 年ぐらいから、特にコロナ禍もあって今はそういうことを考えています。

だから自分的にはこれまでの Dos Monos は第一期くらいに思ってて、今度ライブ盤を出したところで第一期が終わって、第二期は全くそっちに舵を切ったことをやりたいなと思っています。

−はい、やっぱり荘子it さん、Dos Monos さんの意識というか目指すところは本当に一貫してますよね。

荘子it: そうですね。世に全く音楽を出したことない状態からボンッと出たファーストアルバムの真っ新なファーストインパクトの余波で今まで続いてきたんですけど、その中で感じてきたもっとこういう風に受け取って欲しいとか聴いて欲しいみたいなのをやっぱり上手く表現できてなかったというか、Dos Monos は孤高の存在に留まってしまっていたと思っています。そこに音楽性はもちろんもっと見せ方とか出し方とか含めて二十代の終わりに色々と変革する時期に来てるなとそういう感じですね。そういう明確な動きを最近はしています。

−音楽ナタリーさんのインタビューでは昔は現実を反映している映画や文学の方が偉いと思っていたなんてお話もありましたが、今ではリリックという上部構造、ビートという下部構造という関係性についてお話されていましたよね。また広く文化という上部構造、政治や経済という下部構造という関係性についてもお話しされていたように、音楽とか文化の力に対してナイーブでないところも素晴らしいなと。

荘子it: そうそう。まさに音楽の構造や中身自体でも批評的な試みは出来るんですよね。
そういうものに自分もかなり関心があったし、例えば賛否ありますけど菊地成孔さんは音楽でかなり批評的なことをやってる人で、構造にちゃんと仕掛けを持って映画とか文学に近い、試みの衝撃を受け手にもたらすことをやろうとしているんです。だからあの人の音楽は考え方によってはあまり音楽っぽくなくて、結構自分の周りのミュージシャンからは小難しいと評判悪かったりするんですけど、アーティストとしてはそういうところにシンパシーやリスペクトがあります。だから Dos Monos の音楽はただのメッセージを運ぶ箱じゃなくて、音楽自体を読み解くことでも色んな発見があるようにしたいなと思っています。
ただそれだけだと内容を読み解くというだけのことになってしまうと思っていて、もっと外側のことで出来ることがあるだろうというのも最近の想いですね。だから菊地さんの音楽はもちろん好きだけど、それってその構造が分かるだけのリテラシーがあり余裕があり、そこに興味を持てる人に限られていて、そのコンセプトの社会的な実装みたいなところには現時点ではなかなか寄与できてないというか、菊地さんは著述家や教育者として自力で理解者を増やして普及しているので、それは本当にすごいことだと思いますが、そういう活動をする上で音楽の内容でそれを表すこともちろん大事なんだけど、多方面での社会との結びつきを作ることが大事だなとも思っていますね。
だからそういう意味では東浩紀とかがデビュー作から言い続けている誤配の可能性みたいなものは文章で表現しても意味ないから俺はここで辞めると言って「存在論的、郵便的」は最後いきなり終わる。それ以降の仕事はオタク論とか社会科学の話に行ったりとか色々と紆余曲折しながらもはや著述活動よりもゲンロンみたいな場を作ることの方が大事だと、まだその途上ですから成功とも失敗とも言えないですけど、そういう試みをしているということがすごく重要なことだと思っています。作品とか文章の中でそれをいかに批評的に、素晴らしくやるかみたいなことをやっても結局柄谷行人とか浅田彰が好きだった人の慰みものにしかならないということに二十六歳とかにして気付いて、そういう活動をずっと続けているのはすごいなと思いつつ、自分もそういうあり方をしたいなというのはありますね。

−そうですね。アーティストはこの作品で世界を変えるぞ！みたいな意気込みでやる人もいるだろうし、ある程度そうあって欲しいとも思いますが、それを引き受ける側はそれが世界を変えると思ってはいけないと自分も思っていて、そういう意味では荘子it さんは特にアーティスト的な部分と冷静な鑑賞者としての部分とを両方持ってるなという印象は大きくあります。

荘子it: 僕がというより構造として Dos Monos は 3 人組いて、その一人の TaiTan って奴は元々広告の会社に新卒で入っていて、広告 PR みたいなものでどう社会へのインパクトをもたらすかというところに快楽を感じるタイプの人間で、他方の没っていうメンバーはめちゃくちゃアングラ思考で一番音楽を聴いてるし、作品の感動そのものを純粋に価値として認める。でも計算して狙って人にインパクトを与えるみたいな広告 PR 的な発想、売れ方を生理的に毛嫌いしているところもあって、そういうものじゃないところからいきなりヤバいものが出てきてしかも爆発的に売れるというロマンに賭けているところがあったりもするので、その二人はよく衝突するんですよね。そこで結果的に僕が間に入って仲裁するみたいなことをやるから、そういう考え方になるのはそこも大いにあると思います。
だから本当に自分の立っている状況や環境によってそう思わされてるところもあるし、ポジティブな意味でもそういう両面から考えざるをえないというところはありますね。

−なるほど、そうなんですね。そこでどうしても聞きたくなるのが以前つやちゃんさんともお話したんですが、いわゆるエモラップ的なもの、つまり Dos Monos さんの仕方と対極にあるようなある種凡庸で硬直的なものに対してはどうお考えですか？

荘子 it：エモラップはある種情動の塊みたいな音楽だから数年で賞味期限が切れるのは自明かなと。だからその価値の中心をしっかりと書き残したり論じたりすれば良いのかなって感じですね。

ジャンルとして廃れるのは必然なんで、今更グランジロックバンドなんて出てこないのと同じように、十年後にはエモラップもそうなっているのかなって思いますね。

ただこれは生命の捉え方と同じで個体の生命がめちゃめちゃ短くてもその音楽の歴史みたいなものも一ページではあるわけで、それが反復だとしてもどのタイミングでどういう変遷を経て反復されたかということも大きなヒストリーの一部ではあるわけですから、エモラップは無価値だとまで言う必要はないかなとは思います。

ただ単純にエモラップ一つだけを取ったらまぁもう死んでもしょうがないし死んだところでどうでもいいかなと（笑）。それでも他の音楽ジャンルと同じように何かしらの位置を占めてるものだとは思います。

－もう一つ能動性というところで言うと、作詞の中で自由間接話法、つまり映画的な仕方をしているとおっしゃっていましたが、それももっといえばポストモダン的、デリダやドゥルーズの仕方を思い浮かべたりもします。そういった内在的な問いを導き出せるかという仕掛けを創作の過程でやっているのにも関わらず、良くも悪くもいわゆる日本の音楽好きにリーチしているのはちょっともったいないなと思ったりもします。もちろんそこにリーチしているラップグループなんてほとんどいなかったので、そのこと自体は素晴らしいことなんですが…。

荘子 it：そこはもう作り手が言うとただの愚痴になっちゃうので言ってもしょうがないんですが、さっき言った東浩紀とかの活動は尊敬してるけど、あの人は自分の著作がちゃんと読まれてない時は普通に凡庸な愚痴を言っているので、それは人として避けがたいことで、自分もそういうことをインタビューで言っているので非常に情けない話ですね。

だからさっき言ったようにこちら側の働きかけや設計を見直すとか、マーケティングやビジネスの観点からも色々と考えて読み手を増やす確率を増大させる努力を怠っているので、そこはちゃんとやらないとなとは思います。

ただ国民性とかもありますよね。discord を開いてみて思うのは一瞬で英語コメントばかりなって日本の人が発言しなくなっていて。だからコミュニティの中で主体的な発言によって上手く活性化していくことが起きづらいし、日本でGenius とかが発展しないのもそういうところがあるのかなと。でも批評みたいなよく分からない文章を書く人たちが一定数いるのは結構日本独特の文化でもあるとは思いますけどね。

だからこっちの活動次第では社会を巻き込んだ現象とかに発展するポテンシャルはあると思うので、それを達成できれば自ずと語る人が出てくるというか、その欲望のリソースが増えていくことになると思う。そこは音楽批評家に書かれることを目指しているよりも、まずそういう社会とか本当の意味での外部への働きかけが成功して初めて内部でのより深い議論に入っていくのかなという感じがするので、やっぱりそれをやっていきたいなと思いますね。

－なるほど。では芸術それ自体の外部、カルチャーとしての芸術というか、今だったらパンデミックがあってその抑圧の影響でレイヴ・カルチャーだったりクラブミュージックが流行ってますよ、みたいな芸術の同時代性に何か意味を考えたり、そこに Dos Monos として何か解答していくようなことを考えたりはされますか？

荘子 it：そうですね、抑圧からの解放を皆が求めているという現実の反映でしかありませんよと言われたらそうなんですけど、それを分析して終わりなのかそれに働きかける行動とかアウトプットをするかというところがお客さんとアーティストの違いだと思うんですよね。今は何か気の利いたことが言えるわけでもないですけど、そういうものも大事だとは思いますね。

Dos Monos として直接それを反映していくことはあまり考えていなかったんですが、ファーストアルバム「Dos City」の「劇場 D」という曲のリミックス版をよくライブでやってたんですけど、それはちょっとレイヴっぽいサウンドですね。最近"Theater D (Encore)"としてリリースしたので聴いてみたら分かると思います。

「劇場 D」はスキットを除けば「Dos City」の一曲目なので、Dos Monos の原点のリミックスという形で音源としては初めて出すけど、ライブではずっと前からやってたから、そういう文化の動向に対する反映ではない。でも共時性みたいな

ものがあるので出しても良いかなと。それを今のタイミングで音源にしたいなと思ったのは、やっぱり自分の中でもそういうモードがあるからなのかなと思いますね。

当時は作品として聴かせるというよりもライブで盛り上がっちゃうからやっちゃうぜ、みたいな曲で音源化しないつもりだったんだけど、今なら音源として出してもいいという判断が出来るようになったと言われてみれば思いますね。

－「Dos Siki 2nd Season」では BPM を早くしたような「Sagittarius」という楽曲もありましたけど、あの辺りはそういった文脈なんですかね？

荘子it： あれは Qiezi Mabo に任せたらあれで返ってきたんですけど、シンゲリっていうアフリカの音楽の流行り始め、当時は本国と一部の音楽好きしか知らないようなジャンルで、今では結構広く知れ渡って一番ホットな感じではなくなったんですけど、当時は早耳のリスナーだけが知っていたものを Qiezi Mabo が取り入れたいということでやったものなんですよね。だからそういう意味では多分何か時流に合わせようとしたタイプの試みですよね。

あのリメイクアルバムは作者が全部違うというところでそれぞれの色んな仕方を見せるっていう作品だったので、変化の方向性がバラバラな中でオリジナルから何を残して何を変えるかということの 4 通りの実験みたいな、結構コンセプト志向の作品ですね。

－なるほど。今後ライブ盤やリミックス盤といった方向性での創作もされる予定ですか？

荘子it： ライブ盤やリミックス盤はどちらかと言うと後ろ向きというか集大成的に第一期はこういうものでしたよというもので新しくしている部分が少ないので、さっきから言っているような活動の予告として機能させたいなと思ってますね。

社会への訴えかけみたいな素朴なことがしたいわけではないというのはずっと変わらないスタンスでそれは第二期以降も続けていくんですが、それが高等遊民的な遊戯になってしまわないような形で社会を接続するあり方をしていきたいなと思ってますね。

－文化的なところだけでなくて、そういう本当に雇用とか経済とかにも働きかけていきたいみたいなことを以前もおっしゃっていましたが、その辺りの具体的な戦略は今のところ何か考えてらっしゃいますか？そこまで行くと出馬とかになってきそうな話なんですが（笑）。

荘子it： まぁ出馬は無いんですけど（笑）、例えばラッパーでダースレイダーという方がいますけど、あの人はこの前すごく政治的なドキュメンタリー映画を撮って公開してるし、外への発信を音楽以上に沢山やるようになったというのは、それが単純に生業になったというところもあるとは思うけど、あの人って一度完全に死にかけてるし、今もいつ死ぬか分かんない状態なんで、坂本龍一みたい話になっちゃうけど、何を残しどう過ごすかみたいなことにめちゃめちゃ自覚的になっていったんだと思うんですよね。そういうとこで具体的な行動に舵を切ったところはあると思います。

この前蓮實重彦と筒井康隆の対談本が出ましたけど、大江健三郎がいかにすごかったかという話をしていて、本筋と全く関係ないのに 6 ページぐらい魚を捌くシーンがあって、その描写が凄すぎるみたいな話で老人が盛り上がってたんですよ（笑）。ノーベル文学賞みたいなこととはまったく無関係にそういう小説を生み出す能力が本当に素晴らしいと大絶賛した後に、大江健三郎のもう一つの顔である戦後民主主義の擁護者というか、それの代表者みたいな発信に関しては、性悪な二人ですから、民主主義なんて最悪のものをあれほどの文学者が真顔で肯定してるというのは意味不明みたいなことを筒井康隆が言って、それに対して蓮實重彦は蓮實重彦なりに大江健三郎が言う民主主義はある特定のコンテクストの中のものであって、多くの人思う戦後民主主義とは違うというようなコメントで回避してたんですよね。

だから作品を作り愛でるみたいな貴族的な在り方とはちょっとズレるとこにあるんですよね。戦後民主主義を大事にしなくてはならないみたいなことをあれほどの芸術家が言うのはちょっとレイヤーが違う感じがしていて、例えば坂本龍一なんかがちょっと恥ずかしくなるぐらい素朴な希望を語ったりするのは、もう本当に実存的な条件が降りかかってく

るというか、死期は悟っていなくても引き受けざるをえないとか、そういうことなのかなと思うんですよね。

そういう意味では自分は今別にそういうふうには思ってないから、基本的に芸術以上に政治にコミットしようという気は今まで通り更々ないんだけど、結婚して子供も産まれて、Dos Monos で良い音楽作ってクライアントワークをこなしていればとりあえず一人では生きていけるわみたいな経済的状況とはちょっと変わってきたという実存的な理由があって、それは第二期への動機づけではありますよね。

そういうところは単に選び取っているわけじゃなくて、すごく受動的なところはありますね。そういうところで指針方針が決まっていくのかなと思います。ピカソがゲルニカを描いたのもそうですよね。あれほど芸術のための芸術の人が素朴な社会的メッセージを発信しなければならなかったのは、戦争というものが起きてしまったことがあるからだし、アーティストが出来るのは色々とこねくり回して出せるものの外からくるものによっていきなり今まで培ってきた方向性が変わったりすることもある。そこなんじゃないですかね。

とりあえず今の自分の変化はまだそれくらいの変化ですね。

−そうなんですね。ちょうどお子さんのお話もありましたし、このタイミングのインタビューなので聞いておかなければならないと思いますが、率直にお子さん生まれてどうですか？

荘子it：　はい、かわいいですね。かわいいということに尽きますね（笑）。

−そうですよね（笑）。それこそアールのアルバムでも人生は瞬く間に変わってしまうなんて言いながら、子供生まれたがゆえの明るさみたいなものが見えて誠実で良いなと思っていたんですが、Dos Monosの荘子it として作品の中のモードは今後何か変わっていきそうですか？

荘子it：　これはツイートもしたんですけど、子供が生まれる時の衝撃って自分がこれだけしがみついてきたこだわりとか人生とか作品作りとかみたいな自分にとって何にも変えがたい最優先だったことを一瞬にして明け渡してしまうような、一瞬にして修正主義者になってしまうような可能性を秘めているんですよね。自分が曲を作ることよりこの子のためにできることをすることが最も大事な役目なのではみたいな錯覚というか、本当なのかもしれないけど、今までの自分のロジックを覆してしまいかねない衝撃があるんです。

それがナイーブに響く場合もあるだろうけど、やっぱりそこで宮台真司がよく言うような日本人が一夜にして愛国主義者から民主主義者になったみたいなところで戦後民主主義者になるという選択ももちろん自然なのかもしんないけど、やっぱりそこでどこか持続性を持って考え続けること、それまでの自分を否定する意味でなく新しい衝撃を受け止めることも必要だろうなとは思いますね。

−なるほど。そういう衝撃を受けて目に見えて価値観が変わった部分はどこかあったりしますか？というかその自覚はありますか？

荘子it：　もしかしたらもう起きているのかもしれないんですけど、それを自分の中でどう処理するかというところですね。まぁ素朴にただ残酷なだけの作品とかは見方が変わります。その辺はちょっと考え中ですね（笑）。

−なるほど、ありがとうございます。最後に冒頭のお話とも重なる部分がありますが、アメリカに比べて日本は国民の共通認識に乏しくてそもそも敵を設定することが難しいような場で、明確な敵やイデオロギーが見えづらい Dos Monos さんの仕方はリアルでかつ開かれていて良いなと思っています。その中で「Dos City」の「生前退位」という楽曲で天皇制について軽く触れてらっしゃったのはどういう意図があったんですか？

荘子it：　いる状況がむしろ本当の敵を分からなくさせるところもありますからね。実際に戦争してて戦っている国があるとかじゃない状態だからこそ見える世界全体がもちろんあると思うし、レイジ・アゲインスト・ザ・マシーンみたいだ

けど自分の敵を本当の意味で知るという意味で具体的な敵を持ち出さないというのが Dos Monos らしいところなのかなと思います。

「生前退位」についてはカジュアルに批判とすら言えないようなちょけてるような感じですけど、そもそも天皇制って機能してないから天皇制を権威として非難することにほとんど実効性はなくて、それよりはむしろ普通に天皇制しかないんだから天皇制に賭けろみたいな右翼の発言の方が有意味な発言って感じがします。だからアメリカにおける無神論とか反宗教みたいなクリティカルネスはないので、むしろ生前退位っていう語感がウケるかなみたいなところでタイトルをつけましたね（笑）。

あとは酒鬼薔薇、少年Aみたいな現世に期待できない、完全にゲームでしかなくてリアリティが持てない90年年代的な、宮台真司的な荒廃した世界観、つまり生前に人間として生きることを放棄しているような状況にそぐう言葉だなと思ったのもありますね。

ニュースで見た生前退位という言葉をもっと拡大解釈すると生きてるうちに生きるのやめちゃうみたいな「ヒミズ」みたいな世界観、そのリアリティについて歌っている曲ですね。

—なるほど。僕が見た海外レビューでは生前退位した明仁を糾弾しているラディカルな政治的グループだみたいな捉え方をされていたんですが、そうではないですよね（笑）。

荘子it: そうですね（笑）。

—この場合は端的に翻訳の誤りか誤解かもしれないですが、色々な解釈を並べて見ることはすごく面白いし動的なあり方だと思うので、改めて自身の作品を明瞭に語れる方々にこちらの言葉、もっと言えば行為も追いついていかなければと思います。

本日は長い間お付き合いいただきありがとうございました。

荘子it: はい、ありがとうございました。

注釈
----
1   TOKION「「もっといかがわしい奴が出てこないといけない」—"色気を超越した崇高な下世話さ"を欲して彷徨う
     神出鬼没の Dos Monos、2021年を総括する —前編—」
     https://tokion.jp/2021/12/19/interview-dos-monos-2021-part1/
2   CINRA「Dos Monos からの挑戦状に、自由な発想で表現。リミックス座談会」
     https://www.cinra.net/article/interview-202009-dosmonos_kngshcl
3   音楽ナタリー「荘子it (Dos Monos)のルーツをたどる」
     https://natalie.mu/music/column/390086
4   fnmnl「【対談】Kamui × 荘子it (Dos Monos)｜侵入者による対話」
     https://www.kemail.shop/2022/07/15/146541
5   fnmnl「【インタビュー】Dos Monos『Dos Siki』｜新しい快楽を生み出すための音楽と批評」
     https://fnmnl.tv/2020/09/10/105897
6   TOKION「「もっといかがわしい奴が出てこないといけない」—"色気を超越した崇高な下世話さ"を欲して彷徨う
     神出鬼没の Dos Monos、2021年を総括する —後編—」
     https://tokion.jp/2021/12/26/interview-dos-monos-2021-part2/

ラッパーたちの戦争と平和
——「2.24」以後のロシアの音楽表現をめぐって

松下隆志

戦争と音楽

「戦争」という言葉が日常となって早くも一年以上が経った。

プーチン政権は「特別軍事作戦」という言葉を用いているが、言論統制や部分動員令の発令など、ロシアは事実上の「戦時体制」に移行している。好むと好まざるとにかかわらず、このような状況下ではあらゆる言動が——ときには沈黙すらもが——政治性を帯びる。カール・シュミットの「友敵理論」が現実のものとなり、体制／反体制、親露／親宇、戦争反対／戦争賛成といった二項対立でしか物事を捉えられないかのような感覚に陥る。

文学は本来であればこうした乱暴な単純化にこそ抵抗すべきものであるはずだが、ロシア国外へ逃れたリベラル派の作家や、「特別軍事作戦」を積極的に支持する国内の一部の作家を除くと、多くは戦争に関して沈黙を守っている印象だ。侵攻後いち早くプーチン大統領を痛烈に批判するエッセイを発表したポストモダン作家のソローキンも、「戦争の間、文学は休止する」と発言している。[1]

動きを止めた文学とは対照的に、侵攻後に活発に動きだしたのが音楽だった。とりわけ素早い反応を示したのが、サンクト・ペテルブルグのロック・バンド、レニングラードЛенинградだ。カリスマ的な人気を誇るセルゲイ・シュヌロフ Сергей Шнуров (1973-) によって 1997 年に結成され、陽気なスカのビートと、「マート」と呼ばれるロシア語の卑猥な罵り言葉をふんだんに織り交ぜた歯に衣着せない歌詞が持ち味だ。

レニングラードは侵攻後間もない 3 月上旬から軍事侵攻をめぐる状況を歌った新曲のビデオクリップを次々に自身の公式 YouTube チャンネルで公開しはじめた。最初に公開された「さらば、エリート！ Прощай，элита！」は国外に逃れたロシアの知識人を、その 1 週間後に公開された「立入禁止！ Входа нет！」はロシア人を差別するヨーロッパ人を批判する内容で、とくに後者は、ヨーロッパのロシア人をかつてのユダヤ人になぞらえ、彼らに対する迫害を「ジェノサイド」という過激な言葉で表現するなどして物議を醸した。

シュヌロフは現在右派政党「成長党」の共同議長を務めており、確かに上述の二曲には反欧米的な感情が横溢している。ところが、4 月末に公開された「イノアゲント Иноагент」は正反対の内容で視聴者を戸惑わせた。「イノアゲント」とは「イノストランヌイ・アゲント（外国のエージェント）」の略語で、侵攻後ロシアでは反体制的な活動を行う著名人が次々に「イノアゲント」に認定されている。この曲はそうした不条理な状況を諷刺したもので、シュヌロフは持ち前のハスキーボイスで「それ [ロシアの偉大さ] を疑ってみることすらだめだ／その瞬間にお前はイノアゲントになるのだから」と歌う。

ロシアか西側か、保守かリベラルか、どちらの側に立つかという二者択一ではなく、どちらも笑い飛ばしてやること——混沌とした資本主義ロシアのショービズ世界を生き抜いてきたシュヌロフの不遜な戦略は、決してシニカルなものではなく、ペーター・スローターダイクが言うところの「キニカル」なものだ。まさに現代のトリックスターと呼ばれるシュヌロフの面目躍如であり、レニングラードは戦争という状況下における音楽表現の可能性を示す興味深い一例となった。

ロシアの政治とラップ

さて、ここからは本題であるヒップホップの話題に移るとしよう。『ゲンロン 14』の拙論で詳しく論じたが、ロシアのヒップホップをめぐる状況を今一度簡単に整理しておく。[2]

社会主義体制下の 1980 年代半ばに密輸入のような形でロシアに伝わったヒップホップは、ソ連崩壊後の 90 年代に新しい音楽ジャンルとして台頭し、大衆受けを狙った商業ラップや、それに反発する本物志向のアンダーグラウンド・ヒップホップといった潮流が生じる。

ロシアのヒップホップの独自性が現れてくるのは、プーチンが権力の座に就いた 2000 年代以降だ。テレビをはじめとする主要メディアが国の傘下に入り、正面切って権力批判を行うことが難しくなる中で、ロシアのラッパーたちは自

らの楽曲を通して体制を批判しはじめた。アメリカのヒップホップの原動力である黒人差別へのプロテストが、ロシアでは強権的な国家権力へのプロテストへと置き換えられた形だ。「プーチンのロシア」を容認するか否か——それこそがロシア・ヒップホップの主題となった。

　近年はコンサートの中止が相次ぐなど、若者の間で強い影響力を持つヒップホップへの権力の露骨な介入が見られるようになっていたが、ウクライナへの軍事侵攻はラッパーたちに決定的な一歩を踏み出させるきっかけとなった。ノイズ MC Noize MC (1985–)、オクシミロン Oxxxymiron (1985–)、フェイス FACE (1997–) など政権に批判的なラッパーたちは相次いでロシアを離れ、SNS で反戦表明を行ったり、ウクライナを支援するチャリティー・コンサートを開催したりした。

　一方、「俺の親友はプーチン大統領」と豪語する愛国ラッパーのティマティ Тимати (1983–) は「特別軍事作戦」への支持を表明している。侵攻開始後間もない 3 月にはモスクワのルジニキ・スタジアムで開催されたクリミア併合記念コンサートに出演し、8 月にはスターバックスのロシアからの撤退を受けて「スターズ・コーヒー」という類似店をモスクワに開店したことが話題となったが、部分動員令が発令された 9 月にウズベキスタンへ出国して「動員逃れ」と批判された。反体制派に比べて愛国派ラッパーの反応は鈍く、軍事侵攻を積極的に支持する様子は見られない。

ラッパーにとっての「2.24」

　アメリカ人にとっての「9.11」、日本人にとっての「3.11」と同じように、ロシア人にとって「2.24」は国の歴史的転換点として永く記憶に留められることになるだろう。この宿命的な日をロシアのラッパーたちはどのように受けとめたのだろうか。

　まずはオクシミロンから見ていこう。ユダヤ人の家庭で生まれた彼は、幼少期から家族とともにドイツやイギリスで暮らし、名門オックスフォード大学で英文学を学んだ。高度な教養を持ちながら、カニエ・ウエストも患っていると言われる双極性障害と診断され、大学卒業後も定職に就かなかった。その後ロシアで開催されたラップバトルで頭角を現すと、2010 年代半ばにはロシアの若い世代を代表するラッパーと見なされるまでになる。文学性の高いリリックは従来のラップに対する社会の見方を変え、ロシア初のラップのコンセプチュアル・アルバム『ゴルゴロド Горгород』(2015) は国内の文学賞にもノミネートされたほどだ。

　そんなオクシミロンは軍事侵攻後いち早く戦争反対を表明、3 月から 4 月にかけて「RAW (Russians Against War)」と題したウクライナ支援のチャリティー・コンサートをイスタンブール、ロンドン、ベルリンで開催し、収益総額 195,000 ドルのうち 176,000 ドルを難民児童を支援する NGO 団体に寄付した[3]。その後、9 月から 10 月にかけて今度は自身の公式 YouTube チャンネルで新曲を立て続けに公開し、戦争に対する率直な思いを吐露している。

　最初に公開されたのは「オイダー Ойда」という曲だ。「山の下では年老いたノームが／年老いた喉仏を震わせてしゃっくりする／そして俺たちを核のキノコで怖がらせる／くそ食らえ、老人ども」とロシアを牛耳る「老人ども」にディスを送り、若い自分たちこそが国を「建て直す」のだという決意を表明している。また、ビデオクリップは軍事侵攻後にラッパーの出身地であるペテルブルグで撮影されており、そこには彼が決して故郷を見捨てたわけではないというメッセージが込められているのだろう。

　「メイド・イン・ロシア Сделано в России」はそんな故郷に思いを馳せた曲だ。「お前は丘で生まれ／フィン族の骨が眠る沼で育ち／その上にはバルト海のマツの木と／ワシリエフスキー島のスフィンクスがある／その近くの湿った通路の中で／お前たちは猛烈にキスし／彼女は『ストップ！』と言った」ペテルブルグを知る者なら、ロシアとヨーロッパが混ざり合ったあの奇妙な人工都市の風景が自然と目に浮かんでくることだろう。フックでは「メイド・イン・ロシア スジェーラナ・ヴ・ラシイ」というフレーズが執拗に繰り返され、今や完全に負の「ブランド」となってしまった母国に対するやりきれない思いが読み取れる。

　一方、「2 月 23 日 23 февраля」では侵攻前夜の一日が回想される。悪天候のヨーロッパでのホテル生活、ガールフレンドとの情事、その日聴いていた音楽（「Donda 2」）、着ていた服（「Mihara Yasushiro」）、吸っていた煙草（「アメリカン・スピリットの青い箱」）——それらは 2 月 24 日を境に失われた最後の「日常」の風景だ。フックの「幸せのためにこの上まだ何が必要なんだ？／忙しくもなく健康で、ポケットには現金もあるっていうのに」という問いかけは、自分たちの野心のために戦争という最悪の手段に打って出た国の権力者たちにも向けられているのかもしれない。

若者を死地へ追いやる「オッサン」たち

　モルゲンシテルン Morgenshtern (1998–) もまた軍事侵攻を受けて楽曲を発表したラッパーの一人だ。フェイスと同じロシア中部の都市ウファ出身で、ユダヤ系ロシア人の母親とバシキール人の父親を持つ。問題行動により大学から放校されるなどしていた彼は、普通の人生に別れを告げるべく左眉の上に大きく「666」のタトゥーを彫り、YouTube に投稿した「イージー・ラップ」と題したヒップホップのパロディ動画で一躍人気者になる。

　そんな彼が政治をネタにしはじめたのは 2018 年だ。「俺はナワリヌイのラッパー??? Я рэпер Навального ???」と題した動画で、プーチン大統領やクセニヤ・サプチャーク（リベラル派のジャーナリスト）にはラッパーたちが曲を作っているのに、大統領の政敵である反体制政治家、アレクセイ・ナワリヌイに捧げられた曲はないと語り、リョーハ（アレクセイの愛称）のために作った曲をビデオクリップとともに披露した。ほとんどジョークのような内容だが、「リョーハは刑事、リョーハは最高、リョーハはご立派／お前は彼からご自分の高価な宮殿を隠せはしない」といったかなり際どいくだりもある。

　ラッパー自身は政治に対して曖昧な態度を取っており、2020 年に YouTube の人気インタビュー番組「ヴドゥーチ」に出演した際には、「プーチンは男前だ」「世界と闘うのは無意味だと悟った」「俺は最高のエゴイスト」「俺は政治家たちの活動に抵抗したりしない」などと発言していた。しかし、2021 年に YouTube で公開された二つの楽曲のビデオクリップの内容が麻薬宣伝の罪に当たるとして 10 万ルーブルの罰金を命じられるなど、当局からの締めつけが強まる。同年にはロシアで Spotify がサービスを開始してから 1 年間でもっともよく聴かれた国内アーティストとなり、国内での人気を証明したが、2021 年 11 月に連邦捜査委員会のバストルイキン委員長から「モルゲンシテルンが SNS で麻薬を販売している」と告発され、危機を感じたラッパーはドバイへと逃れた。

　もっとも、モルゲンシテルンを非難しているのはロシア当局だけではない。2019 年にラッパーはオデーサで行ったコンサートの最中、数日前に現地の経済大学で起きた大火事の死者 16 名を追悼する「国喪の日」を茶化す発言をし、それがネットで拡散したことによってウクライナ国民から大きな非難を浴びた。その後、2021 年にはウクライナ保安庁によって「国家安全保障への脅威となる人物リスト」に登録され、現在も入国を禁じられている。

　モルゲンシテルンの追放は、彼の政治思想云々というより、過激なパフォーマンスや舌禍によるところも大きいように見えるが、今回の軍事侵攻に対しては自らの楽曲を通して明確に反対の姿勢を示した。2022 年 3 月 14 日に YouTube 等で公開された「12」は、同日に 12 歳の誕生日を迎えたラッパーの弟に捧げられた曲だ。「ルーブルは過去に置いてきた、今はドルとユーロだけ／新しいビッチは気持ちいい、真新しいパスポートはもっと気持ちいい／プライベート・ジェット、ドバイ、スペイン、弟を喜ばせるため／あいつがロシアで育たず、恐怖を教えられなくて本当によかった」

　オクシミロンと共通しているのは、戦争を主導している上の世代との断絶の意識だ。「屠殺場に送り込むのは大きなオッサンども／オッサンどももいつだって無関心だった」近年ロシア政府は「ロシア世界」という構想を打ち出しているが、オクシミロンやモルゲンシテルンにはそういったイデオロギーに対する共感は微塵も感じられない。

　曲の終わりには、この曲を手がけたウクライナ出身の音楽プロデューサー、パラギン Palagin (1996–) の母親で、現在ウクライナで避難生活を送っているという女性の電話音声が挿入され、黒地の背景にラッパーの平和を求めるメッセージが流れる「これはパラギンの母親からのメッセージだ。彼はウクライナ人。俺はロシア人。俺たちは一緒に音楽を作ってる。世界全体のために。俺たちは平和がほしい。俺たちは友情がほしい。弟よ、誕生日おめでとう」

「ブリャチ、なんでこんなことが」

　オクシミロンやモルゲンシテルンより年長の 40 代のベテランラッパー、ウラジ Влади (1978–) は、今回の軍事侵攻を受けて一枚のアルバムを完成させた。

　彼は、ロシア南西部の河港都市ロストフ・ナ・ドヌーをレペゼンするヒップホップ・グループ、カスタ Каста のリーダーとして知られる。カスタはすでに侵攻前から自分たちの楽曲を通して社会に警鐘を鳴らしており、2019 年には「私たちのロシア国歌 Наш「Гимн России」と題したオリジナルの国歌を YouTube で公開した。かつてのソ連国歌の歌詞を書き換えた現行の国歌が強大な祖国を讃える内容であるのに対して、カスタの国歌の主人公は「私たち」、すなわち国民だ。「ここでは探していたものも人々もすべて見つかる／ここの人々は貴重で唯一無二／それは私たちだ／未来にはもっと

も安定した保証人がいる／過ちを記憶し、それを繰り返さない人々／それは私たちだ」ビデオクリップの中で、メンバーたちはこの曲を現行の国歌のオルタナティブとして採用することを大統領に提案している。

ウクライナへの軍事侵攻の衝撃について、ウラジは次のように語っている。「私は戦争はあり得ないと信じていた。私たちとウクライナ人は戦争などできない兄弟や親戚だと実際に感じているからだ。(中略)私は、気に入らないやつは全員懲らしめてやろうとする残忍な暴君の権力の手の中に自分がいるのだと感じる」[7]実際、カスタはロシア政府にとって「望ましくない」ミュージシャンのリストに入れられており、国内のコンサートの大部分がキャンセルされる事態[8]となった。

侵攻から 10ヵ月を経た 12 月、ウラジは『長引く 2 月 Длится февраль』と題した全 9 曲のアルバムを発表した。美しくも物悲しいピアノの旋律のループとともに始まる 1 曲目「苦難の時 Безвременье」では、祖国の現実を受け入れることの困難さが率直に吐露される。「市民の成長、それは受け入れること／国はお前のことなどどうでもよく、お前の存在はまったく重要ではない／この重苦しさを受け入れること／政府機関は感覚器官など持たない／いつも自分のことを押しつける(中略)子どもの心で壊せる最後のもの／それはママが自分を愛していると信じる気持ち／しかし祖国は母親ではない／幼年期にピリオドを打つ時がきた／失望、喪失、闇／それは成長のための正しい教科書」

3 曲目の「ブリャチ、なんでこんなことが Как это блядь возможно」はウクライナ人女性の視点から戦争の現実を歌った曲だ。「彼女にはモスクワの映画界と古くからの親交があった／映画、広告、過去にはたくさんの共同プロジェクトがあった／彼らは皆いい人たちだった(中略)彼女の世界の光景はミサイル攻撃によって一瞬で破壊された／2 月 53 日、今はほとんど静かだ／対空防衛の閃光が遠くに見える／彼女はまた宇宙に問い合わせる／『ブリャチ、なんでこんなことが？』」ここで発せられる「ブリャチ」という間投詞は直接的には「娼婦」を意味する罵り言葉で、どこにもやり場のない怒りや悲しみが込められている。

5 曲目の「大げさに言うな Краски не сгущайте」では、一転、ロシアの愛国者の側から反体制派の人間が描写される。「実際、お前たちは異質で有害なライフスタイルを送ってきた／デマを読み、仲介者のようにそれをシェアした／かつては先頭に立っていたが、今は最後尾だ／なぜお前たちは絵空事を話す？／画像にいいねし、リポストし／子どもみたいに無駄に時間を費やした／生きて働く代わりにお偉方を罵った／やっぱりつらいって？／終わりだ、もう遅い」

本アルバムでウラジは、曲ごとに立場の異なる人物を主人公に立て、「2.24」後の状況を多様な視点から立体的に描こうと試みている。ロシア国内でこのアルバムは問題視され、ある国会議員は「軍の功績を貶めるものだ」として法執行機関にアルバムの調査を依頼した。[9]さらに、ラッパーの故郷であるロストフにはウラジとゼレンスキー大統領を描いたポルノまがいのバナー広告まで現れたという。[10]

蠅の世界と戦争の神

国外で反戦の立場を主張しているラッパーに比べ、国内に残るラッパーたちの動向は不透明な部分が多いが、そんな中でも戦争の「リアル」をラップを通して表現しようとしているのが、ロシア・ヒップホップ界の異端児ハスキ Хаски (1993-) だ。

シベリアのイルクーツクに生まれ、モスクワ大学のジャーナリスト学部で学んだ彼は、愛国的な立場を表明しつつも、いたずらに国を賛美することはなく、プーチン政権下のロシア社会を蝕む病理を歌ってきた。ダウナーなビート、陰鬱なフロウ、ロシアの「ゴープニク(不良)」を地で行くようなファッション、そのどれを取ってもその他の愛国ラッパーとは一線を画している。

ハスキは以前から何度もドンバスを訪れコンサートを行うなどしていたが、軍事侵攻後の 4 月には民間軍事会社で兵士として戦う音楽家たちを取材した短いドキュメンタリー映画を発表していた。[11]この映画の詳しい制作意図は不明だが、その後 YouTube に新曲のビデオクリップを投稿しはじめ、10 月には「ネクロ(蠅の世界、戦争の神) Некро (Мир мух , Бог войны)」と題した動画を公開した。ハスキのビデオクリップは毎回かなり凝った作りになっているが、本作は掌編映画さながらに物語性の強い作品となっている。

最初に映し出されるのは、とある高層団地とその上空に現れた奇怪な空だ。次に画面はアパートの上層階からの風景に切り替わり、ハスキのナレーションが入る。「漠然とした脅威が街とその住民たちに迫った。曰く言いがたい形をした得体の知れない巨大な雲が凝縮した。人々は不可解な現象のために恐怖した。無から生命が生じたのだ。人間のことなど

お構いなしに己の論理によって動く生命が。各自の頭に突飛な憶測が浮かんだが、あまりに常識外れだったために、おそらくは誰も最後まで考えようとはしなかった」

「ネクロ」というタイトルが現れ、次の場面では渦を巻く不気味な雲に閉ざされた郊外の野原を一人の透明人間が歩いている。一曲目の「蠅の世界」が流れる。これはハスキが 2020 年にリリースしたアルバム『ホシホノグ Хошхоног』の収録曲で、人間の姿が消えた荒廃した都市の光景を歌っている。「みんな自殺して街は空っぽ／ただ信号がばらばらに大笑いしている／すべてが人間性を失い、小便みたいに不要な俺も／大笑いしながら通りを流れていく」やがて、透明人間は空の渦に吸い込まれて消える。

映像は廃墟に切り替わる。蠅の大群が通気口から建物内に侵入し、無人の洗面所に出る。鏡にはフェイスパックが貼りつき、口の部分がラップに合わせて不気味に動く。やがてパックは血痕のついた洗面台に剥がれ落ち、排水溝に吸い込まれる。

排水溝の暗いトンネルを抜けた先は真っ昼間の街で、上空を大量のミサイルが飛んでいく。新曲の「戦争の神」が流れ、ぼろぼろのスニーカーだけを履いた透明人間がアスファルトの上を踊るような足取りで歩きだす。「農場の頭上は夜、そこではすべてが儚い／弾丸だけが規則正しく落ちてくる／古い神々は雲の上で眠ってる／不安で枕カバーが濡れる／窓の外に見えるのはドローンかデーモンか……」やがて音楽がスローになり、それに合わせてスニーカーがどろどろに溶け（その際に透明人間の影だけが飛び去る）、黒いヘドロが道路の排水溝に吸い込まれる。

どのような形でかは不明だが、ハスキは「特別軍事作戦」に参加しながらニューアルバムの制作に取り組んでおり、「戦争の神」も前線で書かれたという。「ネクロ」の映像自体はモスクワ出身のクリエイティブ集団 ATAKA51 が制作したものであり、彼らの Instagram (aaataka51) の投稿によると、「人間が居場所を失う病的で窒息しそうな世界」を表現しようとしたとのことだが、「蠅の世界」と「戦争の神」でラップされる（ポスト）アポカリプス的な光景は彼らのコンセプトに絶妙にマッチしている。

世界の軋みを聴く

「戦争」という言葉が日常となって早くも一年以上が経った。

ウクライナへの軍事侵攻によってロシアの音楽表現はどのように変わったのか。国外で活動を続ける体制に批判的なラッパーたちは、もはや権力に忖度する必要がなくなったぶん、以前よりも率直に政治的メッセージを打ち出すようになった。一方で、積極的に軍事侵攻やプーチン政権を支持するラッパーは少ない印象だ。些細な言動が逮捕につながりかねない現状で、たとえ政権支持の立場であっても、政治的な話題については沈黙するのが得策と考えているのかもしれない。それを踏まえると、戦場に身を置きながらアルバム作りを行っているハスキの異質さはやはり際立っている。

もちろん、音楽に直接戦争を止める力はない。スラヴォイ・ジジェクが書いているように、ジョン・レノンの「イマジン」を皆が歌ったからといって、この世から争いが消えてなくなるわけではないのだ。戦争反対を訴えることはもちろん重要だが、教条的な平和主義はかえって思考停止や現実逃避をもたらしかねない。単純化に抗うことこそが必要であり、ロシアのラッパーたちがスピットする生身の言葉を通して、私たちは壊れつつある世界の軋みを聴くことができる。

曲目リスト（リンクは YouTube の公式動画）

1. レニングラード「さらば、エリート！」/ Ленинград «Прощай, элита!» [https://youtu.be/2WQIW7aK5Bk]

2. レニングラード「立入禁止！」/ Ленинград « Входа нет !» [https://youtu.be/FeIjDxbAZeM]

3. レニングラード「イノアゲント」/ Ленинград « Иноагент » [https://youtu.be/-eKdRrKotdI]

4. オクシミロン「オイダー」/ Oxxxymiron « Ойда !» [https://youtu.be/pYymRbfjKv8]

5. オクシミロン「メイド・イン・ロシア」Oxxxymiron « Сделано в России » [https://youtu.be/LlsZbmji68Y]

6. オクシミロン「2 月 23 日」Oxxxymiron «23 февраля »
    [https://www.youtube.com/watch?v=SPTdtnRbUto]

7. モルゲンシテルン「俺はナワリヌイのラッパー???」Моргенштерн « Я рэпер Навального ???»
    [https://youtu.be/v8nkar9Votg]

8. モルゲンシテルン「12」Моргенштерн «12» [https://youtu.be/lX0TPbCSAbM]

9. カスタ「私たちのロシア国歌」Каста « Наш Гимн России »

    [https://www.youtube.com/watch?v=Hn4O7YwhRGQ]

10. ウラジ「苦難の時」Влади « Безвременье » [https://youtu.be/8bCyLoLToa4]

11. ウラジ「ブリヤチ、なんでこんなことが」Влади « Как это блядь возможно »

    [https://www.youtube.com/watch?v=ZTsyfsOcPuw]

12. ウラジ「大げさに言うな」Влади « Краски не сгущайте »

    [https://www.youtube.com/watch?v=TJrB5Ik26qc]

13. ハスキ「ネクロ(蠅の世界、戦争の神)」Хаски « Некро (Мир мух , Бог войны)»

    [https://youtu.be/3My743SBNn0]

注釈

----

1 Владимир Сорокин : « Во время войн литература держит паузу » // Голос Америки . 05.10.2022
   [https://www.golosameriki.com/a/sorokin-columbia-university-/6777244.html] (2023 年 5 月 14 日閲覧。
   以下同)。

2 松下隆志「ロシアをレペゼンするのは誰か──プーチン時代の政治とラップ」『ゲンロン 14』2023 年、100–121 頁。

3 公式サイト [https://www.r-a-w.live/] の情報に拠る。

4 MORGENSHTERN – главный шоумен России -2020 / Russian entertainer #1
   [https://www.youtube.com/watch?v=AR6ovvs6Ihg&t=8808s]

5 Бастрыкин обвинил Моргенштерна в торговле наркотиками в соцсетях // RBC.ru. 23.11.2021
   [https://www.rbc.ru/society/23/11/2021/619d13a29a794748264c2fe5].

6 Моргенштерна включили в перечень лиц , которые угрожают нацбезопасности Украины // Украи
   нская правда . 29.04.2021 [https://www.pravda.com.ua/rus/news/2021/04/29/7292030/].

7 Самое страшное утро в жизни : Россия напала на Украину . Чтобы описать происходящее , не хва
   тает слов . Вот что говорят об этом Земфира , Иван Дорн , Юрий Шевчук и другие // Meduza.
   24.02.2022 [https://meduza.io/feature/2022/02/24/samoe-strashnoe-utro-v-zhizni].

8 « Фонтанка » опубликовала « список запрещенных артистов ». В нем есть ДДТ , Нойз МС , Оксим
   ирон , Монеточка и Земфира // Meduza. 08.07.2022 [https://meduza.io/news/2022/07/07/
   fontanka-opublikovala-spisok-zapreschennyh-artistov-v-nem-est-ddt-noyz-ms-oksimiron-
   monetochka-i-zemfira].

9 Депутат Госдумы попросил проверить антивоенный альбом Влади // Радио свобода . 12.12.2012
   [https://www.svoboda.org/a/deputat-gosdumy-poprosil-proveritj-antivoennyy-aljbom-vladi/
   32173277.html].

10 В центре Ростова - на - Дону вывесили матерный плакат с изображениями Касты и Зеленского //
   Rostov gazeta.ru. 22.12.2022 [https://rostovgazeta.ru/news/2022-12-22/v-tsentre-rostova-
   razmestili-pornograficheskie-bannery-s-reperom-vladi-i-zelenskim-2622407].

11 « ЧВК Филармония ». Музыканты на войне [https://dzen.ru/video/watch/6257fa4247ef2c3b4998512d].

12 Рэпер Хаски принимает участие в СВО и пишет новый альбом // Российская газета . 03.11.2022
   [https://rg.ru/2022/11/03/reper-haski-prinimaet-uchastie-v-svo-i-pishet-novyj-albom.html].

13 スラヴォイ・ジジェク「ウクライナが侵攻されているいま、偽りの平和主義を掲げるなど愚の骨頂だ」『クーリエ・
   ジャポン』2022 年 7 月 21 日 [https://courrier.jp/news/archives/294978/]。

上昇する音楽 ―PeterParker69, Jeter & Y ohtrixpointnever 『deadpool』について―

市川タツキ

ストリート、フロアの床、地元のショッピングモール ....。あらゆる地面から上昇しようとする音楽がある。PeterParker69 による EP『deadpool』がそれだろう。

この感覚的な、または天然的とでも言えそうな EP 作、ないし若者達は、どうやら地上に対し、どこまでも無執着でクール、同じ場所に居座り続けることへの興味からは離れているように見える。音楽は地上から離れ、確かに上昇する。

ヒップホップにおいて上昇というアクションはいくつかの意味を持つだろう。例えば、自らが育ったハードな環境から抜け出し、成り上がること。生まれ育った場所のしがらみ、または悪事からの脱却を音楽によって成し遂げること。それらはいわゆるストリートの物語として、あくまで"ヒップホップ"らしい形で消費されるだろう。

あるいは、もう少し違った視点から物事を見てみるのもいい。つまり場所にまつわる物語を持たないもの達の表現がどのようなものだったか。強く想起させるのは 2018 年に Mall Boyz が達成した上昇だ。当時彼らがリリースした EP『Mall Tape』はあらゆる意味で象徴的な作品だった。Tohji のフロウの革新性や、解放的なサウンド。泥臭さとは異質のリアルな感覚がそこにはあった。

＜フッドがどこにあるとか、気にしたことはないんだよ＞ ＜フードコートで吐くまで食べる＞

収録曲「mallin」ではフッドを持たない若者達が、ショッピングモールに入り浸っていた。愛憎含め、特定のフッドをレプリゼントする、具体的な場所の表現としての側面が強いヒップホップというカルチャーにおいて、それらが示すような"フッド"を持たない若者達の表現が、音楽作品として浮遊感と上昇を携えていたのは重要である。

＜1 人空高く上空の上で生きる、成し遂げて死ぬ＞

Mall Boyz が「Higher」で提示した刹那は上昇するアクションである。歌とラップの合間を彷徨いながらも、メロディの輪郭を決してはっきりさせない Tohji のフロウ。ハイパーポップやベッドルームポップ、またはマンブルラップを通過し獲得したもの、と簡単に言ってしまえるかもしれないサウンドだが、そこにある浮遊感には、重力の感触は希薄で、地上の束縛からは解放されているようである。

テーマというテーマはまるでないがアクションだけはあるような、快楽に身を委ねその時の感覚、気分で綴っているような、そんな彼らのリリックは好き勝手である。ただ一方でそれこそが彼らの"リアル"なのではないかという考えも頭をよぎる。ヒップホップにおける"リアル"の定義をここで議論しようとするのは無謀かもしれないが、少なくともこの適当さ、調子良さは、あくまで瞬間やアクションを切り取ることで表現されている。

一方でショッピングモールという場所も気になる。

＜何がリアル、何がリアルじゃないか。そんなことだけで面白いか＞

tofubeats「SHOPPINGMALL」はこのようなリリックから始まる。何がリアルか。もっと言えば何がリアルな表現なのか。同曲ではこうも言っている。

＜何かあるようで何もないな、ショッピングモールを歩いてみた＞

"何かあるようで何もない場所"。ショッピングモールという場所を tofubeats は 2017 年にそう表現した。フードを気にしない Mall Boyz はモールに集っていたが、一方でその場所の空虚さを tofubeats は歌っている。

これは一方でデジタルネイティブ世代のリアルとも言えるかもしれない。フィジカルな世界、場所、地上。そこに、彼らにとってのリアルは見出しづらく、レプリゼントできるようなフードも持たない。従来のヒップホップ的な"リアル"と彼らにとっての"リアル"の乖離。

だからこそ、Mall Boyz が、ショッピングモールに入り浸りながらも、場所の表現から、もっと言えば地上から、サウンドにおいてもリリックにおいても離れ、浮遊、上昇したことは、大きなカタルシスをもたらした。フードを持たない彼らは空虚なショッピングモールへ。そしてショッピングモールから上空へ。

その感覚に再会を果たしたのは Peterparker69「Flight to Mumbai」のＭＶである。舞台は"あの"ショッピングモール。そこで彼らは合流し、音楽に合わせて緩く踊り出す。次第にコラージュの切り貼りのように、被写体が分散していく。それらは、ショッピングモールという場所から、いわば地上から脱出し、空の上に上昇していく。最終的に音楽を奏でる 2 人の姿は、ピアノと共に上空にいる。適当な合流、適当なダンス、適当な上昇 ....。何もかもがリラックスしてカジュアルに。

JETER と Y ohtrixpointnever によるプロジェクト Peterparker 69。彼らの EP『deadpool』は、ポップで感覚的に、今いる場所からできるだけ遠くにリスナーを誘導しようとするような、動的な音楽作品であることは確かだろう。ただ作品は単一的ではない。

＜あんまいい気分にない / ボニーアンドクライドでさえ / 銃おいて舞を舞い / 脳は体にない状態 / あんまいい気分にない / ボニーアンドクライドでさえつらい /ってそう信じたい＞

収録曲「fallpoi」は繊細さと快楽的な時間に溢れた曲である。ただ同時に、動的で躁的な作品中においては、唯一停滞の時間を描いているとも言えるだろう。内省とフロアの時間。その瞬間に身を寄せている。一方で、引用されるのは社会から逸脱し、逃亡する、ある種の反骨の象徴であるボニーとクライド。例えば、これもまたフックにて上昇を歌う kzm「Teenage Vibes」において Tohji は、自らのヴァースで自由を追い求め儚く散ったこの 2 人の反骨に自らを重ねていたが、「fallpoi」では、その裏にあるはずの憂鬱と、快楽に身を委ねる時間に思いを馳せる。反骨と刹那。そのアクションの裏にある停滞の時間を描く。

このように様々な感情や時間が混ざり合うことで、EP『deadpool』は作品として他にない鮮やかさを獲得する。クリアな音のテクスチャーや、クリーピーな瞬間とクールな瞬間の両側面を携え配置される声も、鮮やかさを補強する。『deadpool』の音楽には様々なものが混ざり合った結果としての煌びやかさがある。美しき加工物。

単なる青臭さではない、独自の鮮やかさの中にある身軽さと自由な感覚にこそ『deadpool』の上昇がある。彼らのユニークな上昇は、我々を上空へ誘うだろう。道を歩く、フロアで踊る、モールに入り浸る、そんな我々を。

AGI 5 / MERZBOW Ⅲ

初版発行：2023年6月30日
監　　　修：中村 泰之
著：秋田昌美、佐藤薫、川崎弘二、荘子it、
　　　　　松下隆志、よろすず、久世、市川タツキ
デザイン：株式会社スタジオワープ
編　　集：中村 泰之
制　　作：中村 泰之　中村 真理子
発 行 者：中村 泰之
発 行 元：きょうレコーズ
発 売 元：株式会社スタジオワープ
　　　　　〒530-0041 大阪市北区天神橋3丁目10-30 コープ野村扇町107
　　　　　TEL.06-6882-3367　FAX.06-6882-3368
印刷・製本：株式会社グラフィック
Ｉ Ｓ Ｂ Ｎ：978-4-86400-046-8

「AGI」Back Number

バックナンバーはお近くの書店、アマゾンにてご注文下さい。

創刊準備号

タイトル：vanity records
監修：中村 泰之
著：嘉ノ海 幹彦、東瀬戸 悟、よろすず、平山 悠、能勢 伊勢雄
価格：¥3,850（税込）
ISBN：978-4-86400-040-6
発売日：2021年7月23日
版型：B5（257×182×24.5mm）
ページ数：本文392ページ（カラー 90ページ）
製本：並製
初版特典：CD2枚組
発行元：きょうレコーズ
発売元：株式会社スタジオワープ

創刊号

タイトル：AGI
監修：中村 泰之
著：嘉ノ海 幹彦、椹木 野衣、平山 悠
価格：¥4,950（税込）
ISBN：978-4-86400-041-3
発売日：2022年2月28日
版型：B5（257×182×54mm）
『AGI』『rock magazine 復刻版』2分冊
ページ数：本文208+592ページ 計800ページ
BOX 仕様：2冊の本とCD4枚は豪華ボックス
　　　　　　（266×191×54mm）に封入
製本：並製
初版特典：CD4枚組
発行元：きょうレコーズ
発売元：株式会社スタジオワープ

「AGI」Back Number

バックナンバーはお近くの書店、アマゾンにてご注文下さい。

創刊2号

タイトル：AGI 2 / ENO
監修：中村 泰之
著：藤本 由紀夫、東瀬戸 悟、嘉ノ海 幹彦、平山 悠、よろすず
価格：¥3,850（税込）
ISBN：978-4-86400-042-0
発売日：2022年6月30日
版型：B5（257×182×20mm）
ページ数：本文304ページ（カラー16ページ）
製本：並製
初版特典：CD1枚組
発行元：きょうレコーズ
発売元：株式会社スタジオワープ

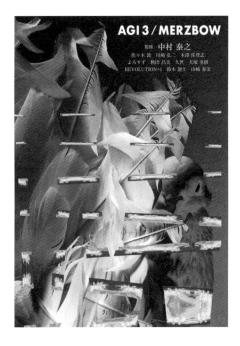

創刊3号

タイトル：AGI 3 / MERZBOW
監修：中村 泰之
著：佐々木 敦、川崎 弘二、木澤 佐登志、よろすず、秋田 昌美
久世、大塚 勇樹、REVOLUTION+1、鈴木 創士、山崎 春美
価格：¥3,850（税込）
ISBN：978-4-86400-043-7
発売日：2022 年12月15日
ページ数：本文304 ページ（カラー 64 ページ）
製本：並製
発行元：きょうレコーズ
発売元：株式会社スタジオワープ

「AGI」Back Number

バックナンバーはお近くの書店、アマゾンにてご注文下さい。

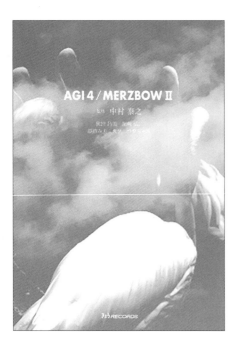

創刊4号

タイトル：AGI 4 ／ MERZBOW II
監修：中村 泰之
著：秋田 昌美、川崎 弘二、韻踏み夫、久世、つやちゃん
価格：¥2,750（税込）
ISBN：978-4-86400-044-4
発売日：2023年3月30日
版型：B5 判（182×257×9mm）
ページ数：本文144ページ（カラー 16ページ）
製本：並製
発行元：きょうレコーズ
発売元：株式会社スタジオワープ